ARGUI

POLITIQUE SC

D0539808

. 16, n° 2, printemps – été 2014   www.revueargument.ca

SOMMAIRE

DOSSIER
Surprenante Nouvelle-France !

Argument vol. 16, n° 2, 2014

1

DOSSIER :
Surprenante Nouvelle-France !

Présentation

L'idée de ce dossier m'est venue à la suite de la lecture du livre de David Hackett Fisher, *Le rêve de Champlain* (Boréal, 2011). Ce livre, véritable bijou dans le genre — et qui est d'ailleurs merveilleusement servi par une traduction magistrale de Daniel Poliquin —, a eu sur moi l'effet d'une bombe. Sans doute par préjugé malavisé, peut-être aussi parce que la manière dont cette histoire m'avait été contée avait rendu le sujet quelque peu rébarbatif, l'histoire de la Nouvelle-France m'apparaissait plutôt fade. Ce sentiment de jeunesse avait été récemment renforcé lorsque j'aidais dans les dernières années mes filles à faire leurs devoirs d'histoire. Même si je me gardais bien de leur en faire part, je les plaignais d'avoir à apprendre par cœur que les Algonquins sont des chasseurs-cueilleurs, que leurs vêtements étaient conçus à partir de peaux et de fourrures, que les ursulines s'occupaient de l'instruction des jeunes filles alors que les hospitalières se chargeaient de mettre en place des hôpitaux, et ainsi de suite. Peut-être sans trop y réfléchir, j'en avais conclu — à tort bien entendu — que cette époque n'avait pas été très exaltante ou en tout cas il me semblait plus judicieux de trouver ailleurs matière à me surprendre.

Dans l'espoir de briser une fois pour toutes ce mythe d'une Nouvelle-France ennuyeuse, nous avons demandé à des collaborateurs bien au fait de cette période historique de nous faire découvrir des personnages, des lieux, des événements dignes d'intérêt et propices à surprendre nos lecteurs. Une mission, toute simple, leur a été confiée, celle de faire émerger de cette période historique des moments et des figures remarquables dont il importerait aujourd'hui de rappeler le souvenir. Nos collaborateurs ont répondu avec enthousiasme à cette demande, eux qui n'ont pas attendu ce dossier pour savoir que l'histoire de la Nouvelle-France est passionnante ! Les textes qu'on s'apprête à lire portent sur des sujets aussi variés que l'affaire Jumonville, la présence protestante en Nouvelle-France, la manière dont on cartographiait cette Amérique, mais aussi sur des personnages plus grands que nature comme Pierre Boucher ou d'Iberville. S'ajoutent à ce dossier deux textes, le premier tout en nuances d'Éric Bédard qui, reconnaissant sans ambages l'apport des historiographies précédentes, nous montre pourtant en quoi le Québec d'aujourd'hui est prêt à se réapproprier cette période historique, puis celui de Marie-Andrée Lamontagne qui s'emploie à nous faire découvrir en conclusion de ce dossier la féconde postérité littéraire de la Nouvelle-France.

Bien entendu, le lecteur comprendra que ce dossier n'a d'autres ambitions que de faire découvrir des pans surprenants de l'histoire de la Nouvelle-France à un lectorat curieux. Il ne faudrait pas en conclure que de mettre l'accent sur les aspects les plus surprenants de cette histoire constitue un quelconque appel à en oublier la part d'ombre. On verra que les auteurs de ces textes ne sont nullement hagiographes : ils sont surtout des experts ou des passionnés qui ont voulu partager ces grandes comme ces petites choses qui ont fait l'histoire de cette époque historique peut-être trop mal connue.

François Charbonneau

Retrouver la Nouvelle-France

Éric Bédard

Au tournant des années 1990, je complétais mon baccalauréat en histoire à l'université de Montréal. Je me souviens
que la Nouvelle-France nous ennuyait beaucoup. J'eus pourtant
droit à un cours d'introduction tout à fait respectable du
professeur Jean Blain, alors au soir de sa carrière. Louis Lavallée,
spécialiste d'histoire moderne, certainement le professeur le
plus sympathique du département, préparait alors une monographie tout à fait typique de l'époque : *La Prairie en Nouvelle-
France, 1647-1760. Une étude d'histoire sociale*[1]. Quiconque
projetait d'étudier la Nouvelle-France était en quelque sorte
condamné à lire ce genre de monographies qui nous tombaient
littéralement des mains ! Si, lors de mes cours d'historiographie,
je vis mieux la pertinence de ce genre de recherche, influencée
par les Annales françaises et le marxisme, centrée sur les rapports
de classes et le système seigneurial, je comprenais mal qu'on
tourne le dos aux événements et aux personnages marquants
de la Nouvelle-France qui avaient façonné l'histoire du peuple
dont j'étais issu[2].

Alors qu'une génération d'universitaires s'apprête à prendre
sa retraite, une évidence s'impose à moi : la Nouvelle-France a
relativement peu intéressé les meilleurs historiens québécois de
la génération précédente, celle des Paul-André Linteau et des

Argument vol. 16, n° 2, 2014

---

1. Montréal, McGill-Queen's University Press, 1992.
2. Serge Gagnon, *Quebec and Its Historians : The Twentieth Century*,
Montréal, Harvest House, 1985.

Gérard Bouchard, des Yvan Lamonde et des Fernande Roy. Je tente deux hypothèses : l'une est liée à des recherches érudites et pionnières ; l'autre, au contexte de « modernisation » de la société québécoise.

Plus âgés que les historiens de la « génération Bouchard », Marcel Trudel (1917-2011) et Louise Dechêne (1932-2000) ont laissé des œuvres marquantes qui, sur le plan de l'érudition autant que de l'ambition, n'ont pas encore été dépassées. Trudel a été l'un des premiers docteurs en histoire formés dans une université québécoise. S'il a été influencé par l'histoire sociale, son approche de la discipline et ses méthodes furent surtout celles des positivistes. Après avoir consacré sa thèse et quelques monographies à des thèmes plus classiques d'histoire intellectuelle et politique, il se lança dans une très ambitieuse synthèse de la Nouvelle-France. Les quatre tomes qui la composent, dont le dernier fut publié en 1997 alors qu'il était âgé de quatre-vingts ans, sont d'une érudition à couper le souffle. Avant de se lancer dans l'écriture de chacun d'entre eux, Marcel Trudel consulta tous les documents de première main disponibles ou connus. Dans ces gros ouvrages, chaque personnage ou enjeu sont étudiés avec minutie, parfois dans de longues notes de bas de page. Plus jeune que Trudel, Louise Dechêne s'inscrivait quant à elle plus clairement dans le courant des Annales françaises. C'est d'ailleurs à Paris qu'elle soutint une thèse qui sera publiée chez Plon en 1974 sous le titre *Habitants et marchands de Montréal au XVIIᵉ siècle*. L'ouvrage, couronné, devient immédiatement un classique de l'historiographie québécoise et canadienne. Éclairée par des sources originales, les « minutes notariales », Dechêne présente la formation et les caractéristiques d'une population qui prend racine sur le continent américain. Sans se lancer, comme Trudel, dans un vaste projet de synthèse, elle publiera par la suite quelques monographies de grande qualité, dont une posthume[3]. Tout juste précédée par des historiens aussi importants, la génération Bouchard a eu peut-être l'impression qu'il devenait difficile d'innover ou de proposer des œuvres originales, ce qu'on peut très bien comprendre.

---

3. *Le peuple, l'État et la guerre au Canada sous le Régime français*, Montréal, Boréal, 2008.

Ce n'est pas faire injure aux œuvres incontournables de Trudel et de Dechêne que d'y constater l'intention commune de déconstruire le grand récit national des «anciens Canadiens». Les motivations de l'un et de l'autre ne puisaient pas aux mêmes sources. Dans ses *Mémoires d'un autre siècle*[4], Marcel Trudel explique son agacement pour une histoire trop soucieuse d'effets littéraires, davantage préoccupée par le grand style que par la Vérité. Il souhaitait également libérer la discipline historique de sa gangue cléricale et religieuse. Militant du Mouvement laïque de langue française, Trudel avait dans sa ligne de mire l'école clérico-nationaliste des années 1950 qui, à ses yeux, instrumentalisait l'histoire à des fins patriotiques. Jusqu'à la fin de sa longue vie, il joua les iconoclastes et chercha, par exemple, à minimiser le rôle de grands personnages comme Samuel de Champlain ou Jean Talon et à déboulonner les «mythes» d'une Nouvelle-France qui, martela-t-il jusqu'à son dernier souffle, n'avait rien d'un âge d'or[5]. De son côté, Louise Dechêne, plus matérialiste qu'anticléricale, s'employa à minimiser le rôle de la religion dans la fondation de Ville-Marie et à mettre au jour les rapports de domination qu'exercèrent les seigneurs sur leurs censitaires. Dans son dernier ouvrage, elle déploie un trésor d'énergie pour déconstruire la valeur militaire des miliciens canadiens de la Nouvelle-France, tant vantée par des générations d'historiens. Il y aurait beaucoup à dire sur les thèses défendues par Trudel ou Dechêne sur Samuel de Champlain ou le système seigneurial. Sans mettre en doute la rigueur de leurs démonstrations, fondée sur de longues recherches et beaucoup de méthode, je constate que leurs travaux ont contribué à désenchanter nos représentations de toute une époque.

Une autre raison, probablement plus fondamentale, explique cependant ce désintérêt des historiens de la génération précédente pour la Nouvelle-France : la «modernisation». «Formés dans un Québec où on parlait beaucoup de modernisation,

---

4. Montréal, Boréal, 1987.
5. Voir, à ce propos, Marcel Trudel et Mathieu D'Avignon, *Connaître pour le plaisir de connaître. Entretien avec Marcel Trudel sur la science historique et le métier d'historien au Québec*, Québec, Presses de l'université Laval, 2005. Les derniers écrits de Trudel sont regroupés dans des recueils qui s'intitulent *Mythes et réalités dans l'histoire du Québec*.

ayant sous les yeux une société industrialisée et massivement urbaine, se souvient Paul-André Linteau, nous voulions mieux comprendre les origines et le processus de formation du Québec actuel. L'historiographie existante, centrée principalement sur la Nouvelle-France et sur les débuts du régime britannique, n'apportait pas de réponse satisfaisante à nos questions[6]. » Pour les réformateurs politiques et sociaux des années 1960, la modernisation fut en effet la grande affaire. Rattraper le temps perdu, prendre part à la marche du temps, faire du Québec une société ouverte et en phase avec l'Occident, autant d'ambitions qui habitèrent l'esprit d'une génération de politiciens, de technocrates et de chercheurs. La contribution des historiens fut de montrer que les Québécois n'avaient pas été allergiques à la modernité, qu'ils avaient même communié à ses grandes aspirations. Leur attention de chercheurs a donc surtout été tournée vers la période plus récente, celle dont nous sommes les « contemporains ». Très jeunes, ces historiens se sont lancés dans de vastes programmes de recherche[7]. Ils ont étudié à la fois les grands processus de modernisation (capitalisme bourgeois, industrialisation, urbanisation, luttes sociales) et les transformations culturelles engendrées par la modernité (féminisme, libéralisme, quête personnelle du bonheur, avant-gardes intellectuelles et artistiques).

Aux yeux de ces historiens, cette modernisation concernait aussi la discipline historique. Comme ils inauguraient, le plus souvent, de nouveaux champs de recherche, ils se tournèrent tout naturellement vers les sciences sociales pour interpréter, voire pour simplement nommer les phénomènes qu'ils étudiaient. « Les années 1960 sont celles des sociologues au pouvoir, écrit Paul-André Linteau, les économistes sont devenus de nouveaux gourous[8]. » Malheureusement pour le public friand d'histoire,

---

6. Paul-André Linteau, « La nouvelle histoire du Québec vue de l'intérieur », dans Éric Bédard et Julien Goyette (dir.), *Parole d'historiens. Anthologie des réflexions sur l'histoire au Québec*, Montréal, Presses de l'université de Montréal, 2006, p. 264.

7. Pour un aperçu de ce qu'il nomme le « paradigme de la modernisation », voir Gérard Bouchard, « Sur les mutations de l'historiographie québécoise : les chemins de la maturité », dans *ibid.*, p. 275-288.

8. Dans *ibid.*, p. 259-260.

cette rénovation de la discipline survenait à un moment où les sciences sociales adhéraient à une épistémologie déterministe, laquelle accordait peu de place ou de valeur aux acteurs et aux événements du passé. Les structures primaient alors les conjonctures, les classes sociales les grands personnages ; la contingence intéressait peu, la liberté de l'acteur, encore moins. Très influencés par ces sciences sociales, ces historiens abandonnèrent l'écriture historique plus traditionnelle, axée sur l'« intrigue » d'un sujet collectif. Les ouvrages des historiens de cette génération ressemblèrent souvent à des traités de sociologie, avec leur problématique à traiter, leur grille théorique à valider. Cette écriture austère, cet effacement de l'historien-auteur étaient le plus souvent perçus comme une preuve de sérieux. À la suite de Trudel, il importait d'extraire l'histoire des humanités classiques et d'en faire l'une des sciences du social. Pour s'en convaincre, on relira les deux tomes du manuel de référence de cette génération, l'*Histoire du Québec contemporain*[9], fort complet et toujours utile, mais qui ne propose aucun « récit », aucune narration d'événements.

Ces historiens voulurent également moderniser notre conception de la communauté nationale. Dans la présentation de leur *Histoire du Québec contemporain*, Paul-André Linteau, René Durocher et Jean-Claude Robert décrivent le Québec comme un territoire, les Québécois comme des « résidants ». Nulle part ne retrouve-t-on le concept de peuple. Il est plutôt question d'exposer la vie d'une multitude d'individus aux prises avec les grands défis de la modernité industrielle et culturelle. Quelques années après la publication du premier tome de cette *Histoire*, René Durocher présentait pourtant les choses ainsi : « Le simple fait d'enseigner l'histoire du Québec, compte tenu du cheminement qui avait été le mien, conduisait à une rupture avec l'historiographie existante. D'abord, je n'enseignais pas l'histoire du Canada en mettant l'accent sur la province de Québec, ni celle du Canada français. *Il s'agissait d'étudier l'histoire d'un peuple, les Québécois, qui ont une assise territoriale : le*

---

9. Montréal, Boréal. Le premier tome, qui va de 1867 à 1929 a été publié pour la première fois en 1979, alors que le second, qui va de 1930 à 1980, est paru en 1986.

Québec[10].» Cette conception plus unitaire du Québec ou des Québécois, considérés par Durocher comme un peuple, n'est cependant pas celle retenue par le manuel auquel il collabora.

Mais il y a plus que ce modernisme « civique » qui fait écho au recentrage laurentien de l'aventure canadienne-française, tout à fait typique des années 1960. Lorsque les historiens de cette génération prirent de front la question nationale, à partir des années 1990, ils optèrent le plus souvent pour une conception résolument constructiviste de la nation. Dans *La nation québécoise au futur et au passé*, Gérard Bouchard fit siennes les thèses de Benedict Anderson et d'Eric Hobsbawn[11], lesquelles considéraient les nations comme des entités imaginées sinon inventées. Yvan Lamonde de son côté fit commencer son ambitieuse *Histoire sociale des idées*[12] par l'arrivée des Britanniques qui, on le sait, accordèrent un Parlement aux habitants du Bas-Canada, après avoir consenti à ce qu'on puisse, dans la colonie, imprimer des journaux. Ce qu'il y a d'implicite chez Bouchard et chez Lamonde, c'est l'idée fort répandue et tenue pour évidente que la nation serait un produit de la modernité qui aurait pris forme dans le discours de ses élites lettrées à l'Assemblée législative ou dans les journaux, les ouvrages ou les pamphlets d'une littérature naissante. Sur ce plan, ils ne firent qu'illustrer la perspective d'un Fernand Dumont pour qui la construction d'une « référence » nationale prenait véritablement forme avec l'écriture de la première grande synthèse historique de François-Xavier Garneau. Dès lors que l'on perçoit la Nation comme un construit discursif ou comme un phénomène essentiellement moderne, c'est nettement le cas chez Bouchard, le dix-neuvième siècle devenait beaucoup plus intéressant que le dix-septième. Cette optique « moderniste » rendait la Nouvelle-France moins intéressante, moins riche, puisque la circulation des idées y fut très faible et que les chefs canadiens d'avant la Conquête laissèrent bien peu d'écrits réflexifs sur leur communauté d'appartenance qui auraient donné quelque consistance à un Nous national.

---

10. René Durocher, « L'émergence de l'histoire du Québec contemporain » dans *ibid.*, p. 271. Les italiques sont de moi.
11. Montréal, VLB, 1999, p. 143.
12. Montréal, Fides, 2000.

Comme l'a pourtant montré Anthony D. Smith dans *Nationalism and Modernism*[13], l'avènement de la modernité est loin d'épuiser notre compréhension du fait national. De nombreux théoriciens ont mis au jour les limites du paradigme de la modernisation. S'il est vrai que la forme nationale s'est imposée au dix-neuvième siècle à la faveur de nombreux phénomènes « modernes » (avènement de la bourgeoisie, développement de systèmes éducatifs par l'État, naissance d'historiographies et de littératures nationales, etc.), il y a tout lieu de croire, comme l'explique Smith de façon fort convaincante, que ce sentiment national reposait sur un réservoir de mythes, de rituels, de symboles et de souvenirs et qu'il puisait dans une très longue expérience historique. Admettre une telle évidence, ce n'est pas faire de la nation un fait de nature, mais simplement lui reconnaître des racines profondes et une plus grande longévité que ce que les modernistes laissent souvent voir.

Si l'on comprend mieux aujourd'hui pourquoi la Nouvelle-France a moins intéressé les meilleurs chercheurs, on peut se demander par quel chemin elle pourrait resurgir de manière plus significative dans notre historiographie. Je proposerai ici, trop rapidement, quelques pistes.

Pour qu'elle redevienne intéressante et surtout pertinente, il faudrait éviter de réduire la Nouvelle-France à l'envers de la modernité mais bien davantage la considérer comme le moment inaugural de l'histoire d'un peuple qui, même s'il n'avait pas encore conscience de lui-même, était néanmoins en gestation. Une histoire renouvelée de la Nouvelle-France s'inspirerait des recherches les plus récentes sur la langue, l'identité et l'histoire militaire. La plupart des étrangers ayant visité la colonie le confirment, les habitants de la vallée du Saint-Laurent auraient, par exemple, très tôt partagé la même langue — celle qu'au dix-septième siècle on parlait dans la région parisienne. Tout indique que l'unité linguistique se serait produite beaucoup plus tôt au Québec qu'en France. C'est un phénomène tout à fait particulier que nos linguistes continuent d'étudier. On a longtemps pensé que les filles du roy, parisiennes dans la moitié des cas, en étaient à l'origine. Dans un texte de ce numéro, Gervais

13

---

13. Londres, Routledge, 1998.

Carpin propose une autre hypothèse fort stimulante. Par ailleurs, le même Carpin, dans une petite étude trop peu citée, avait mis au jour l'origine de l'ethnonyme canadien[14]. En plus de rapidement parler la même langue, les ancêtres des Québécois se seraient reconnus précocement une identité distincte de celle des Français de la métropole ou des Amérindiens. Vers 1680, il était clair aux yeux des gouverneurs de passage qu'il existait dans la vallée du Saint-Laurent un peuple différent, unique et… indocile! Même si on insiste souvent sur le pacifisme ontologique des Québécois, il y a tout lieu de croire que c'est par le combat contre des ennemis bien réels que ce peuple développa une identité commune. Si les anciens historiens présentaient ces guerres contre les Anglo-américains ou les Iroquois comme autant de luttes contre le Mal ou la Barbarie, il n'en demeure pas moins que ces conflits ont sûrement contribué à l'éveil d'une conscience commune. Ces quelques milliers de Canadiens auraient pu connaître un sort bien différent si les invasions anglo-américaines (1690, 1711) ou les raids iroquois (jusqu'en 1701) s'étaient soldés par des victoires des envahisseurs. Qu'ils se soient mobilisés pour défendre leur Roi, leur Église ou leur Patrie, ou les trois en même temps, le fait est qu'ils ont tenu bon, notamment grâce aux méthodes de guérilla empruntées à leurs alliés amérindiens, bien sûr, mais aussi parce qu'ils n'hésitèrent apparemment pas à prendre les armes lorsqu'une guerre s'annonçait. En juin 1759, ils furent près de douze mille à se mobiliser, ce qui impressionna beaucoup les officiers de l'armée française — imaginerait-on aujourd'hui 1,5 million de Québécois servir sous les drapeaux?

Dans un contexte où l'Occident était accablé par la mauvaise conscience et où certains souverainistes souhaitaient tourner le dos au soi-disant ethnocentrisme canadien-français, notre historiographie des dernières décennies s'est beaucoup intéressée à nos liens avec les autochtones. Nombre d'écrits et de recherches ont voulu prendre l'exact contrepied de la génération de Groulx en montrant leur apport inestimable à la vie des Canadiens ainsi que leur grande sagesse — lire : leur féminisme, leur écologisme et leurs rapports non marchands! Refuser aux

14. Gervais Carpin, *Histoire d'un mot. L'ethnonyme canadien, de 1535 à 1691*, Québec, Septentrion, 1995.

Amérindiens leur humanité, n'en faire que des barbares, était évidemment une erreur. En revanche, les présenter comme des êtres moralement supérieurs aux Occidentaux me semble tout aussi problématique. Dans un cas comme dans l'autre, on « essentialise » l'autochtone, on refuse d'en faire un membre à part entière du « parc humain ». À mon avis, les études sur les Amérindiens les plus lumineuses et les plus riches sur le plan de la connaissance ont été produites par des anthropologues — je pense ici aux travaux de Denys Delâge, Bruce Trigger ou Roland Viau. Une histoire renouvelée de la Nouvelle-France devrait partir de ces travaux et éviter la mauvaise conscience ou l'idéalisation des Amérindiens. Ces chercheurs montrent que les Amérindiens n'ont pas attendu les Français ou les Canadiens pour se détester et se faire la guerre. Ces travaux tendent aussi à montrer que ces Amérindiens, malgré la conversion de plusieurs au christianisme, ne rêvaient pas de fonder le Québec ou le Canada. La majorité souhaitait tout simplement conserver ses us et coutumes et conquérir de nouveaux territoires si la chose était possible — notamment grâce aux armes que leur fournissaient les Européens. En cherchant à tout prix à les intégrer au roman québécois des origines, nous manquons de respect pour leur propre histoire. Il y a là une sorte d'impérialisme à rebours, un impérialisme de la bonne conscience.

Pour démontrer l'ouverture ontologique des Québécois à l'Autre, certains ont prétendu qu'il y avait eu beaucoup plus de métissage avec les Amérindiens que ce qu'avait laissé voir l'historiographie traditionnelle. Si tel était le cas, il n'y aurait évidemment aucun problème mais les recherches extrêmement poussées des démographes qui, ces dernières décennies, ont étudié la formation presque généalogique du peuple québécois tendent à montrer le contraire. Dans un entretien accordé en 1993, Hubert Charbonneau, l'un des plus respectés d'entre eux, déclarait : « On possède des chiffres précis. On a pu déterminer que pour les 70 000 habitants qui ont été conquis au moment du changement de régime en 1763 (le calcul précis a été réalisé par Bertrand Desjardins), 0,4 % avaient des origines amérindiennes[15]. » Tout

---

15. Yves Beauregard, « Mythe ou réalité : les origines amérindiennes des Québécois. Entrevue avec Hubert Charbonneau », *Cap-aux-diamants*,

indique donc que, s'il y eut certains transferts culturels entre colons et autochtones, le véritable métissage que les tenants de l'inter/multiculturalisme rêveraient d'intégrer à leur nouveau récit de fondation semble avoir été très rare. C'est là une donnée « objective » de l'histoire qui a probablement marqué, pour le meilleur et pour le pire, la conscience collective de ce peuple naissant et dont il faut tenir compte pour comprendre son développement et sa mentalité.

Enfin, une étude renouvelée de la Nouvelle-France devrait renouer avec les événements, les personnages et une écriture plus narrative. Comme François Charbonneau, j'ai été ébloui par la superbe biographie de David Hackett Fisher consacrée à Samuel de Champlain[16]. Je ne suis guère surpris qu'elle ait été écrite par un vieil Américain, archétype du *scholar* conservateur et souriant. Ceux-ci croient encore à la volonté humaine et restent convaincus que les hommes et les femmes peuvent changer le cours de l'histoire. Cette fascination pour les grands personnages va de pair avec une foi dans la liberté, une allergie au fatalisme et à la résignation. Dans sa grande biographie, Fisher ne propose ni problématique ni grille théorique. Il induit plutôt ses conclusions de vieux documents qu'il a écumés, recoupés, confrontés à d'autres sources. « Notre enquête […] part non pas d'une thèse, d'une théorie ou d'une idéologie, mais d'une série de questions ouvertes sur Champlain. Nous demandons : qui était cet homme ? De quel monde venait-il ? Qu'a-t-il fait au juste et pourquoi ? En quoi a-t-il changé les choses ? En quoi nous interpelle-t-il encore[17] ? » Ce livre montre, une fois de plus, que l'érudition peut être magnifiquement servie par une plume élégante — y compris dans la belle traduction de l'écrivain Daniel Poliquin —, que la connaissance intime d'un grand personnage ne rend pas nécessairement désabusé. Face au fondateur de Québec, l'historien américain ne joue pas au malin, il fait preuve d'empathie, voire d'humilité. Dans son introduction, il déplore les entreprises de destruction opérées par certains prédécesseurs qui, pour prendre le contre-

n° 34, été 1993, p. 39.
16. *Le rêve de Champlain*, Montréal, Boréal, 2011.
17. *Ibid.*, p. 21.

pied d'une ancienne historiographie, firent de Champlain leur « tête de Turc » ! « Ces attaques, explique-t-il, se sont accentuées avec cette sensibilité fin de siècle appelée " rectitude politique ", avec sa révulsion pour les grands hommes de race blanche, surtout les bâtisseurs d'empire, les fondateurs de colonies et les découvreurs [18]. »

Qu'ils s'appellent Samuel de Champlain, Paul Chomedey de Maisonneuve ou Pierre Le Moyne d'Iberville, ou qu'elles portent le nom de Marie Guyart, Jeanne Mance ou Marguerite Bourgeoys, la Nouvelle-France regorge de personnages plus grands que nature. Osons même le mot : elle regorge de « héros [19] ». S'il est une époque où le courage, la détermination et le sens de l'abnégation, d'un mot la volonté humaine, ont pu faire une différence, c'est bien celle de la Nouvelle-France. Quels qu'aient été les motifs des uns et des autres, il est difficile de ne pas être gagné par la déférence et le respect lorsqu'on se penche d'un peu plus près sur le parcours de ces grands personnages. Leur engagement absolu en faveur de causes qui les dépassaient pourrait bien inspirer, un jour, peut-être, des ardeurs nouvelles, une sorte de renaissance.

Éric Bédard est historien et professeur à la TÉLUQ, auteur, notamment, de Recours aux sources.
Essais sur notre rapport au passé, Boréal, 2011
(prix Richard-Arès).

---

18. *Ibid.*, p. 18.
19. Sur l'évolution du rapport au « héros » en Occident, on lira avec profit l'excellente analyse d'Alain Corbin, *Les héros de l'histoire de France*, Paris, Seuil, 2011, p. 13-44.

Henri IV et les débuts de la Nouvelle-France

Éric Thierry

Lorsque Champlain fonde Québec en juillet 1608, Henri IV règne sur la France et sur la Nouvelle-France. Les deux hommes se connaissent bien. Après chacun de ses voyages, l'explorateur rencontre son souverain et s'entretient longuement avec lui. Plus tard, quand Louis XIII régnera, Champlain se souviendra avec nostalgie du « feu Roi Henri le Grand ». Il faut dire que l'intérêt de ce dernier pour l'Amérique est bien antérieur à sa montée sur le trône en 1589, qu'il a été entretenu par plusieurs de ses très proches serviteurs et qu'il a grandement facilité les fondations de l'Acadie et de Québec.

Un intérêt pour l'Amérique né de la guerre de course

Jusqu'en 1589, Henri IV est appelé Henri de Navarre, car il est le fils d'Antoine de Bourbon, descendant de saint Louis, et de Jeanne d'Albret, reine de Navarre. Sa naissance et sa foi lui valent d'être à la tête des protestants français engagés dans une lutte sanglante contre leurs compatriotes catholiques depuis 1562. Ces guerres de religion, qui se succèdent avec de courts répits, sont non seulement de terribles guerres civiles, mais aussi des conflits internationaux de grande envergure. Henri de Navarre est soutenu par l'Angleterre anglicane et les États évangéliques d'Allemagne et tous cherchent à affaiblir l'Espagne qui est à la tête du camp catholique en Europe.

Obligé de s'intéresser très tôt aux problèmes français et européens, le futur Henri IV manifeste, dès 1568, de l'intérêt pour les questions maritimes et coloniales. Le jeune adolescent de quatorze ans se trouve alors dans le grand port atlantique de La Rochelle en compagnie de sa mère et de l'amiral de France, Gaspard de Coligny. Ensemble, en septembre, ils créent l'«Armée de Mer» des huguenots, une flotte chargée de défendre leur cause et de la financer, en s'emparant de navires catholiques, quelle que soit la nationalité de ceux-ci, qu'il s'agisse de galions ibériques chargés de métaux précieux du Nouveau Monde ou d'épices d'Asie, ou de terre-neuvas basques ou bretons remplis de morues, d'huile de baleine et de fourrures.

Henri de Navarre devient vite le chef incontesté de ces corsaires huguenots puisque c'est lui qui signe leurs lettres de course en tant qu'amiral de Guyenne — charge qu'il occupe depuis 1563 et qui place sous sa juridiction tout le littoral atlantique français — et roi de Navarre, après la mort de Jeanne d'Albret en 1572. Cela lui vaut de recevoir une partie des prises et de pouvoir s'entretenir fréquemment avec les marins qui combattent en son nom. L'un des plus fameux est le Normand Jacques de Sores. Bien connu pour ses faits d'armes, surtout la prise de La Havane en 1555, il est choisi pour être le lieutenant d'Henri de Navarre à la tête de l'escadre huguenote à partir de 1569, en remplacement du sieur de la Tour.

L'ouverture maritime du futur Henri IV doit aussi beaucoup à son plus proche conseiller à partir de 1576, Philippe Duplessis-Mornay. À l'occasion de ses séjours en Angleterre et de ses rencontres avec des corsaires d'Élisabeth I re, dont Francis Drake en 1577, celui-ci a acquis la capacité d'élargir sa réflexion à l'ensemble de la planète. En témoigne son *Discours au roi Henri III sur les moyens de diminuer l'Espagnol*. Il y écrit qu'en attaquant l'empire colonial du roi d'Espagne Philippe II simultanément dans l'isthme de Darien, en Méditerranée en s'emparant de Majorque, et en direction des Indes orientales en rouvrant, grâce à l'alliance du Turc et de Venise, la route antique de Suez pour faire affluer à moindre coût les épices d'Insulinde, on pourrait bloquer les flux croissants d'hommes et de marchandises qui profitent en toute exclusivité à l'hégémonie espagnole. Grâce à lui, Henri de Navarre comprend que la victoire de l'Espagne ne doit pas être obtenue seulement sur le continent européen, mais aussi outre-mer.

Une fois devenu roi de France, à partir du 2 août 1589 à la mort de son cousin Henri III, Henri IV manifeste encore beaucoup d'intérêt pour les questions maritimes et coloniales. Comme ses prédécesseurs de la dynastie des Valois, il conteste le traité de Tordesillas de 1494 dans lequel l'Espagne et le Portugal se sont partagé l'Amérique. Aussi, lors des négociations qui aboutiront à la paix franco-espagnole de Vervins conclue le 2 mai 1598, réclame-t-il le droit pour les Français de faire du commerce dans les colonies ibériques, mais comme il se heurte au refus total de Philippe II, il encourage en sous-main ses sujets à organiser des expéditions de piraterie dans la mer des Caraïbes et au large du Brésil.

Henri IV s'intéresse également à Terre-Neuve, au golfe du Saint-Laurent et à l'Acadie, dont il connaît l'importance, pour l'économie française, des richesses en morues et en fourrures. Il sait que les corsaires anglais sont de plus en plus présents dans ces eaux en ces années 1590. Les prises de morutiers français se multiplient et lorsque ceux-ci ne sont pas originaires d'un port ligueur encore insoumis, leurs propriétaires se plaignent auprès de son ambassadeur à Londres ou vont à la cour pour lui demander d'intervenir personnellement. Il n'ignore pas que l'Angleterre cherche à s'approprier les pêcheries terre-neuviennes. En 1597, une expédition anglaise dirigée par Charles Leigh est lancée pour créer un établissement permanent sur les îles de la Madeleine. Ayant quitté Londres le 18 avril, l'expédition atteint sa destination le 28 juin, mais ses membres ne peuvent pas débarquer, à cause de l'opposition des équipages de deux navires bretons et de deux vaisseaux basques soutenus par trois cents autochtones micmacs. Ils reviennent en Angleterre le 15 septembre.

Henri IV réagit d'autant plus fermement qu'il se souvient que Cartier et Roberval ont pris possession du Canada au nom de François I er et qu'une loi fondamentale oblige le roi de France à ne pas laisser à son successeur un territoire diminué, puisqu'il n'est que l'usufruitier et non le propriétaire de la couronne. Le 12 janvier 1598, il fait de La Roche le successeur de Roberval en le nommant lieutenant général en Nouvelle-France et lui ordonne de s'y fortifier et de la peupler avec des personnes condamnées à mort, au bannissement ou aux galères à perpétuité. Il n'assure pas le financement car les caisses de l'État français sont vides à l'issue des guerres de religion. Son nouveau lieutenant général devra se contenter d'un monopole du commerce avec les indigènes.

Au printemps 1598, La Roche largue une cinquantaine d'hommes sur l'île de Sable, un plateau desséché de dunes et d'herbes qui est le point culminant, et le seul émergé, des bancs de Terre-Neuve. Il a choisi cet endroit à cause de la présence d'un troupeau de bovins et de cochons à demi sauvages et de la richesse en poissons et en animaux marins de ses eaux peu profondes où se mêlent le courant du Labrador et le Gulf Stream, mais aussi parce que passent près d'elle la plupart des terre-neuvas. L'île de Sable a un grand intérêt stratégique pour celui qui veut se livrer à la course aux dépens des ennemis de son roi ou s'enrichir en vendant des permis aux pêcheurs venus de France ou d'un État ami.

La Roche va maintenir la colonie par des envois annuels de ravitaillement, sauf en 1602, où une rébellion se produira. Lorsque son émissaire retournera sur l'île de Sable, au printemps 1603, onze hommes seulement auront survécu, offrant le spectacle d'un total dénuement. Ils seront rapatriés et, mandés par Henri IV, ils se présenteront vêtus de peaux de bêtes, ce qui fera sensation.

Le rôle déterminant de l'entourage immédiat

Entre-temps une cabale a été montée contre La Roche pour profiter de son peu d'efficacité. Ses animateurs sont des membres de l'entourage immédiat d'Henri IV. Le plus important d'entre eux est Pierre Chauvin, sieur de Tonnetuit, qui est gentilhomme ordinaire de la chambre du roi. Installé à Honfleur, il investit dans les pêcheries terre-neuviennes depuis au moins 1596 et rêve de pouvoir s'emparer du monopole commercial de La Roche. Il peut compter sur l'appui d'un autre gentilhomme ordinaire de la chambre du roi, Pierre Dugua de Mons, qui est originaire de Royan, ainsi que sur celui d'un autre proche du roi, son valet de chambre Pierre de Beringhen qui, quoique originaire de Prusse occidentale, est allié, par son mariage, à une riche famille de l'île de Ré. Tous ont entendu un associé de Chauvin, le Malouin François Gravé, parler des riches possibilités de profits offertes par la traite des fourrures à Tadoussac, au confluent du Saguenay et du Saint-Laurent.

Doté par Henri IV d'un monopole commercial ne couvrant que l'embouchure du Saint-Laurent, Chauvin ne tarde pas à organiser une expédition au Canada. Il part avec Gravé et Dugua de Mons et, durant l'été 1600, fait construire une habitation à Tadoussac. Les Montagnais qui vivent là acceptent facilement cette installation de Français, car ils espèrent d'eux de l'aide pour lutter contre leurs ennemis, les Iroquois, qui font des raids dans la vallée du Saint-Laurent. Chauvin laisse seize hommes et regagne la France. Durant l'hiver 1600-1601, le froid, le manque de vivres et le scorbut tuent la plupart des Français, et les autres ne doivent leur survie qu'aux autochtones qui les accueillent et les nourrissent. Ces survivants rentrent en France sur le navire envoyé par Chauvin en 1601 et l'habitation est abandonnée.

Cela déçoit les Montagnais qui se voient privés de toute possibilité d'assistance militaire des colons. Gravé, associé à Chauvin, s'en rend compte lors d'un nouveau voyage au Canada en 1602. Faute de moyens pour entretenir une colonie permanente, il se résout à demander de l'aide à Henri IV. Pour le convaincre de l'amitié des autochtones de Tadoussac, il ramène en France deux d'entre eux et les lui présente. L'entrevue a lieu à la fin de l'année 1602. Le roi assure les deux Montagnais qu'il leur veut du bien, qu'il désire peupler leur terre et faire la paix avec les Iroquois ou leur envoyer des forces pour les vaincre.

Depuis 1600, Henri IV a eu l'occasion d'obtenir des renseignements sur les bonnes dispositions des autochtones de l'embouchure du Saint-Laurent et sur les avantages que les Français peuvent en tirer. Il a reçu les visites de marchands malouins et rouennais opposés au monopole de Chauvin. Tous lui ont dit combien leur est préjudiciable la perte de la «traite ordinaire» que depuis longtemps ils ont «vers lesdits pays» et celle de la «connaissance» qu'ils ont «des peuples, mœurs, côtes et demeures[1]».

Immédiatement après l'ambassade montagnaise, Henri IV se résout à favoriser l'installation durable des Français sur les rives du Saint-Laurent, mais n'ayant toujours pas d'argent disponible à avancer, il préfère encourager l'association de tous les marchands intéressés à la traite. Il leur demande de se réunir à Rouen dès la fin du mois de janvier 1603, sous la présidence conjointe de La Cour, premier président au parlement de Normandie, et de Chaste, vice-amiral de France et gouverneur de Dieppe, mais les discussions cessent à la mort de Chauvin en février.

Preuve de l'intérêt que porte Henri IV à l'implantation des Français au Canada, il choisit, comme titulaire d'un monopole du commerce couvrant désormais toute la vallée laurentienne, le plus prestigieux des deux coprésidents de la réunion de Rouen, Chaste. Celui-ci parvient à créer une société, avec les anciens associés de Chauvin et d'autres marchands rouennais et malouins, et envoie outre-Atlantique Gravé, pour remonter le Saint-Laurent, trouver un site propice à l'installation de colons et inventorier les ressources disponibles.

Samuel de Champlain obtient alors d'Henri IV l'autorisation d'accompagner François Gravé pour faire au roi un fidèle compte rendu de l'expédition. Contrairement à ce qu'a supposé l'historien américain David Hackett Fischer, il n'est pas un fils illégitime d'Henri IV. Né à Brouage d'un père probablement issu d'une vieille famille noble d'Anjou, il a été formé au renseignement dans le service des logis de l'armée royale pendant la guerre menée en Bretagne contre le duc de Mercœur, de 1592 à 1598. Un séjour dans les Antilles, au Mexique et à Cuba, de 1599 à 1600, et la relation qu'il en a faite, lui ont valu la confiance d'Henri IV et une pension lui permettant de rejoindre les géographes dont le roi aimait s'entourer à la cour[2].

---

1. *Relation originale du voyage de Jacques Cartier au Canada en 1534. Documents inédits sur Jacques Cartier et le Canada (nouvelle série)*, sous la dir. de Alfred Ramé, Paris, Tross, 1867, p. 16.
2. Voir Samuel de Champlain, *Espion en Amérique. 1598-1603*, sous la dir. de Éric Thierry, Québec, Septentrion, 2013.

Aux côtés de Champlain et des deux Amérindiens amenés en France l'année précédente, Gravé entre dans le port de Tadoussac le 26 mai 1603. Les deux ambassadeurs font le récit de leur réception par Henri IV et de leur séjour en France devant le chef Anadabijou qui exprime toute sa satisfaction. L'alliance, que l'inaction de Chauvin a mise en péril, est restaurée et Gravé peut même l'élargir aux Algonquins et aux Etchemins, des alliés des Montagnais présents pour fêter une victoire commune contre les Iroquois. Ensuite, à l'aide de guides autochtones, Gravé et Champlain remontent le Saint-Laurent jusqu'aux rapides de Lachine, puis rentrent en France, en passant par Gaspé, où ils retrouvent un autre associé de Chaste, le Malouin Sarcel, qui leur raconte être allé en Acadie jusqu'à une montagne riche en cuivre et avoir appris des indigènes l'existence de nombreuses autres mines, en particulier d'argent.

À Paris, en octobre 1603, Gravé présente à Henri IV un jeune Amérindien qui lui a été confié par son père, le chef montagnais Bechourat. Le roi traite l'enfant comme le sien et l'envoie rejoindre sa progéniture au château de Saint-Germain-en-Laye. L'existence de « Petit Canada » au contact des princes et princesses sera malheureusement brève : baptisé le 9 mai 1604, il aura, comme parrain et marraine, deux des enfants d'Henri IV et de Gabrielle d'Estrées, Alexandre et Catherine-Henriette, mais il tombera vite malade et, malgré les sollicitudes du futur Louis XIII qui lui fera partager ses repas, il mourra le 18 juin suivant, laissant au dauphin un vif souvenir.

En permettant à l'enfant de Bechourat de grandir aux côtés des siens, Henri IV ne fait que se conformer à la tradition féodale. Il est bon que le fils d'un vassal soit élevé dans le proche entourage du suzerain de son père. L'affection ne peut que renforcer la fidélité. Henri IV tient à établir des relations de cette nature avec les princes amérindiens. Il le veut d'autant plus qu'il est bien décidé à permettre aux Français d'exploiter en paix les riches mines acadiennes dont Sarcel a révélé l'existence à Gravé et à Champlain.

Les fondations de l'Acadie et de Québec

Aymar de Chaste étant décédé entre-temps, Henri IV nomme,
le 8 novembre 1603, un des associés de celui-ci, Pierre Dugua
de Mons, lieutenant général « aux pays, territoires, côtes et confins
de la Cadie », du 40ᵉ au 46ᵉ degré de latitude Nord, c'est-à-dire
au nord de la Virginie confiée à Raleigh par Elizabeth Iʳᵉ en
1584, et le charge de « traiter et contracter […] paix, alliance et
confédération, bonne amitié, correspondance et communication
avec lesdits peuples et leurs Princes[3] ». De plus, il lui cède pour
dix ans le monopole de la traite des fourrures sur le littoral
atlantique aux mêmes latitudes, dans la Gaspésie et sur les deux
rives du Saint-Laurent, contre l'obligation de transporter, en
Acadie, dès la première année, soixante personnes.

Dès février 1604, Dugua de Mons parvient à s'associer à
des marchands de Rouen, Saint-Malo, La Rochelle et Saint-
Jean-de-Luz. Partie de Honfleur et du Havre sur deux navires
en avril 1604, son expédition se retrouve en Acadie le mois
suivant. Elle explore les côtes des actuels Nouvelle-Écosse et
Nouveau-Brunswick à la recherche d'un lieu propre à une
habitation et choisit de s'installer sur l'île Sainte-Croix, dans
l'actuel État américain du Maine. Pendant le premier hiver, le
scorbut emporte trente-cinq ou trente-six hommes et les survivants préfèrent déménager, dès l'été 1605, de l'autre côté de
la baie de Fundy, dans celle de Port-Royal, l'actuelle baie
d'Annapolis, en Nouvelle-Écosse.

Les alliances des Français avec les Etchemins et les Micmacs
sont consolidées et d'autres sont ébauchées avec les Armouchiquois
qui vivent plus au sud, mais les mines trouvées se révèlent très
décevantes. Finalement, la colonie se maintient jusqu'en août
1607, date à laquelle les colons l'abandonnent pour rentrer
en France, à la demande de Dugua de Mons. Désireux de
contrôler le marché de la fourrure en Europe, des marchands
d'Amsterdam ont tellement mis à mal son monopole que sa

---

3. *Commission du Roy au sieur de Monts*, dans Marc Lescarbot, *Histoire de la Nouvelle-France*, Paris, Adrien Périer, 1617, p. 419 et 420.

compagnie a dû être dissoute durant l'hiver 1606-1607. Soucieux de plaire à ses alliés hollandais, ainsi qu'à Sully que ceux-ci ont su gagner à leur cause, le roi de France a fini par révoquer le privilège de son lieutenant général le 17 juillet 1607.

Le 7 janvier 1608, Henri IV accepte de surseoir pour un an à la révocation du monopole de Dugua de Mons. La raison est qu'il a appris la fondation de la colonie anglaise de Saint-George, dans l'actuel État américain du Maine, à la fin de l'été 1607. Les sujets du roi de Grande-Bretagne Jacques Ier empiètent désormais sur le domaine accordé par Henri IV à Dugua de Mons en 1603 et le risque est grand de les voir s'approprier toute l'Acadie. Ils pourraient revendiquer légitimement celle-ci, puisqu'il n'y a plus de Français installés là à demeure, la colonie de Port-Royal ayant été abandonnée.

Dugua de Mons profite du revirement royal pour envoyer un navire en Acadie, mais en fait partir deux pour Québec, que Champlain fonde en juillet 1608. Il veut rentabiliser au plus vite son entreprise coloniale. Depuis le voyage qu'il a fait en 1600 à Tadoussac, il sait que les Montagnais et les Algonquins disposent d'un grand nombre de pelleteries venant de la baie d'Hudson et des Grands Lacs et qu'ils sont prêts à les échanger contre des marchandises européennes. De plus, Champlain a déjà reconnu le site de Québec en 1603 et il lui en a révélé toutes les possibilités : le Saint-Laurent s'y resserre ; on peut y construire un fort destiné à attirer les Montagnais et les Algonquins pour la traite et s'assurer ainsi le contrôle du grand fleuve.

Installé sur la « pointe de Québec » avec ses hommes, Champlain vit difficilement l'hiver 1608-1609, puis entreprend l'exploration du pays des Iroquois. Ceux-ci sont les grands ennemis des Montagnais et des Algonquins. En allant les combattre chez eux, Champlain compte renforcer les alliances franco-amérindiennes. Il y parvient à Ticonderoga, le 30 juillet 1609, en remportant une grande victoire sur les Iroquois avec ses alliés montagnais, algonquins et même hurons. Il s'empresse de rentrer en France pour en informer Dugua de Mons, mais entre-temps, le 6 octobre 1609, Henri IV a révoqué définitivement le monopole de celui-ci.

Le roi de France ne craint plus la perte de l'Acadie. En effet, la colonie de Saint-George a été abandonnée à la fin de l'année 1608, à cause de la mort de beaucoup de colons durant l'hiver 1607-1608 et de l'hostilité des autochtones. De plus, Henri IV songe alors à ouvrir à ses sujets le commerce avec l'Asie et il a besoin du concours de marchands opposés au privilège de Dugua de Mons. En janvier 1609, un projet a déjà pris forme, celui d'explorer l'Arctique à la recherche d'un passage par le Nord-Est pour aller en Chine. Henri IV a donné son accord pour la création d'une compagnie chargée d'occuper le « détroit polaire » sous la direction de Michel Poncet, sieur de la Pointe. Il a accepté aussi de financer une expédition du marchand d'Amsterdam Isaac Le Maire devant être menée par le navigateur anglais Henry Hudson, puis finalement par le capitaine hollandais Melchior Van den Kerchkhove. Un navire commandé par celui-ci a quitté Amsterdam le 5 mai 1609. Il a été convenu qu'en cas de succès le retour se fera en France, mais l'expédition est un échec et le navire revient à son port d'attache, après avoir rencontré d'immenses icebergs obstruant le détroit de Kara.

Lorsque le poignard de Ravaillac met fin au règne d'Henri IV le 14 mai 1610, la compagnie franco-hollandaise des Indes orientales n'a pas encore vu le jour et Champlain doit faire face à un afflux de concurrents pour la traite des fourrures sur les rives du Saint-Laurent. L'œuvre maritime et coloniale du roi défunt apparaît fragile. Sa politique a été en fait très pragmatique : soucieux de faciliter l'accès de ses sujets aux richesses vraies et supposées de l'Amérique du Nord, il a soutenu les initiatives prises par des Français pour nouer des alliances avec les autochtones, mais quand il s'est agi d'avancer des fonds pour favoriser la création d'une colonie permanente, il s'est toujours souvenu qu'il devait avant tout financer la reconstruction de son royaume et la lutte contre l'Espagne en Europe.

Historien français, Éric Thierry a publié, chez Septentrion, une édition des œuvres de Champlain annotée et en français moderne. Il est aussi l'auteur de La France de Henri IV en Amérique du Nord *paru chez Honoré Champion.*

L'alliance franco-montagnaise de 1603, fondatrice et méconnue

Mathieu D'Avignon

En histoire, tout est relié. Des événements se succèdent et affectent la vie des humains, permettent d'autres événements, de nouvelles réalités et de nouvelles relations. Il y a toujours des prémisses. L'histoire de la Nouvelle-France, et plus particulièrement l'histoire de la fondation de Québec, se caractérise notamment par des rencontres et des alliances interconfessionnelles (au départ, autochtones animistes, Français catholiques et protestants) et interculturelles (Amérindiens et Européens). Au début du dix-septième siècle, une diplomatie franco-amérindienne prend forme de manière officielle. Champlain fut l'un des acteurs centraux de cette diplomatie pendant trois décennies. Mais ce n'est pas lui qui est à l'origine de la politique amérindienne de la France et des relations respectueuses avec les nations autochtones, comme l'ont affirmé tant d'historiens par le passé. D'autres avant lui avaient jeté les fondements de la Nouvelle-France (ce qu'on appelait alors le Canada et l'Acadie) et de Québec.

Précurseurs oubliés

La fondation de Tadoussac en 1600 par Pierre Chauvin de Tonnetuit, un protestant, permet la consolidation de rapports cordiaux avec les Montagnais. Cette fondation et celle de Québec sont liées étroitement. La première rend possible la seconde. Cela est indéniable. D'ailleurs, où Champlain envoie-t-il les comploteurs de 1608 (quelques hommes voulaient l'assassiner pour vendre l'habitation de Québec à des Basques ou à des Espagnols) pour les garder en détention pendant la construction de l'habitation de Québec? À Tadoussac! Plus tard, ces fondations permettront de poursuivre l'avancée et de construire une habitation aux Trois-Rivières en 1634, une autre à Ville-Marie (Montréal) en 1642, puis d'autres habitations et forts un peu partout sur le continent, dans la région des Grands Lacs et en Louisiane. Trop souvent, on oublie l'importance de l'habitation fondée par Chauvin en 1600. Tadoussac n'est certes pas devenu un centre de peuplement français important ni la capitale politique et religieuse de la Nouvelle-France, comme Québec, mais le lieu est quand même demeuré un port important pendant des décennies, jusqu'à ce que la connaissance du fleuve, des fonds marins et de ses marées permette aux vaisseaux transatlantiques de se rendre jusqu'à Québec. Et nous avons tout de même fêté le quatre centième anniversaire de Tadoussac avant celui de Port-Royal (Annapolis Royal, Nouvelle-Écosse, 2005) et de Québec (2008)! Et à ceux qui seraient tentés de répondre : « Mais Québec fut la seule colonie permanente de l'époque! », je répondrais à mon tour que les Français ont perdu le contrôle de Québec en 1629-1632, pendant l'occupation des frères Kirke! La Nouvelle-France naissante et la colonie de Québec en particulier ne furent en effet rendues à la France qu'après la signature du traité de Saint-Germain-en-Laye de 1632.

La relation que les Français développent dès 1600 avec les Montagnais en particulier marque un point tournant dans l'histoire de la Nouvelle-France. C'est à cette époque qu'Henri IV décide de réorienter la politique coloniale de la France pour le Canada et l'Acadie, ajoutant aux bases jetées par François I er dans les années 1530-1540, plus axées sur la conquête par la force, une politique d'alliances et de diplomatie avec les « princes » autochtones. La venue en France de deux ambassadeurs montagnais, qui ont rencontré Henri IV entre 1600 et 1603, a très certainement influé sur la réorientation de la politique coloniale de la France par le roi. Cette nation, qui occupe alors Tadoussac, les rives de la rivière Saguenay, Québec et d'autres lieux inconnus des Français, est en guerre contre les Cinq-Nations iroquoises, plus nombreuses et vivant dans des villages fortifiés. Les Montagnais profitent en revanche d'un vaste réseau d'alliances qui inclut d'autres nations nomades et sédentaires : les Algonquins, les Etchemins (Malécites), les Hurons, les Micmacs, les Abénaquis, etc.

Il fallait désormais négocier et conclure des alliances, des traités, des confédérations avec les Amérindiens, dans le but de fonder des colonies et de permettre la traite des fourrures aux compagnies successives qui détiennent cette responsabilité. Mais la politique de conquête demeure : la France entend conquérir les territoires autochtones qu'elle convoite par voie d'«amitié» ou par la force, dans l'éventualité où les alliés autochtones ne respecteraient pas les alliances. Sur le terrain, la réalité limite cependant les prétentions de conquête des Français, qui doivent souvent mettre fin à certains projets en raison des refus catégoriques de leurs alliés de les soutenir ou de les laisser passer outre. Par exemple, Champlain devra accepter le refus des Montagnais de le guider vers le lac Saint-Jean (appelé Piékouagami en innu-aïmun), celui des Algonquins de permettre l'exploration de la région des Trois-Rivières et des territoires népissingues.

Au temps de Champlain, les dirigeants des expéditions officielles ne kidnappent plus d'Amérindiens comme cela était d'usage au temps de Jacques Cartier. Ils invitent plutôt les fils de chefs alliés à faire le voyage outre-atlantique dans un contexte diplomatique. Éventuellement, ces jeunes, tout comme les Français envoyés en territoires autochtones pour un temps, deviendront des interprètes ou «truchements» très utiles pour les explorations, le commerce, la diplomatie, les fondations futures. En même temps, les dirigeants coloniaux comme Pierre Dugua de Mons, principal responsable de la fondation de l'Acadie (de l'île Sainte-Croix / Dochet Island, Maine, puis de Port-Royal) et de Québec, François Gravé du Pont et Champlain adoptent une attitude plus tolérante et respectent les protocoles amérindiens, ce qu'on appelait alors la «coutume du pays». De part et d'autre, les Français et leurs alliés amérindiens en retirent plusieurs avantages. Tout cela mène à un esprit de syncrétisme qui caractérisera l'histoire de la Nouvelle-France dans son ensemble, de 1603 à 1763. On étudie les langues autochtones et on baragouine. On s'adapte à la culture de ses alliés et on adopte selon ses besoins des nouveautés matérielles, techniques et intellectuelles. On conclut des alliances commerciales, politiques, militaires, sexuelles et, plus tard, matrimoniales. On s'assure de part et d'autre de conserver sa place sur un échiquier géopolitique complexe et de défendre les intérêts de sa nation.

Une alliance franco-montagnaise

Le 27 mai 1603, François Gravé du Pont, commandant d'une expédition de traite et d'exploration le long du fleuve, gravit la pente qui mène à la pointe Saint-Mathieu (baie Sainte-Catherine) à titre de représentant officiel du roi de France. Il est accompagné des deux ambassadeurs montagnais qui ont rencontré Henri IV et de Champlain, qui fait son premier voyage en Amérique du Nord-Est, vraisemblablement à titre d'observateur. Ce dernier décrit l'expédition et l'alliance franco-montagnaise scellée ce jour-là dans le livre *Des sauvages*, paru peu après son retour en France. L'ambassade visite un groupe de Montagnais campés en haut de la falaise, environ mille personnes, hommes, femmes et enfants. Dans une cabane, une centaine d'hommes célèbrent une victoire récente sur les Iroquois, obtenue par des guerriers montagnais, algonquins et malécites (des membres de ces deux dernières nations se trouvent alors à Tadoussac, sur l'autre rive de la rivière Saguenay). L'ambassade se joint aux guerriers et au grand chef Anadabijou réunis. Tous se réjouissent de revoir les ambassadeurs montagnais rapatriés. Ils connaissent certainement Gravé du Pont, qui fréquente les rives du fleuve depuis quelques années déjà et qui a participé à la fondation de Tadoussac au temps de Chauvin de Tonnetuit.

La rencontre diplomatique est brève. Seuls l'un des ambassadeurs montagnais et Anadabijou prennent la parole. Gravé du Pont pétune en compagnie des Montagnais et de Champlain, en silence, pour confirmer l'alliance. Les termes de cette alliance historique méconnue sont relativement simples. En échange de la permission de peupler les territoires des Montagnais, Henri IV s'engage à les soutenir dans leur guerre contre les Iroquois ou à intervenir pour que se négocie une paix. Anadabijou accepte que des Français s'établissent en territoires montagnais, tout comme l'offre d'assistance militaire, mais refuse pour l'instant l'idée de paix. Les harangues faites et le tabac partagé, Gravé du Pont et Champlain quittent la cabane du grand chef, tandis que les festivités des Montagnais reprennent avec plus d'ardeur.

On sous-estime souvent l'importance de cette alliance et sa portée historique. Elle permet d'abord aux Français d'explorer les territoires à leur guise et de poursuivre l'acquisition de nouvelles connaissances sur le continent et les nombreux peuples qui l'habitent. Elle mènera ensuite à d'autres expéditions vers l'intérieur des terres, comme celle de 1608, pendant laquelle l'habitation de Québec fut fondée. Mais elle permettra aussi aux Français d'élargir leur réseau d'alliances très rapidement : s'y ajouteront bientôt les Algonquins et les Hurons, les Malécites, les Micmacs, les Cheveux-relevés (Outaouais), les Abénaquis, etc. Seulement douze années séparent les premières explorations de Champlain le long du Saint-Laurent (1603) et les dernières : celles de la Huronie et des territoires avoisinants (1615-1616), l'une des portes d'entrée des Grands Lacs ! Il faut savoir que plus de mille kilomètres séparent Tadoussac de la Huronie, sise jadis sur les berges de la baie Georgienne ! En plus d'explorer les territoires des alliés de la France, Champlain peut aussi parcourir les territoires ennemis, l'Iroquoisie que les Français coloniaux et métropolitains redouteront tant jusqu'à la toute fin de l'histoire de la colonie. En bon administrateur colonial, il prétendra même, à la fin de sa carrière canadienne, que les Iroquois étaient devenus «un peuple de la Nouvelle-France»! Simplement parce qu'il avait exploré quelques territoires lors d'expéditions guerrières en 1609 et en 1615! En fait, les Cinq-Nations iroquoises regroupaient alors quelque trente mille personnes, des milliers de guerriers, tandis que Champlain et les compagnies détentrices du monopole de la traite des fourrures (des compagnies successives qui avaient la responsabilité du peuplement) peinaient à trouver des habitants pour peupler Québec...

Il faut aussi savoir que les Français n'informaient jamais leurs alliés amérindiens de leurs prétentions de conquêtes. À leurs yeux (la plupart des Européens impliqués dans les explorations et les fondations dans les Amériques pensaient de la même manière), le simple fait d'explorer un territoire inconnu des Européens menait immédiatement à une prise de possession au nom d'une couronne européenne. Planter une croix ou laisser une pierre avec des noms, des dates et des armoiries suffisait à signifier et marquer une conquête, du moins en théorie… L'historien Camil Girard a formulé ainsi cette idée que le passage d'un homme en quelque lieu suffisait à jeter les fondements d'une nouvelle possession française : « [C'] est Champlain, ses récits, ses cartes et son fusil » ! Bref, d'expédition en expédition, d'alliance en alliance, les Français profiteront de l'alliance initiale de 1603 et pourront élargir leur réseau d'alliés en même temps que leur bassin d'approvisionnement en fourrures, la principale ressource qui servira à financer les fondations jusqu'au milieu du dix-huitième siècle.

Si l'alliance franco-montagnaise de 1603 est si importante, fondatrice, pourquoi est-elle méconnue de la plupart des Québécois, négligée dans la plupart des livres d'histoire ? Pour répondre, il faut d'abord se tourner de nouveau vers Champlain. Il décrit l'expédition de 1603 à deux reprises : en 1603 (au début de sa carrière canadienne) et en 1632 (à la fin de cette carrière). Son premier récit accorde une grande importance à l'alliance de la pointe Saint-Mathieu. Le second ne l'évoque même pas. C'est comme si cet événement n'avait jamais eu lieu ! Mais la postérité l'a tout de même gardé en mémoire. Le livre *Des sauvages* est toujours connu de nos jours (après être sombré dans l'oubli pendant des siècles). Marc Lescarbot, un contemporain de Champlain ayant voyagé en Acadie et auteur de la première *Histoire de la Nouvelle-France*, reprend l'essentiel du premier récit de Champlain (aujourd'hui, il aurait été reconnu sur-le-champ coupable de plagiat), de sorte que ce dernier n'est pas le seul Français de l'époque à rapporter l'alliance du 27 mai 1603. La tradition orale des Montagnais-Innus du Québec conserve elle aussi vivantes des histoires d'une première alliance avec des Français. Dans la plupart des cas, l'alliance se scelle à Québec, nommé Uepishtikueiau, et non à Tadoussac, et les termes de l'accord divergent de ceux rapportés par Champlain et Lescarbot. Pendant longtemps, des deux récits de Champlain, ce sera pourtant le second qui sera le plus cité et le mieux connu. Depuis quelques décennies, le premier, plus détaillé, refait surface et la société québécoise dans son ensemble a tout à gagner à mieux le connaître.

Pourquoi Champlain a-t-il décidé de retrancher le récit de l'alliance de ses écrits, lorsqu'il a publié son quatrième et dernier livre? Pour différentes raisons, la principale étant politique, et on pourrait ajouter juridique. Champlain peaufine son discours pour que ses récits concordent davantage avec la politique de conquête de la France qui évolue. Le juriste Hugo de Groot (aussi nommé Grotius) a publié en 1625 — donc dans les années précédant la publication du dernier livre de Champlain — un traité de droit, *Le droit de la guerre et de la paix*. Dans cet ouvrage dédié à Louis XIII, de Groot décrit le droit de conquête et définit un pan central du droit international de l'époque, tel que conçu par la couronne de France. Sa définition peut se résumer ainsi. Si les territoires sont inhabités et inconnus des Européens, la prise de possession devient effective dès que le sol est foulé. Mais s'ils sont habités, il faut négocier avec les autochtones afin de les assujettir éventuellement. En somme, Champlain choisit de reléguer l'alliance franco-montagnaise aux oubliettes pour laisser croire désormais que nulle permission de peupler le territoire ne fut demandée par Henri IV et accordée par Anadabijou, que les environs de Québec étaient inhabités au moment de la fondation, que les Français ne sont par conséquent pas redevables envers les Montagnais de Québec et de Tadoussac. Auteur et héros de ses récits, il laisse aussi croire désormais qu'il fut le premier Français à conclure des alliances avec des chefs amérindiens et se présente en fondateur unique de l'habitation de Québec.

N'en déplaise à Romulus (surnom que j'utilise parfois pour désigner Champlain), Rome (Québec), la cité que nous connaissons, ne s'est pas construite en un seul jour, le 3 juillet 1608, ni grâce aux efforts d'un seul homme. N'oublions pas les prémisses et les années qu'il aura fallu avant que Québec devienne la capitale de la Nouvelle-France… pour finalement passer aux mains des Britanniques en 1763! Cela dit, le rôle de Champlain ne s'en trouve pas amoindri, entaché. Bien au contraire! Cela rappelle qu'en plus d'avoir été un fidèle représentant de ses rois et de sa reine (Henri IV, Marie de Médicis, Louis XIII), de ses supérieurs (Dugua de Mons et plusieurs autres), de personnes qui ont joué des rôles déterminants dans la fondation et qui ont influencé ses actions et orienté « sa » politique amérindienne, il a fait preuve de respect et de tolérance envers ses alliés et ses collaborateurs, en dépit de leurs différences. Mais surtout au début de sa carrière…

Historien, Mathieu d'Avignon consacre ses recherches à l'histoire du Québec et à l'histoire amérindienne depuis 1997. Il a notamment publié les écrits de Samuel de Champlain : Premiers récits de voyages en Nouvelle-France, 1603-1619 *(Presses de l'université Laval, 2009) et* Derniers récits de voyages en Nouvelle-France et autres écrits, 1620-1632 *(Presses de l'université Laval, 2010).*

La présence protestante en Nouvelle-France

Jean-Louis Lalonde

Les débuts de la Nouvelle-France sont proches dans le temps de ceux du protestantisme. Luther affiche ses 95 thèses en 1517 et Jean Calvin répand l'approche réformée en France. À la fin de sa vie, on y compte quelque 10 % de protestants, soit plus d'un million et demi d'adeptes. Il n'y a donc rien d'étonnant à ce que, par la suite, des protestants français (qu'on appelle alors huguenots) viennent en Nouvelle-France[1].

Une présence protestante forte dans les débuts de la Nouvelle-France

Le premier protestant important de l'histoire de la Nouvelle-France est François de La Rocque de Roberval qui supervise le troisième voyage de Jacques Cartier en Amérique en 1541-1543. L'historiographie traditionnelle donnait de ce personnage une image négative, celle d'un arriviste qui avait pris la place de Cartier et qui avait dû se faire pirate pour financer son expédition parce qu'il était ruiné.

La réalité était tout autre. Ce militaire au service du roi avait forcément ses entrées à la cour. C'est à lui que le roi confia la troisième expédition en vue d'établir une colonie durable,

---

1. Il faut savoir que, pour Calvin, on ne devient pas saint en se retirant du monde comme les moines mais, au contraire, en y exerçant son métier ; cette valorisation du travail est à l'origine de cette éthique protestante dont parlera plus tard Max Weber.

en collaboration avec Cartier d'ailleurs. Or, comme la France était sur le point d'entrer en guerre avec l'Espagne, Roberval, qui était chargé de la surveillance maritime, retarda son départ et arraisonna des navires espagnols dont il confisqua les marchandises interdites, non sans avoir remis au capitaine un billet qui attestait que cette confiscation s'était faite au nom du roi. C'était une sorte de contrôle douanier, pas de la piraterie. À la suite de ces événements, ce n'est finalement qu'en 1542 qu'il se rend en Nouvelle-France alors que Cartier rentre en métropole et refuse de retourner dans la vallée du Saint-Laurent parce qu'il croit avoir trouvé des diamants canadiens (alors que ce n'est que du mica). À son arrivée, Roberval reprend les installations laissées par Cartier à Cap-Rouge et les complète.

Ce sera la première colonie française, bien avant Québec. L'année suivante, Roberval et ses hommes reçoivent du roi l'ordre de rentrer car le pays a besoin de soldats pour la guerre maintenant déclarée. On abandonne cette première colonie. Des recherches archéologiques récentes ont retrouvé sur le site des milliers d'artefacts qui ont été mis en valeur dans une exposition qu'on trouve actuellement au musée de l'Amérique francophone. Bernard Allaire a publié à cette occasion une biographie de Roberval qui lui rend enfin justice et balaie les préjugés entretenus à son égard[2]. Il était bien protestant et l'est resté jusqu'à la fin puisqu'il mourra en France au sortir d'un culte, tué par des adversaires des protestants.

Les guerres de religions dans ce pays occupent la deuxième partie du seizième siècle avec notamment en 1572 le massacre des protestants à la Saint-Barthélemy. Le futur Henri IV et Champlain combattent côte à côte comme protestants (car ce dernier l'était lui aussi, on vient de retrouver son acte de baptême à La Rochelle) les armées catholiques espagnoles de Philippe II. En 1593, Henri IV se convertit au catholicisme pour obtenir le trône de France l'année suivante et Champlain l'imita sans doute dans le même temps, puisqu'on sait qu'il est catholique en 1598. Cette année-là, pour faire cesser la guerre

---

2. B. Allaire, *La rumeur dorée. Roberval et l'Amérique*, Commission de la capitale nationale et La Presse, 2013. Paru en parallèle avec l'exposition qui a cours au musée de l'Amérique francophone (mai 2013-septembre 2015).

intérieure, Henri IV accorde aux protestants par l'édit de Nantes des places fortes et des villes refuges, mais ils ne sont pas protégés ailleurs. Comme il n'y a pas de villes équivalentes en Nouvelle-France, c'est donc dès cette époque (et non en 1627) que les protestants n'y ont pas de protection spéciale et sont théoriquement interdits de séjour. La réalité sera pourtant tout autre.

Rappelons que l'Acadie est fondée en 1594 par le huguenot Pierre Dugua de Mons. Puis, on trouve Pierre de Chauvin à Tadoussac, qui y établit le premier poste de traite en 1600-1602. Le roi charge le même Dugua de l'établissement d'une colonie permanente en Nouvelle-France. Occupé à défendre ce projet dans son pays, Dugua confiera à Champlain le soin d'aller en Amérique pour l'établir. Aujourd'hui une plaque commémorative sur la place Royale dans le Vieux-Québec et un buste installé sur le promontoire près de la forteresse rappellent le rôle qu'il a joué dans ces débuts.

Sur les cent personnes qui habitent alors Québec, soixante sont des huguenots. Champlain est préoccupé par le spectacle de la division entre catholiques et protestants qui montre selon lui un mauvais exemple aux Amérindiens qu'on voudrait convertir, mais les huguenots continuent de venir en Amérique. Marguerite Bourgeois plus tard fera état de protestants qui chantent des psaumes sur le navire qui l'amène en Nouvelle-France. Il y a un siècle, le premier historien du protestantisme francophone (R.-P. Duclos), pour se défendre contre les attaques du clergé qui prétendait que les franco-protestants n'étaient pas des vrais Canadiens français, dira ouvertement que ses ancêtres protestants étaient là les premiers et que c'est par la suite qu'on les a interdits de séjour !

Une présence combattue

Évidemment cette première présence perd de son importance avec l'arrivée de nouveaux colons et la réaffirmation, notamment en 1627, que la colonie doit être réservée aux Français catholiques. Pourtant jusque-là c'étaient les de Caën, dont l'un était catholique et l'autre protestant, qui s'étaient occupés sans problème du commerce des fourrures. Commence alors, avec l'arrivée du cardinal de Richelieu, ministre de Louis XIII de 1624 à 1642, une lutte à finir contre les protestants en France. Il prétend qu'un pays pour être bien gouverné ne doit avoir qu'une langue, qu'une religion, qu'un roi et il se met en devoir de faire disparaître les huguenots du royaume, l'intolérance étant érigée en système. La lutte sera féroce. En 1627-1628, Richelieu assiège la ville de La Rochelle alors massivement protestante; comme les gens ne peuvent plus s'approvisionner, ils meurent de faim et les survivants (20%) doivent finalement se rendre. On met ensuite sur pied des équipes de soldats (dragons) qui vont chez les protestants, y habitent et ont carte blanche pour commettre toutes sortes d'exactions afin de les «convertir» au catholicisme. Tout cela pour aboutir à l'abolition de l'édit de Nantes en 1685 sous prétexte qu'il n'y a plus de protestants en France, qu'on peut donc supprimer les privilèges que cet édit leur accordait.

Il n'y a pas eu de dragonnades en Nouvelle-France, mais les protestants ne pouvaient y avoir accès à divers métiers (médecin, apothicaire, sage-femme, contrôleur, brigadier, archer, huissier, greffier, procureur, notaire, juge). Il ne restait que le commerce en somme, et ils vont en profiter comme on le verra. Souvent on les forçait à se convertir. Dans l'anonymat de l'époque, on ne sait pas le plus souvent qui était protestant à son arrivée dans la colonie. Ceux dont on est sûr qu'ils l'étaient sont justement ceux qui ont abjuré le protestantisme[3].

Des immigrants protestants viennent quand même

Et pourtant, malgré cette répression, plusieurs protestants sont venus en Nouvelle-France. Il y avait de nombreux huguenots dans les troupes du régiment de Carignan appelé en renfort pour pacifier les autochtones en 1665. On a ensuite invité ces soldats

---

3. Le site de Raymond Barbeau (< pages.infinit.net/barbeaum/hugue. htm >) qui est très explicite sur ce point mérite le détour. On peut aussi consulter avec profit le *Dictionnaire biographique du Canada* en ligne ou le site de la Société d'histoire du protestantisme franco-québécois < www.shpfq.org >.

à s'établir. Comme cela entraînait un fort déséquilibre des sexes dans la colonie, on fit venir les « Filles du roy » pour compenser. Le chercheur Yves Landry en a compté 764 dont 21 au moins étaient protestantes (2,7 %)[4]. L'historien Marc-André Bédard avait déjà fait une recherche publiée en 1978 qui montrait que de multiples familles pionnières comptaient au moins un protestant parmi leurs membres[5]. C'est le cas des Baron, Bédard, Bonneau, Christin, Duranceau, Gaultier, Massé, Morin par exemple, et on pourrait en ajouter vingt autres au moins.

Paradoxalement, une étude démographique détaillée permet de déduire que plus de protestants sont venus en Nouvelle-France après la révocation de l'édit de Nantes qu'avant. En France, cette période difficile pour les huguenots se poursuit jusqu'à la mort de Louis XIV en 1713.

Essayons maintenant de quantifier cette immigration. Robert Larin qui l'a étudiée de près en arrive à la conclusion que, sur les 10 000 personnes qui sont passées en Nouvelle-France pendant cent soixante ans et dont nous avons la trace (toutes ne se sont pas établies loin de là)[6], de 8 % à 10 % venaient de régions fortement protestantes comme l'Aunis (La Rochelle), la Normandie (Rouen), le Poitou (Poitiers), le Languedoc (Toulouse), l'Angoumois (Angoulême). En effet, on ne peut pas savoir avec certitude si ces gens pratiquaient effectivement la religion réformée (sauf pour des cas particuliers dont on connaît le lieu de baptême protestant, et encore); l'extrapolation ne peut donc être que générale. Ces statistiques n'indiquent alors qu'une tendance, qu'une probabilité liée à la provenance des migrants. Cela dit, le

---

4. *Les filles du roi au XVIIᵉ siècle, suivi d'un répertoire biographique*, Montréal, Bibliothèque québécoise, 2013 (2ᵉ éd.), et le site < www. lesfillesduroy.org >.

5. *Les protestants en Nouvelle-France*, Québec, Société historique de Québec, 1978.

6. Voir R. Larin, *Brève histoire des protestants en Nouvelle-France et au Québec (XVIᵉ-XIXᵉ siècles)*, Saint-Alphonse-de-Granby, Éditions de la Paix, 1998. Par exemple, beaucoup de militaires n'étaient que de passage (8 % des membres de l'armée et spécialement les officiers étaient huguenots) et de toute façon ont dû quitter la colonie au moment de la Conquête. Il en a été de même pour les commerçants français qui ont été remplacés par des britanniques.

protestantisme francophone d'aujourd'hui au Québec (particulièrement évangélique) n'atteint même pas un pour cent de la population. C'est dire par contraste l'importance des huguenots à l'époque (10 % comparativement à seulement de 2 % ou 5 % en France aujourd'hui).

Pratique religieuse privée

Quelles ont été les pratiques religieuses protestantes en Nouvelle-France? L'État avait interdit les assemblées protestantes, la construction de temples, l'installation de cimetières, l'organisation d'écoles. Même quand l'évêque dit «qu'ils se rassemblent entre eux», on n'est même pas sûr qu'il s'agisse d'une réalité, l'évêque pouvant utiliser cette formule consacrée pour jeter le discrédit sur les protestants. Il est clair qu'avec les interdits d'accès aux postes, la surveillance du clergé dans les hôpitaux, la nécessité de se déclarer catholique pour pouvoir se marier à l'église, le contexte social de répression, bien peu ont persisté dans leur foi et ils se sont plutôt fondus dans la masse. Si on relève des cas d'irréductibles qui se sont mariés entre eux et ont conservé leur protestantisme intact, ce n'est pas le cas de la plupart. Ce qu'il faut retenir selon Bédard, c'est qu'il vient des protestants tout au long du régime français mais ceux qui s'y trouvent à des dates ultérieures ne sont pas les descendants des premiers colons, qui se sont le plus souvent assimilés et que des nouveaux protestants ont remplacés[7].

Depuis 1685, le protestantisme est interdit en France et les protestants les plus convaincus se réunissent dans des lieux retirés pour célébrer leur culte au risque de la prison ou de leur condamnation à mort[8]. Ce ne sera qu'en 1760 que les églises

---

7. Ceux qui voulaient échapper à un contrôle répressif en France émigraient plutôt dans les colonies américaines. En 1701, le tiers des habitants de l'île de Manhattan étaient des réfugiés huguenots. Le premier recensement des États-Unis en 1783 comptera quelque 100 000 personnes de langue française, c'est plus que ce qu'on trouve à la même époque dans la *Province* (qui a le sens de colonie) de Québec.

8. L'exposition sur les huguenots au musée de l'Amérique francophone en 2008, à l'occasion du quatrième centième anniversaire de la fondation

protestantes françaises seront tolérées et qu'en 1787, à la veille de la révolution, que l'interdit sera levé. Les protestants en Nouvelle-France comme dans la mère patrie en sont donc réduits au mieux à un culte individuel ou familial chez eux. Il serait pourtant intéressant, mais sans doute quelque peu utopique, de voir ce qui est resté dans la mentalité québécoise de ces origines huguenotes qui valorisaient l'adhésion personnelle à la foi et l'adoption d'une conduite conforme à sa conviction intime, à sa conscience.

Après 1713, à la mort de Louis XIV et après la perte de l'Acadie, l'activité antiprotestante se relâche un peu. Le catholicisme est bien établi et certains protestants immigrés dans les vingt dernières années de la Nouvelle-France conserveront leur religion. Ce sera le petit nombre évidemment.

Des études récentes montrent que le commerce de la Nouvelle-France demeura largement aux mains des protestants. En effet, c'étaient souvent les marchands huguenots de La Rochelle qui avançaient des fonds à des marchands catholiques, ou qui venaient directement dans la colonie. On les tolérait parce qu'on ne pouvait pas s'en passer. Comme dans les tout débuts de la colonisation, les échanges entre commerçants catholiques et protestants étaient encore cinquante ou soixante-quinze ans plus tard intimement liés. Robert Larin rappelle que, devant l'intolérance de Louis XIV, plusieurs marchands rochelais réorientèrent leurs activités du côté de Boston et de New York. En 1685, le gouverneur Denonville essaya en vain de défendre la présence du marchand huguenot Gabriel Bernon dont l'évêque exigeait le départ parce qu'il voulait ouvertement pratiquer sa religion. Le protestant dut quitter les lieux, passa en France et revint fonder un établissement français dans les colonies américaines là où se trouve aujourd'hui New Oxford près de Boston[9].

---

de Québec, illustrait certaines des astuces de l'époque pour échapper au contrôle : Bible miniature cachée derrière un miroir, coupe de communion démontable pour avoir l'apparence d'un chandelier par exemple.

9. Il ne faut pas minimiser les échanges de personnes entre la Nouvelle-France et les colonies américaines, notamment via le commerce des fourrures dans la vallée de l'Hudson et du Richelieu. Larin en donne de nombreux exemples.

La présence huguenote sera pourtant plus marquée en Nouvelle-France au dix-huitième siècle et particulièrement dans les cinquante dernières années de la colonie. Les historiens s'accordent pour dire que les huit grandes compagnies de commerce de cette période qui y font des affaires sont aux mains des protestants. À un point tel que, devant les protestations du clergé auprès du roi pour rappeler l'interdiction stricte des huguenots, l'intendant Bigot fait valoir que si on leur retirait le commerce, il n'y aurait plus d'activité économique importante dans la colonie. Il est clair qu'on ferme les yeux. J. R. Bosher, qui a étudié de façon particulière ces compagnies, rapporte qu'elles avaient même recours à une astuce pour déjouer le contrôle catholique. On décidait arbitrairement que le représentant de la compagnie en Nouvelle-France devenait catholique. Il n'était pas incommodé sur place et quand il rentrait en France… il redevenait protestant comme par hasard [10].

L'inversion religieuse au moment de la Conquête

Avec la conquête de 1760, la situation religieuse s'inverse. Le conquérant est protestant et conteste la présence catholique. Les Britanniques ont recours à des Français ou à des Suisses protestants plus ou moins récemment immigrés et peu susceptibles d'être papistes pour leur confier des tâches utiles. Ils en font des maires de village, des délégués, les nomment au conseil du gouverneur, leur confient le soin de réparations d'immeubles endommagés, etc. C'est ce que l'historien Marcel Trudel a qualifié de « revanche des huguenots ». Il ne s'agit pourtant que d'une dizaine ou d'une vingtaine de personnes. Certains historiens ont estimé que bon nombre de protestants n'avaient pas abjuré au temps du régime français. Pourtant à notre connaissance, il n'existe après la Conquête aucun mouvement de huguenots vers un retour à l'exercice de leur religion malgré

---

10. *The Canada Merchants 1713-1763*, Oxford, Clarendon Press, 1987.

ces circonstances favorables, preuve si on peut dire, qu'ils s'étaient déjà intégrés à la masse catholique[11].

Les Québécois doivent savoir que plusieurs des fondateurs du pays étaient protestants, que nombre de leurs ancêtres (hommes ou femmes) venaient de régions fortement protestantes, qu'une grande majorité d'entre eux se sont fondus dans la masse et sont passés au catholicisme au moment de leur mariage ou par la suite. Comme on interdisait dans la colonie les assemblées, les églises et les cimetières, la pratique protestante était réservée à la sphère privée. S'il y a toujours eu des protestants en Nouvelle-France, les colons réformés de la fin du régime n'étaient cependant pas les descendants des premiers protestants, comme le fait remarquer M.-A. Bédard. En somme, il y eut bien des protestants qui sont passés en Nouvelle-France ou y sont restés, même si le protestantisme ne put jamais s'y établir.

Longtemps professeur d'histoire au secondaire, Jean-Louis Lalonde consacre maintenant ses loisirs à ses recherches sur les protestants de langue française au Québec des origines à nos jours. Il a publié notamment Des loups dans la bergerie. Les protestants de langue française au Québec, 1534-2000, *Fides, 2002.*

---

11. Nos ancêtres savaient sans doute faire certaines distinctions entre religion et personnalité. Deux de ces immigrants protestants, Alexandre Dumas (arrivé à Québec en 1751) et Pierre Guérout (arrivé en 1767, neveu de François Lévesque, protestant connu) seront même élus députés dans le premier parlement en 1792, d'autres seront seigneurs comme les Gugy (région de Trois-Rivières), mais cela nous entraîne au-delà de la période. Le livre de G. Deschênes et D. Vaugeois, *Vivre la Conquête à travers plus de 25 parcours individuels* (t. I, Sillery, Septentrion, 2013), fait état de la biographie de Français ou de Suisses touchés par la Conquête, notamment « Jacques Terroux, suisse et protestant ».

Regard sur les débuts du peuplement : la langue parlée des premiers habitants

Gervais Carpin

En histoire de nombreuses hypothèses soulevées par des spécialistes ont été comme adoptées sans plus de discrimination dans des ouvrages généralistes. Largement reprises, elles se sont finalement introduites comme des vérités dans l'imaginaire collectif. Parmi ces hypothèses, certaines concernent la langue parlée sur les rives du Saint-Laurent par les premiers colons. La France du dix-septième siècle étant un pays de langues, dialectes ou patois multiples et les premiers colons étant originaires d'un peu partout dans le royaume, à leur arrivée en Amérique ils devaient, dit-on, avoir de la difficulté à se comprendre entre eux. Comme par ailleurs les voyageurs du dix-huitième siècle ont témoigné d'une colonie où même les plus humbles parlaient un bon français, cette langue se serait rapidement généralisée. On présente alors l'influence des mères au foyer, donc la langue maternelle, surtout celle des « filles du roi » d'origine parisienne, comme un des facteurs premiers de cette uniformisation du parler. Cette proposition repose sur une autre hypothèse qui voudrait que le moment où la colonie a vraiment pris son essor corresponde à l'arrivée des contingents de filles à marier (dites « filles du roi ») dans la décennie 1660[1].

---

1. Je simplifie évidemment ici en mots de mon cru les hypothèses présentées par Philippe Barbaud dans son essai *Le choc des patois en Nouvelle-France* (Québec, Presses de l'université du Québec) publié en 1984. Pour une critique de la thèse de Barbaud sur l'usage du patois en Nouvelle-France, mais surtout pour une analyse critique des théories

C'est aussi la période où l'on dit que le roi reprend en main sa colonie, comme si ce qui s'était passé dans les trente années précédentes n'était qu'un vague chantier incomplet.

Nous voulons dans ce texte remettre en question ces deux idées reçues. Nous pensons que les immigrants étant probablement tous ou presque des locuteurs de langue française avant leur départ de la métropole, la langue française fut la langue commune dès l'arrivée des premiers colons, puis celle de ceux qui les ont suivis, à l'exclusion de tous autres langues, dialectes ou patois. Si des patois ou des dialectes pouvaient être utilisés, ils l'étaient par des colons originaires en France d'un même coin de pays quand ils se rencontraient; ou dans le cadre familial si les deux époux pratiquaient le même langage. Nous pensons également que si la langue maternelle n'est pas la raison première du français parlé dans la colonie, les mères ont conforté l'usage de cette langue, mais que l'histoire n'a pas attendu l'arrivée des filles du roi pour donner cette place aux femmes. Le rôle joué par les immigrantes des années 1634 à 1663 est, de ce point de vue, beaucoup plus déterminant.

Une France multilingue

Dans la France des dix-septième et dix-huitième siècles, les vingt millions de sujets du roi n'étaient pas vingt millions de locuteurs de langue française puisque ce sera seulement à la fin du dix-neuvième siècle par la mise en place de l'école républicaine publique et obligatoire que se généralisera le parler

---

premières d'Adjutor Rivard (début du vingtième siècle), voir l'article très documenté de Claude Poirier, «La langue parlée en Nouvelle-France : vers une convergence des explications», publié en 1994 dans le collectif *Les origines du français québécois* (Québec, Presses de l'université du Québec), dirigé par Raymond Mougeon et Édouard Beniak. Je renvoie à cet ouvrage qui réunit plusieurs des chercheurs — linguistes, démographes, historiens — qui avaient alors travaillé sur le sujet de la langue parlée par les premiers colons. Mon intention dans ce court article n'est pas de procéder à un état de la question, mais de présenter un point de vue historien basé sur l'analyse des archives et ma connaissance approfondie du mode migratoire qui a permis le peuplement des rives du Saint-Laurent.

français (et ne dit-on pas que dans les tranchées de la guerre 14-18 on ne se comprenait pas encore toujours). La langue française du royaume était d'abord celle de la région d'Île-de-France entourant Paris. Elle devint rapidement celle du pouvoir royal et de ceux qui tournaient autour, tant noblesse que bourgeoisie marchande, financière ou de robe, de ceux qui écrivaient, qui enseignaient, des religieux. La plupart des villes de France, sinon toutes, carrefours d'affaires et centres administratifs, avaient aussi adopté le français comme langue de communication puis de la vie quotidienne. Donc il existait, pour ce qui est du parler, un clivage non seulement territorial, mais aussi social. En ce qui concerne les provinces, éloignées ou non, récemment ou anciennement rattachées au royaume, leur langue était celle qui s'ancrait depuis des siècles (avec son évolution propre bien sûr) dans un territoire donné. Dans la moitié sud du royaume, la langue occitane s'imposait, avec ses sous-entités : dialectes du sud-est ou du sud-ouest ou encore du centre montagneux du Massif central, et chaque dialecte avait aussi ses patois. La partie nord de la France comprenait des locuteurs bretons ou de dialectes allemands, flamands, etc. Le français s'étendait plus facilement vers la périphérie de l'Île-de-France, en Normandie, dans le Perche, dans l'Est breton, la Picardie, la Champagne, dans les Pays de la Loire, descendant vers le Poitou et la Saintonge, etc., en concurrence toutefois avec des patois dont on continuait à faire usage dans les campagnes.

On s'entend généralement pour dire que de 80 % à 90 % de la population française était sédentaire, habitants des campagnes, hameaux, villages, bourgs et, dans ces lieux, ces sédentaires étaient paysans, journaliers, petits marchands, artisans de villages, etc. Il existait aussi quelque 10 % à 20 % de Français dits mobiles (en opposition à sédentaires) dont la vie professionnelle était marquée par des déplacements fréquents. On inclut dans cette population la plupart des compagnons artisans, tous les gens de métiers circulant à travers le royaume, de ville en ville, de ville en bourg, au gré des contrats de travail qui se présentaient à eux pour une durée déterminée ; on y inclut aussi la plupart des marchands, qu'ils fussent des marchands ambulants ou des commis et représentants de marchands des villes, et également les hommes et femmes qui travaillaient comme domestiques, qui donc souvent s'étaient déplacés des campagnes vers les villes. Et on imagine mal, par exemple, un maçon originaire du Languedoc, circulant d'une année à l'autre vers Poitiers, puis Nantes, Paris, redescendant sur Lyon, et ainsi de suite, villes où il se faisait engager sur des chantiers et qui n'aurait su s'exprimer qu'en occitan. Nous avançons l'idée que cette population mobile parlait obligatoirement le français, même si parfois il était pour eux une langue seconde. Il faut ajouter à ces groupes les soldats qui étaient alors de métiers et non des conscrits provisoires. Les régiments, qui appartenaient en propre à des nobles, ne pouvaient fonctionner qu'avec une langue commune, et ces soldats circulaient eux aussi à travers la France, le casernement n'existant alors pas.

Des colons « mobiles »

Pour revenir à la Nouvelle-France et à l'émigration, il faut prendre en compte que les colons immigrants des quarante premières années (plus ou moins de 1630 à 1670) provenaient très majoritairement d'une population d'engagés dont le contrat initial stipulait l'obligation d'un séjour provisoire de quelques années, généralement trois ans, puis d'un retour en France et que les colons immigrants des quatre-vingt-dix années suivantes (plus ou moins de 1670 à 1760) ont été majoritairement des militaires envoyés en Nouvelle-France qui ont fini par s'y installer. On parle d'une rétention dans la colonie de 15 % de tous les militaires y ayant passé et de 50 % de tous les engagés.

Qui étaient ces engagés des quarante premières années? S'il fallait en faire un portrait statistique, nous les présenterions comme des hommes jeunes (soit entre vingt et trente ans), souvent compagnons artisans, résidant ou de passage dans la ville portuaire où furent signés les contrats d'engagement, ou encore des journaliers ou des paysans, résidant eux aussi dans la ville portuaire ou dans un des villages des parages immédiats de cette ville. Nous constatons donc qu'une grande partie des premiers colons, puis des immigrants subséquents appartenaient à cette portion de la population française dite mobile, et qu'en conséquence ces immigrants devaient déjà parler français quand ils s'installèrent dans la colonie. Cette hypothèse peut être appuyée par l'analyse des contrats des notaires de La Rochelle. Comme les départs des quarante premières années pour la Nouvelle-France ne pouvaient se faire qu'au moyen des navires nolisés par la compagnie détentrice du monopole ou par des sous-compagnies déléguées, comme ces navires ne partaient en général que de deux ports, Dieppe et La Rochelle, et comme les archives de Dieppe ont été détruites, il faut se reporter à celles de La Rochelle pour comprendre le système d'immigration dans la colonie[2]. Dans les archives notariales, nous rencontrons parfois des contrats passés entre des marchands rochelais et des marchands étrangers, contrats qui étaient rédigés en français. Si ces marchands étrangers étaient représentés par un de leurs commis ou associés installés dans la ville, le contrat ne mentionnait rien de particulier quant à la langue utilisée par les parties. Mais il est arrivé que certains marchands ou capitaines de navire étrangers, ne parlant pas français, étaient présents dans l'office du notaire pour contracter. Dans ces cas particuliers, il est toujours stipulé par écrit dans le contrat, par le notaire ou son commis, qu'un interprète est présent avec l'accord des deux parties. Et cette particularité, cette mention de la présence d'un interprète bien identifié, ne se trouve inscrite dans aucun des quelque six cents contrats d'engagement pour la Nouvelle-France retrouvés à La Rochelle pour la période de 1630 à 1670. Comme nous pouvons imaginer que le notaire ou ses commis ne parlaient pas l'ensemble des langues et dialectes du royaume, il faut probablement en conclure qu'un engagé se disant de la Provence, ou de la Lorraine, ou de toute autre région dont le français n'était pas la langue courante, parlait et comprenait le français avant de signer son contrat ou de faire savoir qu'il ne savait pas signer. Comme exceptions possibles, nous pensons aux natifs de la région immédiate du port de La Rochelle, dont certains, venant de la campagne, ne parlaient peut-être que le patois local, et si la mention n'en était pas faite dans le contrat,

---

2. L'analyse des contrats d'engagement à La Flèche en 1653, ceux signés à Tourouvre dans la décennie 1640 et même ceux retrouvés à Paris pour les engagements vers l'Acadie entre 1604 et 1607, montre une totale similarité avec ceux de La Rochelle quant au portrait des engagés (lieux d'origine, âges, métiers, obligations diverses).

peut-être était-ce tout simplement parce que le commis aux écritures du notaire, ou encore ce dernier, était de la région et était en mesure de parler ce patois.

Nous pouvons aussi interpréter comme un témoignage de l'existence d'une langue commune parlée dans la colonie cette phrase écrite par l'intendant Jean Talon dès 1667 : «quoyque composé d'habitans de différentes provinces de France dont les humeurs ne symbolisent pas toujours, [le peuple de cette colonie] m'a paru assez uny dans tout le temps de mon séjour». Donc voici une population, installée depuis trente ans seulement et provenant de partout en France, qui semblait assez homogène aux yeux de l'intendant : même si le propos est vague, il est difficile d'écarter de cette description l'idée d'une langue commune. D'autre part, Simon Denys, chassé d'Acadie en 1651 et installé depuis quinze jours à Québec, témoigne de ce qu'il voit autour de lui dans une lettre adressée à son beau-frère vivant en France : «La langue française y est parlée avec élégance.» (La lettre est écrite en latin, la traduction est de Lucien Campeau.) Retenons encore comme indice supplémentaire que, dans les relations, rapports ou correspondances de l'époque, quels que soient leurs auteurs, il n'est jamais question d'un problème de communication entre colons, les seules mentions faites à propos des langues concernent l'interaction orale entre Amérindiens et Européens.

Qu'en est-il maintenant de la place des femmes dans la diffusion et la consolidation du français dans la colonie, notamment celle des filles du roi ? Les sept ou huit cents femmes arrivées en Nouvelle-France entre les années 1663 et 1673 ont été un apport migratoire qui a permis d'accélérer le mouvement exponentiel du peuplement, mais elles n'ont pas représenté un début. Comme pour les hommes, elles ont permis d'ancrer l'usage général du français puisqu'une grande majorité d'entre elles arrivait de Paris. Quand elles ont débarqué à Québec, elles venaient certes combler un déficit d'immigrantes pour permettre la constitution de familles, mais pas du tout au point où certains historiens le prétendent en assurant parfois que, dans la colonie en 1666, il y avait une femme à marier pour six hommes célibataires.

Quand on analyse ensemble les recensements de 1666 et 1667, on parvient à créer une image assez représentative de la population de la colonie en 1666, quand les filles du roi ne se comptent encore que par quelques dizaines. Cette année-là, environ six cent cinquante couples, donc autant de femmes mariées, ainsi que quelques dizaines de veuves avec familles sont installées le long du Saint-Laurent. Environ quatre cent cinquante de ces femmes étaient arrivées mariées ou en âge de se marier. Cette quantité rassure quant au soi-disant désert nuptial que représentait la colonie et qui aurait été un des facteurs de retour en France de nombreux engagés. Sans compter les deux cents filles nées en Nouvelle-France ou arrivées prépubères et mariées très tôt (la moyenne statistique d'âge au mariage pour ces jeunes filles était de quatorze ans). À cette date, on compte trois cents hommes célibataires prêts à se marier pour environ cent jeunes filles d'âge nubile. Le reste de la population, environ mille six cent cinquante personnes (comprenant une quasi-égalité d'éléments féminins et masculins), ce sont des enfants pour lesquels la question du mariage et de l'installation sur une terre n'est pas encore à l'ordre du jour. Quand on présente la proportion d'une femme pour six hommes, c'est qu'on comptabilise plusieurs centaines d'engagés qui, qu'ils soient en début, milieu ou fin de contrat, n'ont pas encore pris la décision de s'installer et n'ont donc pas à être inscrits dans la liste des hommes à marier.

Alors quand les contingents de filles du roi débarquent année après année, elles ne vont que combler peu à peu un certain déséquilibre entre les sexes. Jusqu'en 1668, environ trois cents de ces huit cents femmes vont se marier soit avec des célibataires natifs de la colonie, soit avec des ex-engagés qui viennent de faire le choix de s'installer en Nouvelle-France. On pourrait presque penser que les cinq cents femmes qui vont encore arriver entre 1669 et 1673 allaient inverser le déséquilibre et surreprésenter le sexe féminin ; ce serait oublier que, dans ces années 1668 et 1669, un peu plus de quatre cents militaires (locuteurs du français eux aussi, comme nous l'avons vu) se sont ajoutés d'un coup à la population de colons au lieu de repartir en France avec les compagnies du régiment de Carignan.

Donc, entre 1634, première année d'une vraie politique de peuplement, et 1662, dernière année avant la décision d'efforts concertés pour faire venir de nombreuses célibataires, les femmes ont traversé l'Atlantique en nombre suffisant pour installer progressivement une colonie de peuplement. À l'opposé des engagés masculins, dont la moitié retournait en France à l'expiration de leur contrat, les femmes engagées par contrat sont presque toutes restées en Nouvelle-France, se mariant même presque toujours avant la fin de leur contrat. De plus, pendant ces trente années, un peu plus d'une centaine de couples déjà mariés en France ont traversé et se sont installés, ces femmes et les filles déjà nées qu'elles emmenaient avec elles s'ajoutent au contingent féminin qui a permis le démarrage de la colonie.

Enfin, il est remarquable qu'un tiers de ces familles venait du Perche, pays de langue française, et qu'elles se sont installées dans les dix premières années, donnant à marier leurs filles aux engagés qui avaient décidé de rester sur place.

Ce serait donc sans heurt, sans que personne probablement n'ait eu à y penser que les sujets du roi de France ont implanté l'usage de la langue française en Amérique du Nord. Ils l'ont si bien fait que ces voyageurs du dix-huitième siècle dont nous parlions plus haut témoignent que non seulement tout le monde parlait français sur les rives du Saint-Laurent, mais qu'en plus ils le parlaient de la façon la plus châtiée qui soit y compris chez les gens ordinaires.

Gervais Carpin, historien, est l'auteur de l'ouvrage
Le réseau du Canada. Étude du mode migratoire
de la France vers la Nouvelle-France (1628-1662),
Septentrion, 2001.

Pierre Boucher :
interprète, ambassadeur et seigneur

Jacques Lacoursière

L'année 2017 marquera le tricentenaire du décès de Pierre Boucher, le fondateur de Boucherville. Fils de Gaspard Boucher et de Nicole Lemer ou Lamaire, il était né à Mortagne, dans le Perche, et fut baptisé le 1ᵉʳ août 1622. Il faut se rappeler que Robert Giffard s'était fait concéder la seigneurie de Beauport et qu'il cherchera à recruter de nouveaux colons dans sa ville d'origine. C'est ainsi que Gaspard Boucher répondra à son appel et qu'il émigrera avec sa famille dans la vallée du Saint-Laurent, probablement en 1634. Pierre n'était âgé alors que de douze ans.

Alors que Gaspard travaille comme menuisier pour les Jésuites, le jeune Pierre se rend en Huronie en 1637. Il travaillera alors comme « donné », c'est-à-dire comme homme à tout faire. Dans la *Relation* de 1638, le missionnaire François-Joseph Le Mercier décrit ainsi le travail d'un donné chez les Hurons : « Ce sera un très grand bonheur pour cette mission s'il plaît à Dieu de nous donner toujours des domestiques qui prennent en affection de coopérer comme ils peuvent beaucoup à la conversion de ces peuples. On ne saurait croire le grand bien qu'a fait le bon exemple de ceux que nous avons eus depuis quatre ans. Nos sauvages en parlent avec admiration et voyant que des personnes qui ne portent pas notre costume pratiquent néanmoins si exactement ce que nous enseignons, ils font plus état de notre foi. »

Dans la notice biographique qu'il consacre à Pierre Boucher dans le *Dictionnaire biographique du Canada*, l'historien Raymond

Douville affirme que le gouverneur Charles Huault de Montmagny « l'attache à son service comme soldat, mais surtout à titre d'interprète et d'agent auprès des tribus indiennes. En cette qualité, ajoute-t-il, il [Boucher] participe à tous les pourparlers des autorités avec les indigènes, et il acquiert une précieuse expérience qui lui servira toute sa vie. Partout il accompagne le gouverneur, qui lui procure vite de l'avancement. De soldat, il passe caporal, puis peu après sergent. » C'est en 1644 que Boucher devient interprète officiel du poste de Trois-Rivières. De plus, il est nommé commis de ce poste. Dès l'année suivante, Boucher s'installe à cet endroit. Il faut attendre le mois de juin 1651 pour qu'il soit confirmé « capitaine » de l'endroit. Ce poste de Trois-Rivières fera l'objet de plusieurs attaques des Iroquois. Au cours du mois d'août de l'année suivante, les ennemis des Français et des Canadiens massacrent plus d'une vingtaine d'habitants et de soldats.

En 1653, il est de plus en plus question que tous ces gens vivant le long des rives du Saint-Laurent s'en retournent en France. La supérieure des Ursulines de Québec, Marie de l'Incarnation, écrit : « L'on projette de tout quitter et de faire venir des vaisseaux de France pour sauver ceux qui ne seraient pas tombés en la puissance de nos ennemis. » Pierre Boucher, tout comme la religieuse Catherine de Saint-Augustin, partage cet avis. Peu après, notre homme est confirmé dans sa fonction de commandant du poste de Trois-Rivières.

L'ascension de Pierre Boucher se poursuit. Le 1er octobre 1654, il est nommé gouverneur de Trois-Rivières. Il était alors le père d'un fils qui recevra lui aussi le prénom de Pierre. Boucher en était à sa deuxième union. Il s'était marié, en première noce, avec Marie-Madeleine Ouébadinoukoué, dit Chrétienne, qui décédera en donnant naissance à Jacques qui mourra lui aussi. Pierre Boucher se remariera une seconde fois avec Jeanne Crevier, qui est âgée de seize ans. Elle est la fille de Christophe Crevier et Jeanne Évard. La cérémonie aura lieu à Québec, le 9 juillet 1652, soit quatre jours après la signature du contrat de mariage devant le notaire Guillaume Audouart dit Saint-Germain. Pierre fils aura six sœurs et huit frères. C'est au cours de l'année qui suit son mariage que plusieurs personnalités se demandent s'il ne faut pas fermer les établissements de la vallée du Saint-Laurent et ramener tous les habitants de la colonie en France. À la mi-juillet, Boucher, alors qu'il évalue les biens de Godefroy de Normanville, qui figure parmi ceux qui ont été fait prisonniers par les Iroquois, écrit dans son procès-verbal : « Vu l'incertitude du temps causée par les ennemis et même en état de doute si on doit VUYDER le pays ou non… »

L'historien Raymond Douville précise que, « en 1657, alors que ses contemporains viennent tout juste de l'élire par voie de suffrage "conseiller du Roy au Conseil étably à Québec", il sollicite du gouverneur la faveur d'abandonner ses fonctions officielles et de se retirer sur ce qu'il appelle "son bien" ». Il faut se rappeler que Pierre Boucher avait reçu, en 1649, deux concessions au Cap-de-la-Madeleine. Mais son séjour à cet endroit sera de courte durée. C'est en effet à cette époque que Pierre Boucher apprend qu'il vient d'être anobli. Il doit la chose à Jean de Lauson, qui fut gouverneur de la Nouvelle-France de 1651 à 1656. Il écrira plus tard : « J'ai oublié de dire que M. de Lauson ayant raconté à M. de Feuqières [le vice-roi de l'Amérique] le siège des Trois-Rivières lui fit voir la lettre que je lui avais écrite après le départ des ennemis. M. de Feuquières résolut de m'envoyer des lettres de noblesse par laquelle il m'exhortait à continuer de bien servir le roi en ce pays. »

Dès son arrivée en Nouvelle-France, en 1661, le nouveau gouverneur Pierre Dubois Davaugour constate que la colonie est non seulement aux prises avec de fréquentes attaques iroquoises, mais aussi que sa population n'est pas assez nombreuse. Davaugour charge donc Pierre Boucher de se rendre dans la métropole pour convaincre le jeune roi Louis XIV de voir au peuplement de la colonie. Celui-ci quitte donc la vallée du Saint-Laurent le 22 octobre 1661. « Pierre Boucher, écrit Douville, s'embarque pour Paris le 22 octobre, porteur des dépêches du gouverneur, dont une lettre importante adressée au prince de Condé. Il apportait aussi les lettres des Jésuites du Canada à leur maison de Paris, dont le procureur était son vieil ami, le père Paul Le Jeune, qui, à n'en pas douter, lui aura facilité sa mission ». Boucher quittera le port de La Rochelle le 15 juillet de l'année suivante. À Paris, il réussit à avoir une audience avec Louis XIV. Beaucoup plus tard, il racontera ainsi sa rencontre avec le roi : « J'eus l'honneur de parler au Roy, qui m'interrogea sur l'estat du Pays, dont je luy rendis un fidelle compte, et Sa Majesté me promit qu'elle secourerait le pays et le prendrait sous sa protection ; ce qu'elle a fait. »

À son départ de La Rochelle, Boucher, rapporte Douville, « pouvait compter sur les deux vaisseaux, les cent soldats et les vivres et munitions promis par le roi. Il avait lui-même recruté "cent hommes de travail", ayant emprunté de l'argent pour payer leur traversée ». Le voyage de retour de Boucher fut marqué par le décès d'une soixantaine de soldats et de colons, à cause de la maladie qui s'était déclarée à bord des deux navires qui transportaient non seulement les passagers, mais aussi les vivres et les munitions. Ces deux navires étaient l'*Angle d'or* et le *Saint-Jean-Baptiste*.

Dès son retour dans la colonie, Pierre Boucher, en plus des tâches qu'on lui avait confiées, se met à la rédaction d'un ouvrage qui sera publié à Paris en 1664, dont le titre était révélateur : *Histoire véritable et naturelle des mœurs et productions du PAYS de la Nouvelle-France vulgairement dite le CANADA*. Le livre sera dédié à « Monseigneur Colbert, conseiller du Roy en tous ses Conseils, Intendant des Finances, & Sur-Intendant des Bastimens de Sa Majesté, Baron de Seignelay, &cc. ». Boucher souligne, dans son « Épistre », que Colbert avait pour la Nouvelle-France « un amour particulier ». Dans son « avant-propos », l'auteur allègue deux raisons à cette publication : la première étant que la Nouvelle-France est méconnue dans la métropole et que « c'est pourquoi, dit-il, je me suis résolu à faire imprimer la présente Description ». La seconde raison découle de sa rencontre avec le roi : « Ayant veu l'affection que Sa Majesté témoignoit avoir pour la Nouvelle France, & la résolution qu'il a prise de détruire les Iroquois nos ennemis, &c de peupler ce Pays icy ; j'ay pésé que j'obligerois beaucoup de monde, de ceux qui auroient quelques desseins d'y venir, ou d'y faire venir quelques-uns de leurs alliez, de leur pouvoir faire connoitre le Pays avant que d'y venir. »

« Il y a long-temps que j'avois cette pensée, avoue Boucher, & j'attendois toujours que quelqu'un mist la main à la plume pour cet effet ; mais voyant que personne ne s'en est mis en devoir, je me suis résolu de faire la présente description, en attendant que quelqu'autre le fasse dans un plus beau stile ; car pour moy, je me suis contenté de vous d'écrire simplement les choses, sans y rechercher le beau langage mais bien de vous dire la vérité avec le plus de naiveté qu'il m'est possible, & le plus brièvement que faire se peut obmettant tout ce que je crois estre superflu, & ce qui ne serviroit qu'à embellir le discours. » Pierre Boucher rédige donc le parfait manuel pour celles et ceux qui ont décidé d'émigrer dans le Nouveau Monde. Le titre du chapitre XIII indique bien pourquoi il rédige son ouvrage : « Réponses aux questions qui ont été faites à l'Auteur lors qu'il estoit en France. » À la question « Quelles sont les trois pires choses qu'auront à affronter ceux qui émigrent en Nouvelle-France ? » l'auteur répond : « par ordre d'importance, les Iroquois, les maringouins et la longueur des hivers » !

Pendant qu'il séjourne en France, il observe que quelques personnes sont convaincues que des « filles mal-vivantes » sont expédiées dans la colonie. Boucher s'empresse de préciser : « Il n'est pas vrai qu'il vienne icy de ces sortes de filles. Ceux qui en parlent de cette façon se sont grandement mépris et ont pris les Iles de St-Christophe et la Martinique pour la Nouvelle-France ! »

Après son retour dans la vallée du Saint-Laurent, Pierre Boucher quittera son fief au Cap-de-la-Madeleine pour aller s'établir à Trois-Rivières dont il sera, à nouveau, gouverneur. Il avait déjà été nommé par le conseil souverain au poste de juge royal, le 17 novembre 1663. Mais comme il sait que plusieurs membres de la famille Crevier font le commerce de l'eau-de-vie et qu'il y a enquête à ce sujet, il démissionne de ce poste le 29 octobre de l'année suivante. Dans son ouvrage *Messire Pierre Boucher*, l'historienne Estelle Mitchell précise la raison suivante qui explique la décision du juge démissionnaire : « Advenant une poursuite au sujet de ce délit, on ne manquerait pas d'en rappeler des sentences du juge Boucher. »

Il semble bien que ce soit la belle-mère de Pierre Boucher qui mène le bal. Dans les *Cahiers des Dix* (1949), l'historien Douville soutient qu'il ne fait pas de doute que Jeanne Évard « était la grande instigatrice de cette traite de l'eau-de-vie avec les Sauvages de la région. Elle organisa même des voyages de traite aux Pays d'en Haut, et son nom se retrouve dans plusieurs contrats d'engagements autour de 1670. » Jeanne Évard peut en effet compter sur quelques-unes de ses filles comme sur ses fils, soit Jean, Nicolas et Jean-Baptiste, et sur plusieurs de ses gendres, entre autres Michel Gamelain de La Fontaine qui a épousé Marguerite Boucher, la sœur de Pierre, en 1661. Gamelain était un chirurgien-barbier. Dans le *Dictionnaire biographique du Canada*, Charles-M. Boissonneault écrivait à son propos : « Celui-ci préféra se livrer au commerce des fourrures. Pour ce faire, il mit ses connaissances pharmaceutiques à contribution, fabriqua de la bière avec du blé qu'il échangea contre des fourrures. » Le commerce de Gamelain fut facilité par le fait qu'il parlait couramment la langue indienne. C'est lors de l'enquête qui a lieu au cours de l'hiver 1666-1667 que sont révélés les détails les plus croustillants sur les actes de la belle-mère de Pierre Boucher. Le 20 juin 1667, le conseil souverain de la Nouvelle-France, le plus haut tribunal de la colonie, condamne nommément quelques frères de Jeanne Évard : Jean-Baptiste et Nicolas Crevier, ses beaux-frères Nicolas Gastineau et Michel Gamelain, entre autres. La condamnation ne concerne que la vente d'eau-de-vie ou de bière aux « Sauvages », comme le précisait le texte du conseil souverain. Mais Jeanne Évard, la veuve de Christophe Crevier, sieur de la Meslée, n'est quant à elle l'objet d'aucune condamnation, même si elle était considérée par la plupart des habitants de la région comme la principale responsable de la vente d'alcool aux Indiens. La situation s'expliquerait du fait que cette femme était la belle-mère de Pierre Boucher !

C'est à cette époque que ce dernier décide de quitter la région de Trois-Rivières pour se réfugier aux îles Percées, qui lui avaient été concédées en 1664 et qui seront plus tard rebaptisées Boucherville, en son honneur. S'il quitte la région de Trois-Rivières, expliquera-t-il plus tard, c'est pour se retirer en un lieu « où les gens de bien puissent vivre en repos et les habitants faire profession d'être à Dieu d'une façon toute particulière ; ainsi toute personne scandaleuse n'a que faire de se présenter pour y venir habiter, si elle ne veut changer de vie, ou elle doit s'attendre à en être bientôt chassée. [...] C'est pour vivre plus retiré et débarrassé du fracas du monde qui ne sert qu'à nous désoccuper de Dieu et nous occuper de la bagatelle, et aussi pour avoir plus de commodité de travailler à l'affaire de mon salut et de celui de ma famille. » Comme le précise sœur Estelle Mitchell, au moment où Boucher décide de quitter la région de Trois-Rivières, sa famille se composait alors de huit enfants. Il était donc normal qu'il offre une autre raison à son départ : « C'est pour tâcher d'amasser quelque bien par les voies les plus légitimes qui se puissent trouver afin de faire subsister ma famille, pour instruire mes enfants en la vertu, la vie civile et les sciences nécessaires à l'état où Dieu les appellera et ensuite les pourvoir chacun dans sa condition. »

Aussitôt installé, Pierre Boucher concède des terres aux futurs colons qui habiteront son domaine. Mais il lui fallait d'abord faire construire une maison pour lui et sa nombreuse famille. « La nouvelle demeure, écrit sœur Mitchell, n'offre certainement pas les avantages de celle des Trois-Rivières. » Ce n'est que le 3 novembre 1672 que la seigneurie de Boucherville sera officiellement concédée à Boucher. Dans les lettres patentes de la concession, l'intendant Jean Talon affirme : « Sa Majesté désirant qu'on gratifie les personnes qui, se conformant à ses grands et pieux desseins, veulent bien se lier au pays en formant des terres d'une étendue proportionnée à leur force, et le sieur Boucher ayant déjà commencé de faire valoir les instructions de Sa Majesté nous ayant requis de lui en départir, nous, en considération des bons, utiles et louables services qu'il a rendus à Sa Majesté les lui avons accordées. » Cette confirmation officielle fera de Pierre Boucher un des plus importants propriétaires terriens de la colonie. L'intendant Talon ne sera pas le seul à rendre hommage à Pierre Boucher et à sa famille. En novembre 1686, le gouverneur Jacques-René de Brisay de Denonville écrit au sujet de la famille de Boucher : « Elle mérite assurément de la distinction par son application et ses bons services étant celle de toute la colonie qui n'a rien négligé de tout ce qui est nécessaire pour l'avancer ; le père a été un des premiers fondateurs de cette colonie sous M. d'Avaugour et considéré de feu Monseigneur votre Père et a été longtemps gouverneur des Trois-Rivières. Sa seigneurie est une des plus belles de ce pays. » Cette lettre était adressée au marquis de Seignelay, le fils de Jean-Baptiste Colbert.

Nous avons vu que le vice-roi de l'Amérique, Feuquières, avait annoncé à Pierre Boucher qu'il venait d'être anobli, mais les lettres confirmant la chose n'étaient jamais parvenues à la personne concernée. Ce sera donc seulement en 1668 que Pierre Boucher sera officiellement anobli, en même temps que Charles Le Moyne — le père de Pierre Le Moyne d'Iberville. Il lui faudra toutefois attendre jusqu'au mois de juin 1707 pour que Louis XIV daigne lui faire parvenir une lettre attestant qu'il est réellement anobli, puisque le roi reconnaît ses mérites, faisant ainsi de lui et de ses enfants « nés ou à naître en loyal mariage » des nobles.

Dans un opuscule publié en 2013 par le comité des fêtes commémoratives de Boucherville, en collaboration avec l'Association des numismates et des philatélistes de Boucherville, conjointement avec la Société d'histoire des Îles-Percées, on lit au sujet de Pierre Boucher que, lorsqu'il quitte la région de Trois-Rivières pour aller vivre aux îles Percées, « il a 45 ans et ainsi commence la dernière, aussi la plus longue et la plus paisible étape de sa carrière. Il se consacrera désormais à la réalisation de son rêve le plus cher : développer une seigneurie selon sa propre conception, avec des colons judicieusement choisis et prêts à accepter une souple discipline. »

Pierre Boucher était reconnu pour être un fervent catholique. En 1695, il rédigera ses mémoires qui auront les allures d'un testament. Il y écrit : « Voilà la soixantième année que je suis dans le pays, et j'en ai soixante et treize. » Mais il vivra jusqu'en 1717 !

Pierre Boucher meurt en effet le 19 avril 1717, à l'âge de quatre-vingt-quinze ans. Il laisse son épouse Jeanne Crevier qui ne décédera qu'en décembre 1727. Lui survivent dix de ses enfants, soixante-quatre de ses petits enfants et vingt-trois arrière-petits-enfants. Dans *Messire Pierre Boucher*, sa biographe Estelle Mitchell — qui verse parfois dans l'hagiographie — note que « le seigneur a vécu vingt ans sous le règne de Louis XIII, soixante-treize ans sous Louis XIV et environ deux ans sous Louis XV ».

Historien réputé, Jacques Lacoursière est notamment l'auteur d'une Histoire populaire du Québec *(Septentrion), en cinq volumes.*

Français et Amérindiens :
une rencontre exceptionnelle

Denys Delâge

Le legs documentaire de la Nouvelle-France en ce qui concerne les rapports avec les autochtones est d'une exceptionnelle richesse. Cela n'a rien pour surprendre puisqu'il s'agit des premiers documents qui témoignent de la rencontre et du choc de civilisations radicalement différentes à tous égards. Tous les legs coloniaux ne comportent toutefois pas cette richesse. Là où l'histoire fut celle de la conquête militaire, du refoulement, de l'apartheid, du génocide, les conditions ne furent guère propices au dialogue, au doute sur soi, à l'autocritique, à la découverte de l'autre. Certes, la dimension de conquête caractérise toutes les expériences coloniales, puisqu'il s'agit toujours de déposséder les autochtones de leur souveraineté.

La Nouvelle-France ne fait pas exception, les colons n'y venaient pas en immigrants se fondre dans les communautés autochtones. Québec a bien, pour un temps, cherché à éliminer les Iroquois, mené contre les Renards une guerre d'extermination (heureusement, un demi-échec), et plus généralement promu la division pour régner. Néanmoins, l'alliance avec l'ensemble des Premières Nations fut absolument indispensable. Celle-ci remonte à 1603, à Tadoussac avec les Montagnais, les Etchemins (Malécites) et les Algonquins, et c'est sur la base de ce premier traité que l'aire d'influence de la Nouvelle-France s'est étendue à la moitié du continent. Les Français ont pu ainsi fonder Québec puis s'établir dans les postes et les forts des Pays d'en Haut (Grands

Lacs) et du Mississippi. En échange, les autochtones acqué-
raient les désormais indispensables produits de la modernité
d'alors : métal, armes à feu, étoffes, etc. Les Français apprirent
quant à eux de leurs « frères » la survie à l'hiver, la navigation
sur les rivières du continent, les caractéristiques de la flore
et de la faune. Sur le plan militaire, les Premières Nations
obtinrent du soutien pour résister à l'avancée, à leur détri-
ment, des colonies britanniques en même temps qu'elles
apprirent aux Canadiens l'art de la « petite guerre » (guérilla).
Chacun reconnaissait alors que la force des Français tenait
à l'appui des guerriers autochtones.

Nous pouvons qualifier de « métis » le modèle colonial
français d'alors, tandis que le modèle des colonies néerlandaise
et anglaises rivales se caractériserait davantage par l'apartheid.
Cette proximité plus grande des colons français et des
Amérindiens relève de facteurs structurels et conjoncturels.
Rien à voir avec l'ethnicité puisqu'en basse Louisiane, esclavage
et génocide caractérisent la colonie tandis qu'inversement, à
la baie James, Anglais, Écossais, Cris et Inuit s'allient relativement harmonieusement. En Nouvelle-France, le pouvoir
monarchique d'ancien régime intégrait, comme en métropole,
toutes sortes d'ethnies, de castes, de nations, tandis que, sur
les rives de l'Atlantique, les dissidents religieux puritains et
les Néerlandais fondèrent des sociétés basées sur le contrat
social, ce qui postule l'homogénéité sociale. Le catholicisme
était alors davantage missionnaire que le protestantisme, tandis
que la propriété seigneuriale avec son principe de superposition
de droits sur le sol permettait davantage d'accommodements
que la propriété privée avec son caractère exclusif. Les « néophytes sauvages de la région de Québec » devinrent même les
seigneurs de Sillery. Qui plus est, contrairement aux premières
colonies des rives de l'Atlantique, celle des Français sur les
rives du Saint-Laurent ne délogea pas des communautés
autochtones sédentaires puisque les cultivateurs iroquoiens
du Saint-Laurent étaient disparus depuis environ la décennie
1580, probablement à la suite de la conjugaison de trois
facteurs : épidémies, guerres et refroidissement climatique.
Ces Iroquoiens avaient été les pourvoyeurs de farine de maïs
pour les nations nomades voisines (Montagnais et Algonquins

principalement) qui en faisaient provision pour parer aux disettes dans les campements d'hiver. Les Français les remplacèrent par la farine de blé.

Ajoutons encore que l'éthos aristocratique français d'alors et sa valorisation de la bravoure guerrière, de la chasse, de l'ostentation et de l'éloquence était plus apparenté aux cultures amérindiennes que l'austère éthos protestant et bourgeois tourné vers l'accumulation. S'ajoutent la faible immigration française, son haut taux de masculinité favorable à des unions maritales avec des femmes indigènes, la dépendance à l'égard des pourvoyeurs amérindiens dans la traite des pelleteries, moteur économique de la colonie et, bien sûr, la nécessité des alliances avec les Premières Nations pour contrer l'avance des colonies rivales. L'ensemble de ces conditions a favorisé la proximité, la cohabitation, la multiplication des couples mixtes au fondement de la traite pelletière, de multiples transferts culturels (depuis le tabac jusqu'aux enfants nés du « passage des sauvages ») et enfin, plus fondamentalement, le dialogue, la distance critique par rapport à soi, le relativisme culturel, l'objectivation de la société et la critique sociale.

En effet, dans ces conditions d'exceptionnelle proximité sociale, la seule juxtaposition de sociétés si différentes, autochtone et occidentale, fut source de relativisme et conduisit à transformer le regard sur soi et sur les autres. Tout étant différent chez l'autre, le caractère apparemment naturel et éternel de sa propre société ne pouvait qu'être traversé par l'émergence du doute. Cela d'autant plus que, l'interdépendance des partenaires d'alliance favorisant le dialogue, les rapports sociaux ne pouvaient pas reposer sur le mépris radical et sur des rejets absolus. Ce contexte fut propice à la distance par rapport à soi. Cela était fatalement déstabilisateur et ne pouvait que conduire à une remise en question de l'ordre naturel des choses, à sortir, ne serait-ce qu'un peu, de l'éthos du destin. Effectivement, critiques et questions remirent tout en cause, rapports familiaux, manière d'élever les enfants, sexualité, justice, propriété, régime politique, etc.

De manière étonnamment rapide, l'assurance suffisante de la supériorité du « civilisé » sur le « sauvage » céda le pas au relativisme culturel. L'illustration la plus extraordinaire apparaît

Denys Delâge

dans les *Relations des Jésuites*[1] en 1658 dans un chapitre intitulé « De la diversité des actions et des façons de faire des Français ou des Européens et des Sauvages ». Le père Lejeune y explique que rien dans la nature n'est, pour les sens, beau ou laid, bon ou méchant et que nos sens ne sont qu'une matière première que notre naissance et nos habitudes conditionnent à aimer ou détester. Les Français apprécient l'odeur du rat musqué, tandis qu'elle est puante pour les Amérindiens. Les premiers préfèrent le salé, les seconds le boucané ; et les peintures corporelles : hideuses ou splendides, c'est selon ! En vérité conclut le missionnaire, il n'y a que Dieu d'invariable.

On ne se surprendra donc pas que l'anthropologie soit née sur nos rives, à Kahnawake sous la plume du père Lafitau avec son merveilleux livre *Mœurs des Sauvages américains*[2] (1724). L'ouvrage n'a pas pour objet les Iroquois, mais plutôt la culture, la société ; Lafitau traite de la parenté, du politique, de la guerre, de la religion, des rituels mortuaires, etc., qu'il compare chez les Iroquois, les Grecs, les Romains et autres peuples de l'Antiquité.

Enfin, la critique sociale de la société européenne constitue, après le relativisme culturel et l'objectivation de la société, le troisième bouleversement de la pensée. Évidemment, la critique sociale des institutions est bien plus ancienne, elle remonte au moins à la Renaissance, mais elle s'est emballée en Nouvelle-France, d'ailleurs les philosophes des Lumières ont généralement lu les écrits qui y furent conçus. Cette critique a ici puisé à deux sources. D'abord les commentaires et les jugements critiques nombreux d'Amérindiens, ensuite, l'instrumentalisation par les Français et les Canadiens de leurs connaissances des sociétés autochtones pour remettre en question l'ordre social européen. Ne retenons ici que l'ursuline trilingue (français, huron, algonquin), Marie de l'Incarnation qui, plutôt que de recourir au châtiment, introduit amour et douceur dans l'éducation des petites filles. Également, l'historien et professeur au collège des Jésuites de Québec, François-Xavier

1. *Relations des Jésuites,* Montréal, Jour, 1972, vol. 1, 1634, p. 16-17, 34 ; 1636, p. 104 ; vol. 5, 1658, p. 27-34.
2. Joseph François Lafitau, *Mœurs des Sauvages américains*, Paris, Maspero, 1983, p. 203-205.

de Charlevoix[3] qui, dans le récit de son magnifique voyage en canot de Montréal à la Nouvelle-Orléans en 1720-1721, observe et commente les différences culturelles caractéristiques des sociétés autochtones pour débattre de quatre grands thèmes : liberté, égalité, fraternité, droit au bonheur !

Relativisme culturel, objectivation du social, critique sociale ont concerné tous les domaines de la société, religion comprise, et suscité de virulents débats. Je propose ici de n'en retenir qu'un, à première vue anodin : le rapport amérindien au corps.

Description historique des corps amérindiens

Plus grands et plus beaux que les Européens, les Amérindiens auraient possédé avec avantage les biens du corps : pas de difformité, belles proportions, dents plus blanches que l'ivoire, robustesse. En 1634, le père Lejeune voit sur les épaules de ce peuple les têtes de Jules César, de Pompée, d'Auguste, d'Othon. Les femmes accouchent plus facilement et en meurent moins qu'en France. Énigmatique à l'époque, cela tient à un bassin plus souple lié à la position souvent accroupie, en l'absence de chaises et, peut-être, à une sexualité aucunement associée au péché.

Autre caractéristique qui frappe les observateurs européens : la très faible pilosité et l'absence de barbe. Cela contrevient aux stéréotypes européens d'alors au sujet du caractère sauvage des premiers habitants à la pilosité supposément proche de la toison des animaux. Fin observateur et critique virulent, le baron de Lahontan, militaire en Nouvelle-France entre 1683 et 1693, expose ainsi ce préjugé : « Ceux qui ont dépeint les sauvages velus comme des ours n'en avoient jamais vus, car il ne leur parait ni poils, ni barbe en nul endroit du corps, non plus qu'aux femmes qui n'en ont même pas sous les aisselles[4]. » Les

---

3. François-Xavier de Charlevoix, *Journal d'un voyage dans l'Amérique septentrionale,* dans *Histoire de la Nouvelle-France,* vol. 3, Paris, Nyon, 1744, rééd. Montréal, Élysée, 1976, p. 89, 142-143, 288, 308, 311, 321-322, 340-342.

4. Louis Armand de Lom d'Arce Lahontan, *Œuvres complètes,* édition critique de Réal Ouellet et Alain Beaulieu, Montréal, Presses de l'université de Montréal, 1990, p. 632, 636, 860, 318, 681.

Européens, dotés d'une plus forte pilosité, durent abandonner ce critère qui les plaçait plus près des animaux que les Amérindiens. L'indice fut tout de même retenu par les Européens, mais non plus dans le paradigme de la transition des animaux vers l'humanité, mais dans celui des âges de l'humanité, c'est-à-dire de l'enfance glabre par rapport à la pilosité distinctive de l'âge adulte de l'humanité. Sur cette échelle, l'Europe pouvait fonder son avance et sa maturité!

Inversement, nous apprend le missionnaire-grammairien-naturaliste-dessinateur au Canada de 1664 à 1675, Louis Nicolas, plusieurs nations des Grands Lacs «croyent que les ours sont une espèce ou une certaine nation d'hommes velus qui se laissent tuer par pitié aux autres hommes pour les faire vivre des viandes de leurs corps, ils disent que les Français qui sont fort barbus sont descendus de cette race d'hommes qu'ils appellent Makoua qui veut dire ours [en algonquin][5]». En somme, autrefois humains primordiaux avec toison, les ours seraient en Amérique devenus ces animaux qui par générosité se donnent aux chasseurs, tandis qu'ils seraient les ancêtres des Européens que caractériserait une pilosité des origines. Ce faisant, la pilosité corporelle associée à un animal ne conduit pas ici à la complète dévalorisation des Français. Bien que cela ait été jugé très laid et source de moins d'esprit, l'association des Français aux ours élevait les premiers au statut de «divinité» des seconds.

Enfin, soulignons la pratique amérindienne généralisée consistant à s'épiler et à oindre tout le corps, tout particulièrement les cheveux, à des fins de résistance à la chaleur comme au froid, à l'eau comme aux moustiques. L'été, les enfants sont «nus comme la main», les hommes ne portent qu'un braguet, c'est-à-dire «une pièce de peau qu'ils mettent au-dessous du nombril jusques aux cuisses», les femmes ont des peaux jointes sur les épaules avec des cordes et ces peaux leur battent depuis le cou jusques aux genoux». S'ils apparaissent aux Français «demi-nus» l'hiver, c'est probablement parce que ces derniers

---

5. Louis Nicolas, «Histoire naturelle ou la recherche de tout ce qu'il y a de rare dans les Indes Occidantalles», Bibliothèque nationale de France, NUMM-109509, circa 1700, fol. 78-79.

ne sont pas encore endurcis au froid. Encore que s'exprime certainement la conviction éthique et morale européenne d'alors quant à la nécessité de cacher le corps sous les vêtements ; c'est ainsi que le père Lejeune écrit à propos des Montagnais : « Quand il fait froid, ils se couvrent de peaux de castor, d'ours, de renards, mais si maussadement que cela n'empêche pas qu'on ne voye la plupart de leurs corps. J'en ai vu de vêtus de peaux d'ours comme on peint saint Jean Baptiste. » Bien que cela aille à l'encontre de leurs mœurs, les Européens jugent tout de même que leurs hôtes ne sont pas impudiques.

Le frère Sagard, qui appartient à l'ordre mendiant des récollets, note judicieusement l'opposition entre corps caché sous les vêtements et corps exposé en associant le premier terme à la luxure. Si « nos sauvages, écrit-il, n'ont rien de difforme en leur corps », c'est parce « qu'ils ne sont point violentés ou contraints comme mignons & muguettes par des habits trop étroits qui forcent leur naturelle disposition », et pour ces dames européennes « ces affiquets mondains, ces gorges découvertes & ces étoffes ravissantes [...] sont des pièges bien plus pesants & desquels le Diable tire un bien plus grand avantage que la nudité de nos Sauvagesses de notre Canada[6] ». Le père Lejeune ne partageait pas cet avis : « [Leur] posture [...] suit la douceur et la commodité, et non les règles de la bienséance : les Sauvages ne préfèrent jamais ce qui est honnête à ce qui est délectable. J'ai vu souvent le prétendu magicien [chamane] couché tout nu, hormis un méchant brayer [braguet], retirer une de ses jambes contre sa cuisse et mettre l'autre sur son genou relevé, haranguant ses gens en cette posture ; son auditoire n'avait pas plus de grâce. »

Le frère Sagard, en bon disciple de saint François, jugeait moins licencieuse la nudité huronne que le luxe vestimentaire européen qu'il dénonçait dans le paradigme du déclin moral de la civilisation face à la simplicité et à la droiture des « Sauvages ». À l'opposé, le père Lejeune s'offusque de la nudité montagnaise à l'aune de la bienséance, terme qui renvoie aux « trois pas »

---

6. Gabriel Théodat Sagard, *Histoire du Canada et voyages*, Paris, Librairie Tross, 1866, vol. 2. Cette citation et celles qui suivent plus avant proviennent des p. 342-348 et 457-459.

(ou trois âges) de l'humanité d'Aristote que cite le missionnaire. À leur premier pas, la vie des hommes se résume à la nécessité ; au second, ils conjoignent « le délectable avec les nécessaire, et la bienséance avec la nécessité », au troisième, ils accèdent à la « contemplation des choses naturelles et à la recherche des sciences ». S'exprime donc chez le frère Sagard une nostalgie des premiers âges de l'humanité associée au sentiment d'une perte d'authenticité avec le « progrès de la civilisation », alors qu'il importe pour le père Lejeune de combler le retard des Amérindiens et de les inscrire dans la marche de l'humanité vers le progrès moral et civilisationnel.

Rien de cela avec le baron de Lahontan pour qui la « nudité » amérindienne nourrit l'hédonisme et la critique sociale. Il observe l'effet de la nudité masculine autochtone sur les Canadiennes alors qu'il décrit l'arrivée à Montréal, à l'été 1685, d'un grand nombre d'Outaouais et de Hurons qui campent à proximité de la ville dont ils parcourent les rues à l'occasion de la foire des pelleteries :

> C'est un plaisir de les voir courir de boutique en boutique l'arc & la flèche à la main tout-à-fait nus. Les femmes les plus scrupuleuses portent leur éventail sur les yeux, pour ne pas être effrayées à l'aspect de si vilaines choses ; mais ces drôles qui connaissent aussi bien que nous les jolies marchandes, ne manquent pas de leur offrir ce qu'elles daignent quelquefois accepter, quand elles voyent la marchandise de bon aloi. Il y en a plus d'une, s'il en faut croire l'histoire du pays, que la constance & le mérite de plusieurs officiers ne sauraient fléchir, pendant que ces vilains cupidons ont l'entrée libre chez elles. Je m'imagine que c'est moins *per il gusto, che per la curiosita* [moins par goût que par curiosité] car enfin ils ne sont ni galans ny capables d'attachement. Quoi qu'il en soit, l'occasion dans un tel cas est d'autant plus pardonnable qu'elle est rare.

Le père Charlevoix, jugeant invraisemblable un tel propos, se porte à la défense des femmes de Montréal, d'autant plus qu'« il n'y a rien à craindre pour leur honneur de la part des Sauvages. Il est sans exemple qu'aucun d'eux ait jamais pris la moindre liberté avec les Françaises, alors même qu'elles ont été leurs prisonnières. Ils n'en sont pas même tentés, & il serait à souhaiter que les Français eussent le même dégoût des Sauvagesses. »

Commençons par la seconde objection du père Charlevoix : si les ennemis (les Iroquois), qui ont emmené des Françaises captives n'en ont jamais abusé alors qu'ils avaient tout pouvoir sur elles, comment pourrait-on soupçonner des Amérindiens d'un tel comportement hors de la contrainte? Un élément culturel fondamental échappe ici au religieux dont l'observation est pourtant tout à fait juste relativement au traitement sans abus sexuel des captives. Celles-ci étaient destinées à l'adoption de la famille du guerrier qui les avait capturées. S'appliquait donc le tabou de l'inceste. Cette captive allait devenir une sœur, une belle-sœur, voire une fille. Il n'en allait pas de même avec les femmes rencontrées en ville! À la défense de l'honneur des femmes, le père Charlevoix retient alors l'interdit moral et certainement la rigidité du contrôle social devant la menace de Cupidon. Il prononce un « jamais », à l'encontre du « quelquefois » de Lahontan. Accordons-lui raison, bien que… Cupidon ne s'efface pas pour autant. Bien au contraire, sur cette scène inter-culturelle, la nudité masculine amérindienne (certes atténuée par le braguet) ne peut qu'être perçue de manière érotique dans la culture européenne comme d'ailleurs Lahontan le voyait clairement. Ne confondons pas désir et geste. Enfin, soulignons brièvement, au passage, que dans son relevé systématique des traits culturels autochtones pertinents pour la critique des insti-tutions comme des mœurs européennes, Lahontan fait ailleurs dans ses écrits allusion à la nudité, mais cette fois à propos d'«hermaphrodites [qui] la plupart vont nus lorsque le soleil se couche» chez les Illinois et dans le bassin du Mississippi. Il s'agit en fait de berdaches, c'est-à-dire de mâles travestis et parfois bisexuels qui portaient les vêtements de femmes et participaient à leurs tâches. Ils n'assumaient pas les fonctions masculines de la guerre et de la chasse. N'entretenant pas de relations sexuelles entre eux, ils étaient reconnus comme médiateurs entre les deux sexes et dotés de pouvoirs chamaniques propices à des fonctions rituelles de nature religieuse et politique.

Les observateurs soulignent aussi toute l'attention accordée par les Amérindiens à la décoration du corps. D'abord, un grand soin des cheveux portés longs, liés par-derrière sauf en cas de deuil, bien huilés, jamais cachés sous un chapeau, sauf par très grand froid ; ils y appliquent également des plumes. Les cheveux peuvent être relevés sur le haut de la tête ou inversement rasés au centre. Partant en guerre, les hommes portent un bandeau de cuir et une coiffe faite « de longs poils d'eslan peints d'un rouge cramoisi ». Viennent ensuite les bijoux. Les femmes portent colliers, bracelets et ceintures de porcelaine, de rasade, de poils de porc-épic. Pour hommes et femmes, des décorations pour les oreilles et les narines. S'ajoute encore tout l'art des peintures corporelles, écoutons Sagard :

> Ils se peignent aussi le corps & la face de diverses couleurs, de vert, de jaune, de noir, rouge & violet qui sont leurs couleurs les plus communes. Vous leur voyez quelquefois la face toute bigarrée de rouge, & de vert, quelquefois ils n'en peignent qu'un côté, depuis le sommet de la teste jusques au col, il y en de si industrieux qu'ils se figurent toute la face, & le corps devant & derrière, de passements tirés au naturel, & des compartiments avec diverses figures d'animaux assez bien faites pour des personnes qui n'ont pas appris l'art de la peinture.

Viennent encore pour femmes et hommes les décorations permanentes : scarification, « piercing » et tatouage sur tout le corps, visage compris ; des « broderies sur la chair vive », écrit le père Lafitau. Le corps non vêtu n'est donc jamais nu, la couleur parle de deuil (noir), de guerre (rouge) ou de chasse, le tatouage de l'animal protecteur, du clan, les scarifications de succès guerriers, etc. Plus fondamentalement, tout cet art n'est décoratif que d'un point de vue extérieur, du point de vue des acteurs il est sacré dans sa recherche relationnelle de communication et d'harmonie avec le cosmos.

Des âmes corporelles et animales

Les missionnaires ont introduit parmi les Amérindiens trois idées radicalement nouvelles. D'abord celle de la possession d'une âme réservée exclusivement au genre humain, ensuite la distinction nette entre l'âme et le corps, enfin la notion de faute originelle et de péché. Écoutons le père Lejeune exposer les deux premières : « De plus les Sauvages se persuadent que non seulement les hommes et les autres animaux, mais aussi toutes les autres choses sont animées, et que toutes les âmes sont immortelles ; ils se figurent les âmes comme une ombre de la chose animée, n'ayant jamais entendu parler d'une chose purement spirituelle. »

Nous pouvons ici décoder les conceptions amérindiennes de deux manières. D'abord à partir des objections adressées aux missionnaires qui en rendent compte, et ensuite à partir de la mythologie. Des Montagnais expliquèrent au père Lejeune que, dans l'au-delà, l'âme du chasseur chaussée de l'âme des raquettes chasserait l'âme du caribou sur l'âme de la neige. L'au-delà est ici conçu comme projection dans l'«âme» du même environnement matériel, chasseur, animal, outil, saison. Déconcerté face à un système de croyances dépourvu d'orthodoxie, le père Lejeune nous rapporte aussi un interrogatoire serré de Hurons à propos de l'âme. Ils lui donnent, écrit-il, un nom différent «selon ses divers états et diverses opérations», selon qu'elle anime le corps et lui donne la vie, en tant que raisonnable, en tant que démon, en tant qu'elle pense et délibère, en tant qu'elle porte l'affection d'une manière analogue au cœur ou à l'appétit, selon qu'elle est séparée du corps, qu'elle demeure à proximité du corps.

Ils se la figurent divisible ; et vous auriez toutes les peines du monde à leur faire croire, que notre âme est tout entière en toutes les parties de notre corps. Ils lui donnent même une tête, des bras, des jambes, en un mot un corps. [Après] la mort, ils tiennent qu'elle se sépare tellement du corps, qu'elle ne l'abandonne pas incontinent. Quand on le porte au tombeau, elle marche devant et demeure dans le cimetière jusques à la Fête des Morts ; de nuit elle se promène par les villages et entre dans les cabanes, où elle prend sa part des festins et mange de ce qui est resté le soir dans la chaudière [...]. À la fête des morts, les âmes [...] se changent en tourterelles. [...] elles s'en vont de compagnie couvertes qu'elles sont des robes et des colliers qu'on leur a mis dans la fosse, à un grand village qui est vers le soleil couchant excepté toutefois les vieillards et les petits

> enfants qui n'ont pas si bonnes jambes que les autres, pour
> pouvoir faire ce voyage ; ceux-ci demeurent dans le pays [...] ;
> on entend quelquefois, disent-ils, le bruit des portes de leurs
> cabanes, et les voix des enfants [... Ils] se servent des champs
> que les vivants ont abandonnés.

Avant comme après la mort, les âmes sont dans le corps et le corps est dans les âmes, l'un n'étant jamais détaché de l'autre, âme et esprit ne renvoyant pas à une nécessaire immatérialité. Lorsqu'un missionnaire juge sévèrement les parents demeurés traditionalistes après la mort de leur enfant baptisé, eux qui ne rechercheraient que le corps, non pas l'âme comme il le veut, ce missionnaire projette sur ces parents endeuillés une distinction inexistante chez eux. Inversement, les Montagnais ne peuvent s'imaginer un dieu pur esprit. Aussi demandent-ils si Dieu est marié puisqu'il a un fils, ou comment il est fait s'il n'est ni homme ni femme ? Tout aussi incompréhensible à leurs yeux : comment viennent au monde ces robes noires « qui ne se marient point » ? Seraient-ce des « génies descendus du ciel » ? Observons ici d'abord la conception d'un au-delà sexué et, ensuite, la représentation des missionnaires comme une espèce distincte observable à leur « écorce », la soutane, et à un mode particulier de reproduction.

Enfin, lorsqu'il juge les Hurons dignes de compassion puisqu'ils « travaillent pour le corps seul, & non pour le salut », Sagard ne saisit pas que c'est précisément par le corps que ses hôtes s'inscrivent dans le cosmos. Notre missionnaire ajoute une deuxième dimension qui renvoie à la faute originelle et au jugement dernier : « ils croient l'immortalité de l'âme, avec tous les autres peuples sauvages, sans faire distinction du bon ou du mauvais, de gloire ou de châtiment ». Effectivement, la mythologie autochtone ne postule ni faute originelle, ni association entre sexualité et péché, ni jugement dernier. Le récit mythique montagnais de Tshakapesh fonde l'exogamie et inversement l'interdit de l'inceste doublé de son corollaire, le cannibalisme. Celui de Carcajou raconte sa première rencontre avec des femmes. Il en désira une, choisit celle qui était bon chasseur et lui fit l'amour — la première expérience amoureuse de l'humanité. « Notre bon chasseur va devenir enceinte, s'écria une des vieilles, retirez Carcajou de là.» Carcajou rétorqua qu'il avait plusieurs frères qui chasseraient pour elles. Rémi Savard explique ainsi ce passage : «Si les bons chasseurs de cette communauté exclusivement féminine deviennent enceintes, on comprend que ce soit la catastrophe. La réplique de Carcajou fait miroiter la possibilité d'une division sexuelle du travail et d'une alliance homme-femme[7].» Revenu chez lui, ses jeunes frères se doutèrent qu'il avait rencontré les femmes à la vue de son pénis et au témoignage de Fourmi et de Jeune Oie qui reconnurent l'odeur féminine perçue par Fourmi lorsque les femmes s'accroupissent pour cueillir des baies et par Oie lorsqu'elles la placent sur leurs genoux pour la plumer. Les jeunes frères prirent femme. Carcajou retrouva la jeune femme avec laquelle il avait tant aimé faire l'amour. Et il put exterminer le cannibale Waminuyew.

Tout comme l'énoncé ci-dessus du père Lejeune à propos de l'exclusivité de la possession humaine d'une âme, une troisième observation du frère Sagard, relative aux croyances des Hurons, fait ressortir la distance entre le monothéisme et l'animisme. Déjà dans le récit précédent de Carcajou, les catégories ontologiques ne sont pas immuables. Fourmi et Oie sont respectivement tout autant insecte et oiseau dotés de parole, modèle de vie en société et modèle de conjugalité, parole de la terre et parole de l'air, capteurs primordiaux. Voyons ce témoignage d'un témoin stupéfait, mais néanmoins exceptionnel, Sagard :

> que partant de ce corps mortel [l'âme…] va droite du côté du Soleil couchant, se réjouir & danser en la présence d'Youskeha & de sa mère-grand Eataentsic [première femme tombée sur la Tortue primordiale], par la route des étoiles qu'ils appellent […] le chemin des âmes, & nous la voie Lactée […]. Ils disent que les âmes des chiens & des autres animaux y vont aussi par le côté du Soleil levant […] lequel pays n'est habité que des âmes des animaux raisonnables & irraisonnables, & celles des haches, couteaux, chaudières & autres choses, qui ont été offertes aux défunts, […]. Ils croyent de plus que les âmes en

ᖬ **Argument** vol. 16, n° 2, 2014

---

7. Rémi Savard, *Carcajou et le sens du monde. Récits montagnais-naskapi*, Québec, ministère des Affaires culturelles, Éditeur officiel du Québec, «Cultures amérindiennes», 1971, p. 25-27, 43 note 9-10.

> l'autre vie bien qu'immortelles ont encore les mêmes nécessités du boire & du manger, de se vêtir, chasser & pêcher, qu'elles avoient lorsqu'elles étaient encore revêtues de ce corps mortel, & que les âmes des hommes vont à la chasse des âmes des animaux, avec les âmes de leurs armes et outils.

Apparaît ici une proximité entre humains et animaux distincts de corps par l'«écorce» (taille, quadrupède, bipède, vivant sous terre, sur terre, dans l'eau, dans les airs, de plume, de poil, d'écailles, etc.), mais partageant une même communauté, communiquant entre eux et tous acteurs de la genèse et de l'au-delà. Voilà ce qu'expriment ces corps tatoués, colorés, scarifiés, «décorés» de perles, de plumes, de dents, d'os, de griffes. Des os pour la réincarnation, des griffes pour la prédation, des peaux de loup pour la communauté (de la meute), des plumes d'oie pour la conjugalité. Comme s'il fallait, sur un mode fusionnel, se réapproprier, comme au temps du mythe, un corps synthétisant les propriétés de tous les corps possibles. Nous proposons qu'il en va du corps comme des vêtements.

Vêtements, coiffes, harmonie cosmique

Le père Louis Nicolas souligne les «très beaux et très riches ouvrages» des femmes sur d'admirables robes (grandes peaux cousues) de caribou, d'orignal ou de bison, teintes, de mille figures, brodées de poils d'orignal ou de porc-épic, décorées de plumes. Les mêmes techniques s'appliquaient aux menus objets, sacs à pétun (blagues à tabac), bandeaux, mocassins, etc. L'utilisation de franges est habituelle, elles déploient le corps en le «connectant» à toutes les puissances spirituelles. Les peaux peuvent être tannées avec la tête, celle du bison particulièrement, dont on se coiffera. Et que dire des splendides coiffes de plume, de coq d'Inde, de gros pic, de corbeau. Plus que les sources écrites, parmi bien d'autres, les collections royales d'objets au musée du quai Branly à Paris témoignent de ce grand art[8].

74

---

8. Christian Feest (dir.), *Premières Nations. Les Indiens des forêts et des prairies d'Amérique du Nord*, Paris, Musée du quai Branly, 2007.

L'acquisition d'étoffes, de perles et d'autres éléments décoratifs européens s'est faite dans la logique de la culture hôte, parfois sans référence à celle d'origine, un vêtement féminin européen pouvant être porté indistinctement par l'un ou l'autre sexe. Il a pu également s'agir de l'acquisition de vêtements jugés à la fois énigmatiques et caractéristiques de la culture européenne, tel le chapeau que l'on a probablement obtenu par mimétisme pour s'approprier la puissance spirituelle européenne, puisque la coiffe place son porteur en relation avec le cosmos, même si le chapeau européen masculin d'alors semble plutôt disjoindre qu'articuler la relation avec le cosmos car, contrairement à la coiffe, il ne comporte ni plume, ni andouiller, ni broderie de porc-épic.

Pour la compréhension de la fonction symbolique du vêtement, faute d'explication dans les sources, il nous faut ici encore faire appel à l'univers mythique. Que dire en effet du magnifique travail des femmes de broderie de poils de porc-épic, des mocassins, des sacs et des « robes », etc. ? S'y expriment le temps et l'espace de l'alliance et de la communauté en contrepoint à son inverse, la guerre et l'inceste. C'est, en effet, entre ces deux pôles que réside la communauté produite par l'alliance.

La femme brode. Broder avec les cheveux du scalp conduirait à travailler avec ce qui éloigne, ce qui tiendrait le mari à une distance analogue à celle d'un ennemi voué à la mort ; broder avec du poil pubien comme celui qui, dans le mythe, a piégé le soleil au collet rapprocherait trop ce mari, tel un frère dont on ferait un époux, ce seraient les ténèbres de l'inceste. De la broderie avec des piquants de porc-épic émerge une position moyenne, puisque faite par une femme prochaine avec des matériaux lointains. Peau et piquants de porc-épic ne sont alors plus qu'ersatz tant du cuir et des cheveux du scalp que de poil pubien, tandis qu'à mi-chemin de la lumière du soleil et des ténèbres de son absence se situe la lune dont les taches symbolisent les règles féminines. Périodiques comme la lune, les femmes maintiendront avec leurs maris une distance analogue à celle du soleil et de la lune. La périodicité des femmes (menstruations, grossesses, accouchements) sera donc analogue à la périodicité journalière et saisonnière du soleil, à celle des mois lunaires et, sur terre, tout autant à celle saisonnière du porc-épic (résidence alternant selon les saisons, piquants prélevés en période de froid seuls utiles en broderie); enfin, qui plus est, malgré les piquants, la femelle de cet animal accouche facilement. D'ailleurs, dans un mythe arapaho, une jeune fille n'a-t-elle pas épousé Porc-Épic coloré pour faciliter le travail de broderie de sa mère? Le couple fit bon ménage et Porc-Épic lui-même également périodique apprit à sa femme sa disponibilité saisonnière en nombre et qualité de piquants, faible en été, élevée en hiver. C'est ainsi que naquirent les travaux féminins de broderie. C'est ce qui fait dire à Lévi-Strauss que «la périodicité des piquants du porc-épic [...] reproduit, en termes de parure, celle des grands cycles cosmiques[9]». Voilà que tout cela connote la paix, c'est-à-dire le refoulement de la chair de l'ennemi, l'émergence du corps social.

Patrimoine culturel?

Retenons de ce petit coup de sonde dans la mémoire de nos archives la qualité et l'intensité de la rencontre tout comme la transformation mutuelle des partenaires, bien que fatalement, par le biais des archives, la part franco-canadienne y apparaisse bien plus présente. Arrêtons-nous à cette première et fragile certitude de la supériorité européenne qu'exprimait l'association sauvage/animal : voilà que la toison caractérisait davantage les Européens! Comment dès lors, sur le plan imaginaire, maintenir le rapport colonial? En déplaçant les paramètres du paradigme évolutionniste pour retenir l'image de l'enfant de la nature et celle de l'adulte civilisé. Quant aux Amérindiens, ils ne renoncèrent pas pour autant à leur parenté avec l'animal qu'élabore la geste de tous leurs grands mythes. Retard civilisationnel? Darwin ne leur donna-t-il pas raison!

À quoi fallait-il rêver? Aux progrès de la marche vers le raffinement et la bienséance? Ou bien, avec nostalgie, à l'authenticité de la communauté perdue des premiers âges de l'humanité? Les Euro-Canadiens ont hésité, le doute s'est introduit, les

9. Claude Lévi-Strauss, *L'origine des manières de table*, Paris, Plon, 1968, p. 203-204, 318 et 332.

débats ont suivi. Retard des uns ou bien recul des autres ? Et sur quel plan se placer : celui de la complexité ou celui de la morale ? Ces critères de classification ne sont-ils pas toujours à l'œuvre dans nos sociétés ? Nudité, tatouages, peintures corporelles et scarifications seraient le propre des primitifs ? Alors que dire de leur réémergence dans notre monde contemporain ? Est-ce un anachronisme que d'établir un parallèle ? La lecture de l'historien n'est donc jamais neutre, présent et passé s'entremêlent constamment sous son regard !

Nous avons découvert le revers de l'attrait des premiers Canadiens pour les femmes autochtones, celui des Canadiennes pour les beaux « sauvages », d'autant que, si l'on en croit le folklore (« les Sauvages sont passés »), ce sont ces derniers qui leur apportaient leurs bébés ! Faut-il y voir un retour du refoulé : l'occultation de notre composante métisse ? Qui plus est, voilà des homosexuels qui « sortent du garde-robe » de notre histoire ! Menteur, Lahontan ! Non pas, bien que les berdaches d'alors habités d'un double esprit ne soient pas exactement des « gays » contemporains qui, à bon droit, les invoquent à leur tour au nom de la tolérance, de la contestation de la morale dominante et du relativisme culturel. Le legs historique du choc des cultures apparaît bien vivant.

La critique des règles morales et des institutions a résulté du dialogue entre alliés issus de sociétés radicalement différentes, mais cela nous donne-t-il accès à une compréhension de l'intérieur des sociétés amérindiennes ? Pas nécessairement. Souvent l'argument des Européens et des Canadiens consiste à relever les interdits propres à leur société d'appartenance et pour lesquels il n'existe pas de contrepartie chez leurs alliés qu'ils jugent dès lors plus libres. En réalité, souvent, l'interdit est déplacé ou encore change de forme parce qu'il s'inscrit dans un autre système social dont on ne perçoit ni la profondeur ni la complexité. Ainsi Lahontan envie-t-il la liberté sexuelle dans les sociétés autochtones où les relations sexuelles prémaritales sont encouragées : la fécondité y avait prépondérance sur la virginité. Le père Charlevoix rétorque que, dans ces sociétés, les relations sexuelles sont, par contre, prohibées pour toute la durée (quelques années) de l'allaitement. En somme, l'instrumentalisation de pratiques autochtones distinctives à des fins de contestation ou de légitimation de l'ordre social européen trouve sa limite dans l'aveuglement à l'univers de sens des premières sociétés.

Les documents permettent-ils d'aller plus loin dans la compréhension de l'intérieur de la culture autochtone ? Oui, partiellement, parce qu'ils nous livrent plusieurs paroles autochtones, et parce que les observateurs regardent selon des angles différents, souvent contradictoires. Ensuite, plusieurs d'entre eux ont appris les langues, longtemps vécu parmi les autochtones, décrit minutieusement le mode de vie, le système de parenté, les rituels, les institutions. Les missionnaires ont composé des grammaires et des dictionnaires, etc. Cependant, la profondeur et la complexité de l'univers du sacré a généralement échappé aux Franco-Canadiens qui n'ont que rarement soupçonné la dimension cosmique de la sacralité autochtone et l'intensité avec laquelle l'on vivait le mythe. Les seuls qui y soient arrivés, ce furent probablement ces Canadiens qui se sont assimilés aux sociétés autochtones et qui sont devenus des Algonquins, des Ojibwés, des Sioux, des Illinois, etc., à la grandeur du continent. Ils ont pour nom : Laframboise, Vizenor (Vézina), Decorah (Descarries), Laflo (Lafleur), Black Thunder (Lenoir), etc. Ils ont tout appris, mais à l'époque, tout comme leurs hôtes, n'ont pas laissé d'écrits.

Une stratégie d'approche de l'univers de sens des sociétés autochtones du passé consiste à exploiter davantage les nombreuses études anthropologiques réalisées depuis le dix-neuvième siècle jusqu'à nos jours, de même que les riches corpus de mythes qui, depuis lors, ont été recueillis. Il faut alors puiser dans ces trésors de témoignages, d'informations et d'analyse pour remonter vers l'amont du temps de la Nouvelle-France, afin d'y confronter les archives de la rencontre de deux mondes. Mais encore faut-il commencer par reconnaître que cet extraordinaire legs fait partie de notre histoire !

Denys Delâge est professeur émérite au département de sociologie de l'université Laval et directeur de la revue Recherches amérindiennes au Québec. *Membre de la Société des Dix, il publie régulièrement sur l'histoire autochtone dans les* Cahiers *de cette société.*

« Des cailloux dans la tête. »
Marie de l'Incarnation, le mysticisme et l'apprentissage des langues amérindiennes

Dominique Deslandres

« Cette étude d'une langue si disproportionnée à la nôtre, me fit bien mal à la tête, et me semblait, qu'apprenant des mots par cœur et les verbes, […] que des pierres me roulaient dans la tête. » Des cailloux dans la tête, c'est ainsi que dans son autobiographie de 1654, Marie Guyart de l'Incarnation qualifie les difficultés que lui a posées l'apprentissage de la « langue des Sauvages », ici la langue algonquine. D'habitude, on se contente de noter cette partie de la citation, la plupart du temps en la tronquant comme je l'ai fait ici, sans s'arrêter à ce qui précède, ni surtout sur ce qui la complète. Parce que ce qui suit apparaît complètement délirant !

Marie Guyart poursuit en effet : « tout cela me faisait croire qu'humainement je n'y pouvais réussir [à apprendre la langue]. J'en traitais amoureusement avec Notre-Seigneur, lequel m'aida ; en sorte qu'en peu de temps j'y eus une très grande facilité. » De telles remarques de la part de la fondatrice des ursulines de Québec ont toujours été jugées sinon farfelues, du moins à mettre sur le compte d'une illuminée. J'invite à les regarder de plus près car, à mon avis, elles sont loin de discréditer le témoignage de l'ursuline sur ses capacités linguistiques et son apprentissage des langues. Bien au contraire, étudiées, dans leur ensemble, sous l'angle du *genre* (ou sous celui de l'histoire des rapports de pouvoir entre les sexes), ces remarques renseignent sur les fondements mêmes du premier impérialisme français, elles expliquent la teneur du pont linguistique que l'ursuline a contribué à ériger entre Amérindiens et Français. Bref, ces remarques éclairent la façon *genrée* dont les Français d'Ancien Régime approchent non seulement l'*Autre* mais aussi l'éducation féminine, qu'elle soit amérindienne ou française. De surcroît, j'ose avancer l'hypothèse qu'à cette époque le mysticisme prédispose les mystiques, et les femmes mystiques en particulier, à exceller dans l'apprentissage des langues amérindiennes.

Mais avant d'en discuter, il faut savoir que Marie de l'Incarnation est la fois actrice et témoin privilégié des débuts de la Nouvelle-France. Témoin fiable car, contrairement aux jésuites, elle n'écrit pas pour être publiée et, partant, ne subit pas la censure. Aussi offre-t-elle aujourd'hui à l'analyse historique ce qu'il convient d'appeler « la vision de l'intérieur », d'autant que, comme elle recopie souvent de longs passages des fameuses *Relations* qu'envoient à Québec les missionnaires, elle livre sans le maquiller l'état d'esprit de ses collègues masculins. Ainsi adresse-t-elle en toute confiance à son fils des lettres, souvent longues « comme des petits livres », décrivant en détail la réalité canadienne, telle qu'elle la rencontre, l'expérimente et la traduit.

Mais Marie est plus qu'un témoin. Cette femme, qui passe par tous les états que peut connaître une femme au dix-septième siècle (fille, sœur, épouse, mère, veuve, religieuse), mène sa vie et son action dans le monde en démontrant avec force l'*agentivité* que peuvent déployer les femmes de son époque — *agentivité*, ou capacité d'agir sur sa vie et sur le monde. Elle fait ainsi partie des premières Françaises à s'installer dans le Nouveau Monde. Or, ce qui est frappant dans l'aventure de cette poignée de femmes, c'est qu'elles ne sont pas venues là pour faire des bébés, comme on aurait pu s'y attendre dans une colonie de peuplement, mais bel et bien pour établir les bases de la *res publica*, que cherchent à exporter la couronne de France et l'Église catholique. Éducation, santé et assistance, les piliers du vivre ensemble, tels qu'on les connaît encore aujourd'hui, font alors partie de ce qu'il convient d'appeler un *humanitaire spirituel* qui doit réaliser la fusion des peuples. Et, de ce mouvement humanitaire, les femmes sont les principaux agents et… les principales visées.

Dirigé à l'origine vers les Amérindiennes et les Amérindiens, cet *humanitaire* a pour but de les transformer en Français, c'est-à-dire en « Cytoyens » du ciel et du royaume de France de façon que, comme l'écrit Samuel de Champlain, « ils consoivent aussi un cœur, & courage françois, lequel ne respirera rien tant, après la crainte de Dieu, que le désir qu'ils auront de [servir le roi] ». Intégrer ainsi à la société française cette infinité de peuples rencontrés en Amérique entre tout à fait dans les politiques natalistes de la couronne des années 1500-1670, qui visent l'accroissement démographique de ses territoires et, donc, celui de sa souveraineté territoriale.

Les *peuples*, comme on disait alors, fondent la puissance des nations, et la France, avec ses vingt millions d'habitants, est le pays le plus populeux d'Europe. Autrement dit, gagner des peuples, c'est gagner les territoires qu'ils habitent. Sans coup férir. Et un des moyens privilégiés de cette quête française de peuples est le métissage. C'est pourquoi l'intermariage est promu ardemment par Champlain qui, à chaque fois qu'il rencontre un peuple inconnu des Français, promet : « nos garçons se marieront à vos filles, & nous ne ferons plus qu'un seul peuple ».

Pour les missionnaires, ce type d'union cimenterait l'alliance et, selon le jésuite Sesmaisons, obligerait « tous les sauvages à aymer les François comme leurs frères ». Et, ajoute-t-il : « Ils nous tesmoignent le souhaiter avec passion, car ilz n'ont jamais plus de contentement de noz discours lors que nous leur promettons que nous prendrons leurs filles en mariage, car après cela ilz nous font mille aplaudissements. Ilz nous disent que quand nous ferons ce mariage, ilz nous tiendront comme de leur nation, considérant la descente et parenté des familles par leurs femmes et non par les hommes, d'autant, disent-ilz, que l'on sçait asseurément quelle est la mère de l'enfant, mais non pas asseurément qui en est le père. » Notons ici que les Français sont forcés de s'adapter aux rapports sociaux des sexes — au *genre* — qu'entretiennent les Amérindiens. Dans les faits, il s'agit donc de marier aux colons français les Amérindiennes dûment converties et francisées. Et c'est précisément la mission de Marie de l'Incarnation et des religieuses ursulines. Du moins, dans les premiers temps. Car à la fin du dix-septième siècle, l'*humanitaire* sera réorienté vers les colons, quand les épidémies et les guerres auront décimé les premières nations.

Pour réaliser ce plan grandiose, il faut surmonter d'abord un obstacle de taille : celui de la langue. En effet, une des particularités de la rencontre franco-amérindienne est que les Amérindiens n'apprennent que très rarement la langue des envahisseurs. Au contraire, ils forcent les Français à apprendre les leurs. Ce qui souligne, en passant, l'agentivité amérindienne dans la relation franco-amérindienne. Ce sont les Amérindiens en effet qui posent toujours les termes de la rencontre, et donc ici de la rencontre linguistique.

Il faut aux Français une bien grande motivation pour s'atteler à cette tâche difficile d'apprendre des langues non fixées. Or, une chose que l'on oublie souvent, c'est qu'à part la traite des fourrures, la religion a été le principal moteur de cette motivation. Et Marie de l'Incarnation s'est révélée très motivée et surtout très douée. Revenons à son fameux extrait, que je donne maintenant au complet pour les fins de ma démonstration :

> Comme il y avait plus de vingt ans que je n'avais pu raisonner sur aucune chose qui tînt de la science et spéculation, d'abord cette étude d'une langue si disproportionnée à la nôtre, me fit bien mal à la tête, et me semblait, qu'apprenant des mots par cœur et les verbes — car nous étudiions par préceptes — que des pierres me roulaient dans la tête, et puis des réflexions sur une langue barbare ! tout cela me faisait croire qu'humainement je n'y pouvais réussir. J'en traitais amoureusement avec Notre-Seigneur, lequel m'aida en sorte qu'en peu de temps, j'y eus une très grande facilité, en sorte que mon occupation intérieure n'en était point ni empêchée ni interrompue. Mon étude était une oraison qui me rendait suave cette langue qui ne m'était plus barbare. J'en sus assez en peu de temps pour pouvoir instruire nos chers néophytes en tout ce qui était requis en leur salut.

Tout y est. Dans cette longue citation sont expliqués dans l'ordre : la motivation de Marie Guyart ; la manière d'apprendre les langues ; la conscience des obstacles posés par ces langues qui ne sont ni écrites ni fixées ; et par l'entremise de l'expérience mystique, le *théo-didactisme* et le « flow » (ou « expérience optimale »), condition nécessaire à tout apprentissage. Dans ce passage, donc, s'exprime la grande motivation de l'ursuline, portée par sa mission de conversion. Un peu plus tard, en 1668, elle écrira à son fils :

> Chacun tend à ce qu'il aime ; les Marchands à gagner de l'argent, et les Révérends Pères et nous à gagner des âmes. Ce dernier motif est un puissant aiguillon pour picquer et animer un cœur. J'avois l'hiver dernier trois ou quatre jeunes Sueurs continuellement auprès de moy pour assouvir le désir qu'elles avoient d'aprendre ce que je sçay des langues du païs. Leur grande avidité me donnoit de la ferveur et des forces pour les instruire de bouche et par écrit de tout ce qui est nécessaire à ce dessein. Depuis l'Advent de Noël, jusqu'à la fin de Février je leur ai écrit un Catéchisme Huron, trois Catéchismes Algonquins, toutes les prières Chrétiennes en cette langue et un gros Dictionnaire Algonquin. Je vous assure que j'en étois fatiguée au dernier point, mais il falloit satisfaire des cœurs que je voiois dans le désir de servir Dieu dans les fonctions où notre Institut nous engage.

Aussi le parcours linguistique de Marie de l'Incarnation en Amérique s'est-il fait comme suit : dès 1639, elle apprend l'algonquin mais aussi du montagnais-innu et, en 1650, après la destruction de la Huronie, elle se met à la langue huronne pour catéchiser les réfugiés hurons ; puis, à la faveur de la trêve franco-iroquoise de la fin des années 1660, elle étudie l'iroquois (plus précisément l'agnier) et compose en cette langue un dictionnaire et un catéchisme ; c'est aussi à cette époque qu'elle écrit ses dictionnaires français-algonquin et algonquin-français. Marie de l'Incarnation a une facilité pour les langues, c'est clair. Facilité démontrée par sa maîtrise du latin (elle cite sans effort l'Écriture sainte dans le texte latin ; elle enseigne la langue latine à ses élèves et ses consœurs en tant que maîtresse des novices) et qui la prépare sans doute à apprendre de nouvelles langues. Elle adore ce travail d'apprentissage, le poursuit toute sa vie et introduit de nombreux mots amérindiens, parfois des phrases entières, dans sa correspondance. Plus encore, au fil des lettres qu'elle rédige, elle forge des mots ou redonne leur lustre à des mots anciens pour expliquer à ses interlocuteurs français des concepts nouveaux. Par exemple, le terme de « capitainesse », pour expliquer le pouvoir des femmes amérindiennes dans leur société. Ainsi souligne-t-elle dès 1646 à son fils que, dans la société iroquoise, les « capitainesses sont des femmes de qualité [...] qui ont voix delibérative dans les Conseils, et qui en tirent des conclusions comme les hommes, et même ce furent elles qui déléguèrent les premiers Ambassadeurs pour traiter de la paix ».

Quant aux façons d'apprendre une langue, Marie les décrit en détail, à plusieurs reprises dans ses écrits. La meilleure, c'est d'apprendre par immersion. Les missionnaires et les interprètes se sont formés de cette façon et c'est ce que font les ursulines au contact de leurs ouailles : « en ce bout du monde où l'on est sauvage toute l'année », ce n'est que lors du retour des bateaux qu'elles se remettent à parler français. Remarquons que, dans cet apprentissage par immersion, les missionnaires hommes se font souvent mener en bateau par les Amérindiens ou même par les *truchements* français, jaloux de leur savoir et de leur accès à la traite. Or cela n'arrivera pas aux ursulines ; peut-être parce qu'elles bénéficient dès le début des connaissances acquises par les jésuites eux-mêmes ou qu'elles ne menacent personne. Mais très vite, ce sont leurs élèves et les femmes qui viennent au parloir pour se faire nourrir, qui prennent le relais et leur assurent en quelque sorte une éducation linguistique permanente.

Du point de vue technique, l'apprentissage de la langue se fait « par précepte » et par « réflexion », en « en faisant les parties », c'est-à-dire comme on le faisait à l'époque pour la langue latine en apprenant par cœur : les déclinaisons, les verbes, en faisant l'analyse grammaticale, en pratiquant version et thème. La persévérance dans la pratique et le *par cœur* entrent pour beaucoup dans cet apprentissage. Marie reconnaît très tôt la grande difficulté de ce type de langues, qui jusqu'alors échappaient à l'écrit et qui varient grandement d'une tribu à l'autre, d'une famille linguistique à l'autre, de l'algonquien à l'iroquoien... Ce sont d'ailleurs les missionnaires qui vont contribuer à fixer ces langues. Et Marie participera de très près à cette fixation linguistique, en rédigeant, on l'a dit, plusieurs gros ouvrages et dictionnaires unilingues ou bilingues, dans différents alphabets. Cette tâche lui tient très à cœur car elle veut assurer la pérennité de ce savoir linguistique. Ainsi raconte-t-elle à son fils en 1668 :

> Comme ces choses sont très difficiles, je me suis résolue avant ma mort de laisser le plus d'écrits qu'il me sera possible. Depuis le commencement du Carême dernier jusqu'à l'Ascension, j'ay écrit un gros livre Algonquin de l'histoire sacrée et de choses saintes, avec un Dictionnaire et un Catéchisme Hiroquois, qui est un trésor [c'est-à-dire un *thesaurus* ou lexique]. L'année dernière, j'écrivis un gros Dictionnaire Algonquin à l'alphabet François ; j'en ai un autre à l'alphabet Sauvage. Je vous dis cela pour vous faire voir que la bonté divine me donne des forces dans ma foiblesse pour laisser à mes Sueurs dequoy travailler à son service pour le salut des âmes.

Comment expliquer une telle habileté à s'exprimer dans la langue de l'*Autre*, une telle rapidité dans la maîtrise de la traduction ? Une de mes hypothèses est que le mysticisme de Marie de l'Incarnation la prédispose à apprendre les langues amérindiennes. Je m'explique. Comme de nombreux mystiques, Marie subit moult visitations de la part de celui qu'elle appelle « mon mignon ». Or comme tout mystique, elle ne peut s'empêcher de raconter ses extases, et comme tous les mystiques, elle se bute au double obstacle de son impuissance à trouver les mots pour dire l'ineffable, et de son ardent désir de transmettre le feu qui l'habite. Très tôt, elle réalise que ses « paroles sont trop défectueuses pour parler bien de l'amour ». Elle se trouve littéralement devant un problème de traduction. Pendant des années, elle s'excuse : « Il n'y a langue humaine qui le puisse exprimer » mais elle n'a de cesse de l'exprimer, cet indicible, et elle s'emploie à chercher les mots pour le dire. On ne sait pas où elle a appris ainsi à écrire aussi bien que Pascal et Descartes, mais il est clair que son cerveau mystique la rend très attentive aux différents vocabulaires employés en français, selon les divers niveaux d'expression. Et si c'est le vocabulaire qui concerne les amours terrestres qui se rapproche le plus de son expérience extatique, elle sait bien qu'il est incomplet, voire impropre à traduire ce qui lui arrive — et en cela, elle n'est pas différente d'une Thérèse d'Avila, d'un Jean de la Croix ou d'un Jean de Brébeuf, ce dernier excellant lui aussi dans la langue huronne. Mais c'est justement cet obstacle, cet embarras, qui la rend attentive aux différentes langues. Aussi, très tôt dans sa vie, est-elle consciente de la diversité linguistique et culturelle qui règne en Amérique. Cette grande lectrice des *Relations* des jésuites a appris à différencier algonquin, montagnais et huron.

Quand elle débarque à Québec, elle est prête à reconnaître cette pluralité et à s'y adapter. Il n'est pas surprenant dès lors que ce soit elle, la première, qui reconnaisse qu'il est impossible de civiliser les *sauvages*; on peut les christianiser, dit-elle, sans problème, ils font même des chrétiens exemplaires, mais en faire des Français, non, c'est impossible; elle écrit en parlant de ses élèves : « Je n'attens pas cela d'elles, car elles sont Sauvages, et cela suffit pour ne le pas espérer. » Elle fait cette constatation au moment même où, en 1668, le roi Louis XIV, son ministre Jean-Baptiste Colbert et l'intendant Jean Talon relancent la politique de francisation en Nouvelle-France — ils sont furieux qu'après trente ans de présence française en Amérique, les Amérindiens n'aient toujours pas appris la langue française et ils accusent les missionnaires de ne pas avoir fait un bon travail de conversion des Amérindiens en citoyens français. Bien entendu, Marie de l'Incarnation et tous les religieux se plient à la volonté du roi. Mais l'ursuline prédit tout de go l'échec de cette entreprise :

> Je ne sçai à quoi tout cela se terminera, car pour vous parler franchement, cela me paroît très-difficile. Depuis tant d'années que nous sommes établies en ce païs, nous n'en avons pu civiliser que sept ou huit, qui aient été francisées ; les autres qui sont en grand nombre, sont toutes retournées chez leurs parens, quoi que très-bonnes Chrétiennes. La vie sauvage leur est si charmante à cause de sa liberté, que c'est un miracle de les pouvoir captiver aux façons d'agir des François qu'ils estiment indignes d'eux, qui font gloire de ne point travailler qu'à la chasse ou à la navigation, ou à la guerre. [...] Les enfans apprennent tout cela quasi dès la naissance. Les femmes et les filles canotent comme les hommes. Jugez de là, s'il est aisé de

les changer après des habitudes qu'ils contractent dès l'enfance, et qui leur sont comme naturelles.

Même si elle ne s'y intéresse que dans le contexte plus large de la conquête des âmes, Marie fait ainsi très tôt preuve d'un rare relativisme culturel, d'une reconnaissance de la valeur intrinsèque de la personne humaine, bref de l'altérité. Comme je l'avançais il y a plus de trente ans, le mysticisme, en faisant transcender, à l'être qu'il touche, les conventions humaines, prépare à reconnaître les voies autres d'être au monde.

Par ailleurs, autre expression du mysticisme, le « théo-didactisme », que révèlent les remarques mystiques de l'ursuline jugées délirantes au début de ce texte, est aussi un élément *genré* important du processus de la maîtrise des langues. Il est, en effet, un élément essentiel de l'éducation féminine au dix-septième siècle. Dire à cette époque que l'on tient son savoir de Dieu est une manière de pénétrer, sans danger d'être traitée d'usurpatrice ou de sorcière, dans des sphères de connaissances réservées traditionnellement aux hommes. Comme bien des mystiques femmes, Marie se croit « théodidacte ». Elle est convaincue que toute connaissance lui vient immédiatement de Dieu. Feu l'historienne Linda Timmermans explique à merveille le phénomène dans sa somme *L'accès des femmes à la culture sous l'Ancien Régime* :

> Bien rares sont les hommes qui peuvent affirmer avoir tout appris par illumination, alors que les femmes « naturellement ignorantes », seront plus facilement crues — et se persuaderont elles-mêmes — quand elles nient toute culture religieuse, ou toute réflexion personnelle. Bien des mystiques étaient des femmes cultivées, mais elles étaient autodidactes, ce qui à leurs yeux et aux yeux de leurs contemporains réduisait la portée de leur culture, à tel point, que celle-ci pouvait être complètement niée. [...] [L']absence d'enseignement méthodique suffisait souvent [...] pour qu'on attribuât à une femme, mystique ou non, le don de science infuse, ou qu'elle se l'attribuât à elle-même, dès lors qu'elle possédait des connaissances religieuses peu communes à son sexe.

C'est exactement comment Marie explique, dans son autobiographie de 1633, sa grande facilité en latin et ses dons de traduction simultanée : « Notre-Seigneur me donnait des intelligences accompagnées d'une suavité nourrissante sur la sainte Écriture. J'entendais le français de ce que je chantais et récitais en latin au chœur. » De tels dons, même s'ils lui viennent de Dieu, lui sont très utiles en Nouvelle-France.

Pour conclure, et finir de démontrer mon hypothèse concernant le mysticisme qui prédispose à l'apprentissage des langues, l'expérience mystique et l'oraison de l'ursuline lui permettent d'expérimenter le « flow » décrit par Mihaly Csikszentmihalyi, de l'université de Claremont en Californie, dans *Beyond Boredom and Anxiety*. Cet état d'esprit, qui est la condition essentielle à tout apprentissage, est l'état maximal de concentration dans lequel se trouve un être lorsqu'il est complètement immergé dans ce qu'il fait et qui lui fait éprouver une sensation d'engagement total et de réussite. C'est exactement l'état d'esprit que décrit Marie de l'Incarnation, dans notre passage du début : « J'en traitais amoureusement avec Notre-Seigneur, lequel m'aida en sorte qu'en peu de temps j'y eus une très grande facilité, en sorte que mon occupation intérieure n'en était point ni empêchée ni interrompue. Mon étude était une oraison qui me rendait suave cette langue qui ne m'était plus barbare. J'en sus assez en peu de temps pour pouvoir instruire nos chers néophytes en tout ce qui était requis en leur salut. » Engagement total, concentration, réussite… n'est-ce pas là le « flow » induit par le mysticisme et qui fonde la formation linguistique de l'ursuline ?

Dominique Deslandres enseigne au département d'histoire de l'université de Montréal. Elle a publié Croire et faire croire. Les missions françaises au XVIIᵉ siècle *(Fayard, 2003) et codirigé* Les sulpiciens de Montréal *(Fides, 2007) ainsi que* Lecture inédite de la modernité aux origines de la Nouvelle-France *(Presses de l'université Laval, 2010).*

Les *Relations* jésuites

Guy Poirier

Nous avons tous notre propre vision des *Relations de la Nouvelle-France*, écrites par les jésuites et diffusées en France à partir de 1611. J'ai toujours eu le sentiment en discutant avec mes collègues anglophones que leur perception n'était pas aussi critique que celle des francophones du Canada. Enfant de la Révolution tranquille, je ne me rappelle que de vagues illustrations jaunies par le temps des saints martyrs canadiens subissant la torture. Aucun récit à ce propos à l'école publique gagnée à la catéchèse nouvelle et encore moins à l'église, Vatican II étant passé par là. Les souvenirs de mes premières leçons d'histoire vont dans le même sens. Nous connaissions les aventures des explorateurs «laïques» sans pourtant avoir une bonne idée du rôle des religieux dans l'histoire de notre pays. Même ma ville natale, Québec, ne se souvenait plus, dans les années 1980, que de l'activité commerciale et militaire de la place Royale.

Les *Relations* furent pourtant déterminantes dans le développement spirituel de la France de la réforme tridentine et de la Nouvelle-France. Ces lettres envoyées par les missionnaires jésuites à leurs supérieurs étaient éditées avant d'être regroupées et publiées, tous les ans, de 1632 à 1673. Elles avaient, selon les perspectives, divers buts. Il s'agissait, dans un premier temps, d'informer la hiérarchie de leur ministère. Rapidement toutefois, ces *Relations* furent ensuite diffusées plus largement, en France, dans les collèges et l'aristocratie. Lecture édifiante et passionnante pour les hommes et les femmes du Grand Siècle, elles devinrent un instrument de propagande et de sollicitation[1].

Un faux départ

Ce n'est pourtant pas grâce à ces textes que les historiens, les ethnologues et les archéologues ont récrit, depuis quelques décennies, l'histoire des premières rencontres entre Européens et Amérindiens dont il ne reste presque rien. Nous savons maintenant que les premiers contacts avec les populations de l'Amérique n'eurent pas lieu qu'en 1534 ou 1608. Vikings, Basques et Normands avaient établi des rapports avec les populations locales avant Cartier ou Champlain. La première globalisation avait donc commencé avant les récits officiels de prise de possession d'un territoire en 1492 ou en 1534. Le long silence entre les explorations de Cartier et celles de Champlain est d'ailleurs trompeur. Les contacts se poursuivaient au rythme de la pêche et des échanges commerciaux (fourrures, chasse à la baleine dans l'estuaire du Saint-Laurent)[2]. Les voyages de Champlain et, quelques décennies plus tard, les entreprises missionnaires jésuites, s'inscrivirent ainsi non pas dans l'optique du choc des altérités, mais bien dans une perspective d'intensification des contacts. L'image souvent diffusée de l'Amérindien surpris par l'arrivée des pères en Huronie n'est donc pas juste, et on doit remettre en question nos lectures des *Relations* à titre de miroir des premiers échanges. Si les objectifs des pères étaient clairs, puisqu'il fallait sédentariser et évangéliser les nations autochtones, que savons-nous vraiment de l'approche amérindienne de l'autre? Les historiens nous invitent aujourd'hui à lire à «contre-courant[3]»

1. Voir, sur ces questions : D. Deslandres, *Croire et faire croire. Les missions françaises au XVII*ᵉ *siècle*, Paris, Fayard, 2003; J. Monet, «The Jesuits in New France», dans T. Worcester (dir.), *The Cambridge Companion to The Jesuits*, Cambridge, Cambridge University Press, 2008, p. 186-198; M. Lemire, *Les écrits de la Nouvelle-France,* Québec, Nota Bene, 2000.

2. Voir notamment les premiers chapitres de l'*Histoire de l'Amérique française* de G. Havard et de C. Vidal, Paris, Flammarion, 2008.

3. Voir les articles de R. Tremblay, «La présence autochtone dans le Québec méridional avant l'arrivée des Européens», et de P. Cook, qui développe l'hypothèse de la lecture à «contre-courant» dans «Les premiers

les écrits des explorateurs et des colonisateurs de façon justement à découvrir, au détour d'une description ou d'une hésitation, l'angle mort de la rencontre. Cette technique de lecture qui ne peut que frôler la témérité doit donc rendre compte de ce qui n'a pas été dit, dans un premier temps, mais également de ce qui n'a pu être dit. L'objet de notre analyse se déplace alors et le processus herméneutique se dédouble. Il s'agit donc désormais, avant d'essayer de comprendre l'autre, de bien connaître l'univers mental des missionnaires et des chrétiens de l'époque.

Revenir aux sources de l'évangélisation chrétienne?

Après ce faux départ, ne vaudrait-il pas la peine, afin de mieux comprendre la «posture» évangélique de nos missionnaires de la réforme tridentine, de remonter justement aux sources de leur foi? Les textes fondateurs du christianisme, les Évangiles et les Actes des apôtres, ne sont-ils pas des exemples de communication réussie? Il est surprenant de voir jusqu'à quel point le christianisme des premiers siècles de notre ère s'est rapidement adapté aux cultures qui l'environnaient. Après avoir suivi, dans un premier temps, les réseaux de la diaspora juive, il s'est rapidement adapté à la culture hellène avant d'intégrer le monde romain. Le christianisme n'est pas alors attaché à une ethnie, à une langue ou même à une classe sociale, mais circule entre plusieurs sphères et plusieurs religions, au rythme des conversions. Le christianisme des premiers siècles était donc mobile et encore malléable. En revanche, à partir du moment où il est devenu religion officielle de l'empire, la dynamique du système se transforme. Le christianisme semble s'accommoder de cette énergie nouvelle puisque les Romains puis les «barbares» vont peu à peu intégrer la nouvelle religion[4]. Il ne s'agit pas pour nous de résumer plus de mille ans d'histoire

contacts vus à travers les sources documentaires européennes», dans A. Beaulieu, S. Gervais et M. Papillon (dir.), *Les autochtones et le Québec. Des premiers contacts au Plan Nord*, Montréal, Presses de l'université de Montréal, 2013, p. 37-54 et 55-73.

4. J.-R. Armogathe, P. Montaubin et M.-Y. Perrin, *Histoire générale du christianisme des origines au XVe siècle*, t. 1, Paris, PUF, 2010;

du christianisme en quelques lignes, mais il est étonnant de constater qu'à la Renaissance, alors que tous les regards étaient tournés vers l'Antiquité et le premier christianisme, on oublie parfois très rapidement les paramètres des premières épîtres apostoliques. Thomas Gomez nous rappelle ainsi que les habitants de la péninsule ibérique, lors de la *Reconquista* puis de la conquête de l'Amérique, partagent peu de chose avec les premiers chrétiens. Le christianisme était devenu conquérant, et il fallait faire disparaître le plus rapidement possible les signes des religions locales pour bâtir, notamment au Mexique, et ce de façon frénétique, églises et couvents. Il ne s'agissait donc pas d'entrer en synchronie avec les nouvelles cultures, mais plutôt d'accélérer le cours de l'histoire et les prendre de revers[5].

Nous pourrions nous demander pourquoi les chrétiens de la Renaissance se sont comportés en conquérants. Une piste à explorer serait l'écart entre les civilisations. Non pas que l'une soit supérieure à l'autre, mais parce que leurs fonctionnements ne pouvaient s'harmoniser. Le nomadisme (partiel ou complet) des tribus d'Amérique du Nord a certainement joué un rôle dans ce télescopage culturel. Nous le voyons encore malheureusement aujourd'hui, la pensée occidentale n'aime pas l'itinérant, le nomade, le déplacé, même s'il suscite envie et curiosité. Être, pour le chrétien de la Renaissance et de la première modernité, et surtout pour le catholique, c'est aussi prendre ses repères, baliser le territoire de signes. Ce travail de reconnaissance et d'occupation de l'espace, dans un pays comme le Canada, ne pouvait se faire qu'en transformant le territoire et en modifiant topographie et toponymie. Doit-on alors vraiment s'étonner du grand nombre de localités portant des noms de saints au Québec? De l'importation de la tradition des calvaires bretons et des croix de chemin? Du travail d'exploration et d'évangélisation des missionnaires jésuites, à l'avant-garde de ce monde

---

C. Elleboode, *Jésus, l'héritier. Histoire d'un métissage culturel*, Paris, Armand Colin, 2011.

5. T. Gomez, *L'invention de l'Amérique. Mythes et réalités de la conquête*, Paris, Flammarion, 1992, et, du même auteur, *Droit de conquête et droits des Indiens*, Paris, Armand Colin, 1996. Voir également S. Gruzinski, *L'aigle et le dragon. Démesure européenne et mondialisation au XVIᵉ siècle*, Paris, Fayard, 2012.

à sacraliser? Il serait facile de croire que les modes de diffusion du premier christianisme, oubliés, aient fait place à l'esprit de conquête du colonialisme. Trop facile, fort probablement, à moins de considérer dans ce sens l'entreprise de publication et de diffusion des lettres de mission et des *Relations* qui prendra forme sous l'impulsion des jésuites. Cette véritable institution littéraire transformera bientôt les nouveaux apôtres du christianisme tridentin en véritable soldats des âmes, qu'elles soient indigènes ou européennes…

Écrire pour convertir qui?

Les épîtres des premiers apôtres du christianisme s'adressaient aux néophytes. Pourtant, les lettres jésuites et leur proche parent, les *Relations*, n'étaient pas écrites pour les populations en voie d'évangélisation. Elles étaient bien au contraire destinées aux chrétiens du vieux continent et servaient de témoignage sur «ce qui s'est passé» dans un lieu bien précis (celui de la mission) et durant une période d'un an (correspondant à la périodisation des rapports que les jésuites devaient faire parvenir à leurs supérieurs, mais également aux cycles des navigations transocéaniques). Elles ont pu ainsi permettre la création d'une véritable «institution du littéraire missionnaire» visant bien entendu la diffusion du travail des religieux, mais relevant également d'une mise en scène bien planifiée. L'on ne sera ainsi que peu surpris de voir s'accumuler, grâce à ce phénomène, des particularités liées à l'édification religieuse, les lecteurs et les lectrices étant invités à suivre les multiples aventures des missionnaires et des convertis. Il fallait aussi rendre cette littérature sérielle digne d'intérêt. Les *Relations* n'étaient donc pas le premier essai du genre. Furent publiées dès le seizième siècle, en France, les traductions de lettres annuelles provenant de différents horizons et diffusées par les jésuites: le Brésil, le Japon, la Chine, l'Afrique du Nord devinrent tour à tour l'objet de descriptions singulières et les lieux de péripéties missionnaires allant parfois jusqu'au miracle et au martyre. La dimension sérielle de ces publications laisse aussi entendre qu'elles devaient maintenir un rythme dans l'information «en continu» ainsi transmise aux fidèles et aux protecteurs des missions. Si l'autre est raconté, avec, parfois, de multiples détails, il demeure le plus souvent muet. Un peu à la manière de nos publicités modernes portant sur l'activité humanitaire à l'étranger, les enfants ou les pauvres dépourvus de tout n'ont pas droit à la parole et ne peuvent que regarder la lentille ou le porte-parole, bien connu du public, qui effectue une narration larmoyante. De plus et contrairement aux écrits des premiers apôtres, il y a erreur sur le destinataire; les lettres annuelles et les *Relations* ne s'adressent pas aux nouveaux convertis, mais bien aux chrétiens européens. Cette permutation des destinataires pourrait effectivement illustrer le second chantier de l'ordre jésuite, la restauration du catholicisme face à la réforme[6].

Peut-on encore lire et comprendre les *Relations*?

L'oubli de l'héritage religieux, au Québec et au Canada français, est l'un des facteurs qui rendent la lecture des *Relations* fort difficile. En revanche, le rouleau compresseur de la modernité a ouvert d'autres voies de lectures qui nous forcent à remettre en question l'objet même de notre étude. Que les *Relations* ne fassent plus vraiment partie de notre patrimoine serait à la rigueur une bonne chose, une clef nous forçant à mieux saisir le contexte de production de ces écrits. Comprendre les *Relations*, en effet, c'est aussi savoir qu'elles font partie d'un ensemble d'écrits missionnaires qui ont préparé les fidèles européens et français à ce type d'écriture. Il y a donc un avant, et aussi un après, puisque les *Relations* eurent une seconde vie grâce à la publication, au dix-huitième siècle, d'une « sélection des meilleures lettres » à laquelle les jésuites donnèrent le nom

---

6. Voir, notamment, pour le Japon, G. Poirier et H. Wells, « Le groupe de recherche sur les lettres du Japon », dans G. Poirier, M.-C. Gomez-Géraud et F. Paré (dir.), *De l'Orient à la Huronie. Du récit de pèlerinage au texte missionnaire*, Québec, Presses de l'université Laval, 2011, p. 293-305 ; et, aussi, « Imaginer le Japon dans la seconde moitié du XVIe siècle », dans M.-C. Pioffet (dir.), *Geographiae imaginariae. Dresser le cadastre des mondes inconnus dans la fiction narrative de l'Ancien Régime*, Québec, Presses de l'université Laval, 2011, p. 303-311.

de *Lettres édifiantes et curieuses*[7]. Et ajoutons aussi un «hors champ», double. D'abord celui de l'univers nord-américain qui n'a pas été ou qui n'a pu être décrit dans les *Relations*, mais également celui de l'édification et de l'émotion (ou du pathos) du chrétien européen de la fin de la Renaissance et du début du Grand Siècle. Malheureusement, ou heureusement, nos sociétés ont aussi perdu cette mémoire religieuse.

Ce bilan plutôt négatif nous amène à nous demander, en fin de parcours, si l'on peut encore lire les *Relations*. Je répondrais que leur lecture n'est plus possible, mais que nous pouvons toujours essayer d'en comprendre les contextes d'écriture et de lecture. En d'autres mots, il faut à la fois parvenir à se glisser dans la peau des missionnaires et saisir, grâce à une meilleure connaissance de leur éducation et de leur univers mental, le filtre à travers lequel ils voyaient leur mission, en terre canadienne, et les peuples qu'ils rencontraient. À l'autre bout de la chaîne des *Relations*, il faut aussi mieux comprendre le contexte de leur publication, de leur circulation et de la réception de ces lettres annuelles, en France et en Europe. Peu a encore été dit sur l'évolution de l'«institution littéraire des *Relations*» qui est mise sur pied, à notre avis, dans la seconde moitié du seizième siècle, et ce avant la publication des *Relations de la Nouvelle-France* (avec les missions au Brésil, en Inde, en Chine et au Japon). Cette institution va se transformer, jouxtant d'autres genres viatiques ou encyclopédiques, avant de disparaître, pour un temps, avec la dissolution de l'ordre des jésuites et, en France, le bouleversement de la révolution.

Guy Poirier est professeur de littérature française
de la Renaissance à l'université de Waterloo.
Il a notamment publié L'homosexualité dans l'imaginaire de
la Renaissance *(Honoré Champion, 1996)*
et Henri III de France en mascarades imaginaires
(Presses de l'université Laval, 2010).

---

7. Voir à ce propos A. Paschoud, *Le monde amérindien au miroir des Lettres édifiantes et curieuses*, Oxford, Voltaire Foundation, 2008.

Portrait de Paul Lejeune en écrivain : les *Relations* de 1632 à 1634

Sébastien Côté

> *Il m'est arrivé qu'en escrivant fort prés*
> *d'un grand feu, mon encre se geloit, et par necessité il falloit*
> *mettre un rechaut plein de charbons ardens proche*
> *de mon escritoire, autrement j'eusse trouvé de la glace noire,*
> *au lieu d'encre.*
>
> Paul Lejeune, *Relation* de 1633

Qui se lancerait aujourd'hui dans la lecture des *Relations* des jésuites en Nouvelle-France y découvrirait avec bonheur une foule d'informations susceptibles de piquer sa curiosité, quoique pour des raisons fort différentes qu'au dix-septième siècle. En effet, il ne s'agit plus tellement d'y puiser un savoir géographique, ni d'y suivre les lents progrès du christianisme sur les rives du fleuve Saint-Laurent et en Huronie. Mais il n'en demeure pas moins que ces lettres annuelles regorgent de précieuses descriptions et d'aventures parmi les plus improbables. De plus, détail non négligeable pour l'agrément du lecteur, leurs auteurs les plus doués, dont le père Paul Lejeune, écrivent dans une prose tantôt sobre et informative, tantôt piquante et vigoureuse, mais avant tout solidement ancrée dans la tradition rhétorique du Grand Siècle. Après tout, les premières *Relations* sont contemporaines du *Cid*. Enfin, outre l'évangélisation, plusieurs domaines s'y trouvent convoqués, que ce soit en « ramas » ou en chapitres organisés. Ainsi, météorologues et historiens du climat apprendront qu'à Gaspé, le 6 juin 1632,

« il y avoit quantité de neige » (1632, 3)[1], ou alors qu'au printemps 1633, la débâcle du fleuve devant Québec eut lieu le 23 avril : « cela est effroyable : on m'a dit qu'on en avoit vu passer [des glaces] devant le fort longues d'une demie lieuë » (1633, 22). Bref, « [l]a portée d'une telle documentation pour l'histoire ecclésiastique, politique, économique et militaire, non moins que pour l'anthropologie, l'ethnologie, la sociologie, la littérature et les autres secteurs du savoir, est incalculable[2] ».

Arrivé à Québec le 5 juillet 1632, l'ancien professeur de rhétorique avoue d'emblée qu'il « ne pensoi[t] nullement venir en Canada quand on [l]'y a envoyé », pas plus qu'il ne « sentoi[t] aucune affection particuliere pour les Sauvages » (1632, 6). En revanche, les rapports annuels adressés à son supérieur parisien ont tout pour lui plaire, d'autant plus que la relation s'inscrit au cœur de la tradition missionnaire jésuite depuis la fondation de la compagnie en 1540. Pourtant, même précédé en Nouvelle-France par deux confrères plutôt doués (Pierre Biard, 1611 ; Charles Lalemant, 1626), Lejeune a su marquer la série de son empreinte. Je propose donc de faire découvrir dans les pages qui suivent quelques aspects étonnants des *Relations* de 1632, 1633 et 1634, soit l'humour qui surgit parfois en plein cœur du désespoir, de même que les difficultés relevant de l'apprentissage de la langue montagnaise (innu). Par la suite, j'évoquerai deux figures hybrides dont Lejeune trace un portrait détaillé, soit Amantacha, dit Louis de Sainte-Foi, et Pierre-Antoine Pastedechouan.

1. Toutes les citations tirées des *Relations* de 1632 et 1633 proviendront de Paul Lejeune, *Relations des Jésuites* (1611-1672), vol. 1, Montréal, Jour, 1972 [1858]. Pour 1634, j'utilise plutôt l'édition critique de Guy Laflèche, *Le missionnaire, l'apostat, le sorcier,* Montréal, Presses de l'université de Montréal, 1973. Sinon, je renvoie à l'édition séparée que j'ai procurée de la *Brève relation* de 1632 (Gatineau, Publication de l'APFUCC, 2011), ainsi qu'à celle d'Alain Beaulieu pour 1634 (Montréal, Lux, 2009).

2. Lucien Campeau (dir.), *Monumenta Novæ Franciæ. I. La première mission d'Acadie (1602-1616)*, Québec et Rome, Presses de l'université Laval et Monumenta Hist. Soc. Iesu, 1967, p. 54.

De l'usage des *Relations* : histoire, littérature et culture populaire

Dès le milieu du dix-huitième siècle, en plus de l'œuvre de Champlain, les historiens de la Nouvelle-France et du Canada adoptent les *Relations* des jésuites comme source principale pour la période visée (1632-1672) : Charlevoix et Garneau, bien sûr, mais aussi Édouard-Gabriel Plante, Jean-Baptiste-Antoine Ferland, Henri-Raymond Casgrain, Charles-Honoré Laverdière, Francis Parkman et j'en passe. Étant donné leur composition minutieuse et la difficulté matérielle d'accéder à d'autres types de documents, imprimés ou manuscrits, dans le Québec des dix-huitième et dix-neuvième siècles, le recours généralisé aux quelque quarante volumes des *Relations* se justifie aisément. Après tout, selon Maurice Lemire, « [a]ucune autre colonie en Amérique ne dispose d'une source aussi considérable de renseignements sur ses origines[3] », du moins par rapport à la taille de sa population initiale. Cela dit, comme nombre d'œuvres anciennes au statut ambigu, ce ne sont pas les seules qualités intrinsèques des *Relations* qui leur ont valu un prestige d'ailleurs bien relatif dans le panthéon littéraire.

À ce sujet, dès 1913, Gilbert Chinard s'étonnait de leur traitement : « Quand on parcourt aujourd'hui les relations des Jésuites, on ne peut s'empêcher de se demander comment la critique a pu si longtemps ignorer des documents de cette importance[4]. » Si la discipline des études littéraires a quelque peu rectifié le tir au cours du dernier siècle en abordant les *Relations* sous les angles les plus divers, elle se heurte encore sensiblement aux mêmes problèmes qu'en 1913. D'abord, quelle édition employer ? Celle publiée à Québec en 1858 (3 vol. ; reprise en 1972, 6 vol.), *The Jesuit Relations and Allied Documents* de R. G. Thwaites (Cleveland, 1896-1901, 73 vol.), édition bilingue et la plus largement citée, ou alors les neuf

---

3. Maurice Lemire, *Les écrits de la Nouvelle-France*, Québec, Nota Bene, 2000, p. 68.
4. Gilbert Chinard, *L'Amérique et le rêve exotique dans la littérature française au XVIIᵉ et au XVIIIᵉ siècle*, Paris, Droz, 1934 [1913], p. 122.

volumes des *Monumenta Novæ Franciæ* de Campeau, gigantes-ques mais inachevés (et introuvables)? Ne serait-il pas préférable d'utiliser un format plus portatif que ces *compendia*? Si fait, mais il existe fort peu d'éditions séparées des *Relations* (une de 1632, deux de 1634), ce qui ne facilite en rien l'enseignement. Évidemment, ces contraintes éditoriales entraînent, hier comme aujourd'hui, un second problème, soit une réception fragmentée, ce qui nuit grandement à la transmission d'un riche patrimoine lettré[5]. Disons que Corneille n'a pas de soucis de ce genre !

Malgré ces difficultés bien concrètes, certains jésuites contemporains de Lejeune furent immortalisés par la mémoire institutionnelle au cours du vingtième siècle. Pensons notam-ment au collège Jean-de-Brébeuf (Montréal, 1928) et au collège Saint-Charles-Garnier (Québec, 1934), de même qu'au musée Sainte-Marie-au-pays-des-Hurons et au sanctuaire des Saints Martyrs canadiens (Midland, Ontario ; 1920, 1926). Par ailleurs, adaptées aux goûts contemporains, les *Relations* se révèlent étonnamment solubles dans la culture populaire. Au cinéma, *Black Robe* (1991) de Bruce Beresford s'inspire des écrits de Lejeune et Sagard (filtrés par le roman de Brian Moore), tandis que *Le poil de la bête* (2010) de Philippe Gagnon évoque un défunt père Brind'amour, à la fois jésuite et chasseur de loups-garous, dont un criminel en cavale usurpe l'identité. La bande dessinée n'est pas en reste puisqu'en 1989 Gilles Drolet et Paul Roux publiaient *Missionnaire en Nouvelle-France : Pierre-Joseph-Marie Chaumonot (1611-1693)*. Enfin, à la rentrée littéraire de 2013 paraissait *The Orenda*, roman de Joseph Boyden qui s'appuie sur les *Relations* de Huronie.

Un seul exemple suffira pour avoir une petite idée du traitement réservé à la figure du missionnaire jésuite dans la culture populaire et, partant, aux *Relations*. Pour ce faire, je citerai une scène de *La grande bataille* (2008), série québécoise apparentée à *Kaamelott*, mais qui s'inspire très librement de l'histoire de la Nouvelle-France. Dans l'épisode intitulé « La boîte de notre temps », le père Brébeuf propose à Frontenac

---

5. Voir Sébastien Côté et Charles Doutrelepont (dir.), *Relire le patrimoine lettré de l'Amérique française*, Québec, Presses de l'université Laval, 2013.

d'enterrer un coffret contenant des artefacts représentatifs de leur époque, dans l'espoir qu'elle soit un jour découverte par des creuseurs désœuvrés. Dollard des Ormeaux, autre héros colonial, se joint alors au débat :

> Frontenac : Bon, qu'est-ce qu'on met dans votre boîte ?
>
> Brébeuf : La Nouvelle-France étant un terreau fertile pour la littérature, j'ai pensé ajouter une copie de mon œuvre, *Relations des jésuites*.
>
> Dollard des Ormeaux : Non, non, non, ça marche pas, ça. Ici là, la vie est dure, faut se battre pour survivre. Pis votre livre plate, là…

Bien entendu, cette scène décalée se révèle historiquement impossible, et c'est justement ce qui la rend efficace. En outre, elle véhicule des lieux communs révélateurs. D'abord, la question posée par Frontenac laisse entendre que personne ne s'intéressera à la Nouvelle-France dans l'avenir et que, par conséquent, l'idée de Brébeuf est idiote. De plus, la phrase du missionnaire relève de l'autodérision, puisqu'elle table sur le préjugé qui fait des *Relations* un *pensum*. Quant à la réplique de Dollard, elle réitère l'information sur un autre mode, en plus de reprocher aux jésuites de tout ignorer de la dure vie coloniale. Pourtant, Brébeuf est mort aux mains des Iroquois dans les atroces souffrances qui ont fait de lui un martyr. Et, comme nous le verrons, en multipliant les surprises, les *Relations* sont loin d'être d'un ennui mortel.

Les *Relations* de 1632, 1633 et 1634 : humour, linguistique et métissage

Sur le plan de la notoriété populaire et institutionnelle, Lejeune se révèle plus discret que Brébeuf. On lui a bien dédié une école secondaire à Saint-Tite, au nord de Trois-Rivières, mais s'il est devenu incontournable, c'est surtout pour sa contribution exceptionnelle aux pratiques lettrées en Nouvelle-France. Plus précisément, nous lui devons onze relations en tant qu'auteur (1632-1642) et quatre à titre d'éditeur (1652-

1653 ; 1657-1658)[6]. En outre, même dans le cadre étroit d'un genre aussi codifié, Lejeune se démarque par la touche personnelle qu'il insuffle à ses premières *Relations*. Narration à la première personne, sensibilité aux lecteurs, souci de clarté, digressions piquantes, sens de la formule et du récit, descriptions précises propres à satisfaire la curiosité des notables français du dix-septième siècle, bref tout s'y trouve.

À sa manière, Lejeune cultive même un certain humour, et ce, en toutes circonstances. D'une part, il sait profiter des grâces de la providence lorsqu'elle se présente à lui sous forme de neige, comme à son premier hiver à Québec. Il semble alors retomber en enfance : « Combien de fois trouvant quelque colline ou montagne à descendre, me suis-je laissé rouler à bas sur la neige, sans en recevoir autre incommodité, sinon de changer pour un peu de temps mon habit noir pour un habit blanc, et encore cela se fait-il en riant ; car si on ne se soustient bien assis sur ses raquettes, on se blanchit aussi bien la teste, que les pieds » (1633, 15). Plusieurs passages similaires rendent compte des joies minuscules qui illuminent ses éreintantes journées. D'autre part, il parvient à garder le moral dans les moments les plus sombres en exerçant sa plume. Cela se produit dès l'année suivante, alors que son hivernement avec les Montagnais sur la rive sud du Saint-Laurent s'annonce catastrophique, en raison à la fois de la rareté du gibier et de ses lamentables progrès en langue montagnaise. Au chapitre 12 de la *Relation* de 1634, Lejeune énumère les épreuves « qu'il faut souffrir hivernant avec les Sauvages » (1634, 113), décrivant d'abord la manière de dresser une cabane. Au terme de son explication technique, il sollicite la compassion en recourant à l'ironie : « Voyons maintenant en détail toutes les commodités de ce beau Louvre » (1634, 114). En vérité, il y fait froid, on y est constamment brûlé par le grand feu, qui produit en outre une fumée aveuglante, et on y cohabite avec des chiens importuns qui s'installent n'importe où ! Par ailleurs, bien qu'il se considère bien traité en permanence, si ce n'est par le sorcier son rival, il leur reproche néanmoins leurs festins « à manger

---

6. Guy Laflèche, *Bibliographie littéraire de la Nouvelle-France*, Laval, Singulier, 2000, p. 54.

tout» (1634, 84). Non seulement les considère-t-il comme en contradiction avec l'esprit de prévoyance qui devrait régner en période de famine, mais ils entraînent aussi des conséquences plus prosaïques : « Dieu sçait quelle musique après le banquet : car ces Barbares donnent toute liberté à leur estomach et à leur ventre de tenir le langage qui leur plaist pour se soulager. Quant aux odeurs qu'on sent pour lors dans leurs cabanes, elles sont plus fortes que l'odeur des roses, mais elles ne sont pas si douces. [...] J'en ai veu par fois de malades après ces excès » (1634, 85). En somme, c'est souvent par l'humour que Lejeune réprime sa principale frustration, celle de ne pas apprendre le montagnais aussi vite qu'il le voudrait.

À l'époque où les jésuites reviennent en Nouvelle-France, il va sans dire que les colons n'étaient pas assez nombreux pour fanfaronner. Aussi n'ont-ils pas adopté de leurs alliés amérindiens que le canot d'écorce et les raquettes, ils ont immédiatement dû apprendre leurs langues. Diplomatie, alliances militaires et commerciales, évangélisation, absolument tout en dépendait. Cet impératif, Lejeune l'exprime dès son arrivée à Québec : « Il est vray que celuy qui sçauroit leur langue, les manieroit comme il voudroit ; c'est à quoy je me vais appliquer, mais j'advanceray fort peu ceste année » (1632, 6). Il ne croyait pas si bien dire !

Au-delà de cette posture conquérante, mais parfaitement inscrite dans le discours social du dix-septième siècle, Lejeune offre à ses lecteurs un portrait juste du territoire qu'il découvre. Multipliant les nuances et corrigeant ses erreurs des années précédentes, il réfute au passage des préjugés bien enracinés dans l'imaginaire européen, notamment au sujet des langues amérindiennes : « Je ne croy pas avoir ouy parler d'aucune langue qui procedast de mesme façon que celle-cy [le montagnais]. Le Pere Brebeuf m'asseure que celle des Hurons est d'une mesme œconomie. Qu'on les appelle Barbares tant qu'on voudra, leur langue est fort reglée » (1633, 8).

Secondé à contrecœur par Pierre Pastedechouan, Lejeune consacre l'hiver 1633 à l'apprentissage du montagnais, mais tout avance lentement. Il a beau « travailler sans cesse », faire « des conjugaisons, declinaisons, quelque petite syntaxe, un dictionnaire » (1633, 7), son constat du 16 juin ne laisse aucun doute : « O que c'est un grand mal de ne pouvoir produire des raisons! de ne parler qu'en begayant, et par signes!» (1633, 29). Et puisqu'«[i]l n'y a lieu au monde où la Rhetorique soit plus puissante qu'en Canadas» (1633, 24) et qu'il plafonne à Québec, il opte pour l'immersion totale : «je me transportai de là le grand fleuve de sainct Laurent dans une cabane de feuillages et allois tous les jours à l'escole dans celles des Sauvages qui nous environnoient, alléché par l'espérance que j'avois, sinon de réduire le Renégat [Pierre] à son devoir, du moins de tirer de lui quelque cognoissance de sa langue» (1634, 126). Tout cela en vain, confie-t-il à son supérieur. D'abord à cause de sa mauvaise mémoire, ensuite parce que le sorcier (le frère de Pierre) sabotait régulièrement les leçons, mais surtout par la faute de son professeur : «[l'Apostat] ne m'a jamais voulu enseigner, voire sa déloyauté est venue jusques à ce point de me donner exprès un mot d'une signification pour un autre» (1634, 112). Ce constat d'échec m'amène à parler de deux figures hybrides, aussi fascinantes que tragiques.

Comme nombre d'écrits coloniaux américains, ceux de la Nouvelle-France abondent en descriptions vagues d'autochtones anonymes. Chez Lejeune, au contraire, ils acquièrent un relief, une identité propre. Ils s'appellent Sasousmat, Khiouirineou, Matchounon, Manitougatche (dit La Nasse), Mestigoït et Carigonan, mais aussi Louis Amantacha et Pierre-Antoine Pastedechouan. Bien que la *Relation* de 1634 fasse du second un héros anomique, sorte de passeur récalcitrant, il faut admettre que le premier n'est pas sans charme. Huron (wendat), Louis apparaît d'abord à la toute fin de la *Relation* de 1632, et Lejeune trace de lui, par touches successives, un portrait flatteur tout au long de l'année 1633. Non seulement Louis parle-t-il bien le français, mais il appuie bénévolement le prosélytisme missionnaire. Bref, sa vie comporte tous les ressorts d'un grand roman d'aventures :

> Il me demandoit un livret d'images des mysteres de nostre Foy, pour les faire voir à ceux de sa nation, à fin de prendre de là occasion de les instruire : mais comme je n'en avois point, il me dit qu'il en escriroit au sieur le Maistre. J'ay mis les lettres qu'il envoye à V[otre] R[évérence] avec celles cy […]. Je croy que ce jeune homme luy est bien cogneu : il a esté conduit en

France par nos Peres, baptisé à Rouën par leur entremise : Monsieur le Duc de Longueuille fut son parain, et Madame de Villars sa maraine : il demeura entre les mains des Anglois par la prise qu'ils firent de la flotte Françoise et de tout ce païs cy [en 1629] (1633, 34-35).

En plus de l'instruction qu'il doit aux jésuites de Paris, il demeure relativement fidèle à la religion catholique, venant même se confesser et communier avant de repartir pour la Huronie avec cinq cents des siens. En somme, malgré sa personnalité plutôt «dissimul[ée]», Lejeune témoigne en sa faveur : «je ne trouvay rien que de bon en luy, c'est l'un des bons esprits que j'aye veus parmy ces peuples» (1633, 43). Hélas, fait prisonnier par les Iroquois l'année suivante (1634, 181), captivité qui lui coûtera un doigt, on perd finalement sa trace en 1636, à la suite d'une expédition contre ces mêmes ennemis jurés (1634, 241-242).

Entre le parcours de Louis Amantacha et celui de Pierre Pastedechouan, Montagnais (innu), de nombreux parallèles se dessinent. Pourtant, le conflit intérieur qui torture le second, les espoirs déçus de Lejeune à son égard (qui lui valent les épithètes d'*apostat* et de *renégat*), les moqueries incessantes dont les siens l'accablent (entre autres, parce qu'il ne sait pas chasser), en un mot son *isolement*, font de lui une véritable figure tragique. Comme Louis, il «a esté conduit en France en son bas âge par les R[évérends] Peres Recolets, il a esté baptisé à Angers, Monsieur le Prince de Guimenée estoit son parain, il parle fort bien François, et fort bon Sauvage» (1633, 6). Il aurait même enseigné le montagnais à Gabriel Sagard (1634, 259)! Cependant, son comportement imprévisible révèle une profonde confusion. Comme Louis, il a pactisé avec les Anglais à son retour à Québec en 1629, puis «ce pauvre miserable est devenu barbare comme les autres» (1633, 6), avant de revenir en grâce auprès des Français en 1632. Vêtu à la française à Québec, il reprend les manières des Montagnais à leur contact, enhardi par la présence de ses frères. Quant à ses pratiques religieuses, elles dévoilent avec éloquence la nature de son trouble : «il se confessoit de temps en temps sans se vouloir communier, quoy qu'on luy dit. Sa raison estoit que jamais il ne s'estoit communié en son pays, si bien en France : mais j'estois là mieux disposé qu'icy, disoit-il » (1633, 20).

De retour chez lui, en effet (surtout depuis ses contacts avec les Anglais, dira Lejeune), Pierre incline bien davantage à l'ivrognerie qu'à la religion, en plus de fonder ses rapports sur la duplicité. Par exemple, à peine eurent-ils passé l'île d'Orléans et posé pied à terre qu'il « prit le petit barillet de vin et en beut avec tel excès que s'estant enivré comme une soupe, il tomba dedans l'eau et se pensa noyer ». Puis, « hurlant comme un démoniaque » et « écumant comme un possédé », « cet ivrogne survenant » (1634, 129) s'en prend à tout le monde, cassant tout dans la cabane, renversant le repas commun dans les cendres et réclamant même une hache pour tuer Lejeune ! Immédiatement après l'incident, en français cette fois, il propose au jésuite de rentrer avec lui à Québec : « vous ne cognoissez pas ces gens ci [...], ils ne se soucient pas de vous, mais de vos vivres. A cela je respondois tout bas à part moi, *in vino veritas* » (1634, 130). Plus tard, soit le jour de Noël, Pierre consent à traduire deux oraisons (1634, 157-160) et même à servir d'interprète pendant la célébration qui suit, mais se retourne contre Lejeune (et Dieu) à la première occasion : « Voilà bien de quoi, dit l'Apostat, nous n'eussions pas laissé de trouver cela [trois castors !] sans l'aide de Dieu » (1634, 160). Cette attitude persiste tout au long de l'hivernement, jusqu'à ce que Lejeune, exaspéré et malade depuis deux mois, soit évacué « dans un petit canot pour tirer à Kébec sur le grand fleuve » (1634, 174), accompagné de Pierre et de son frère, Mestigoït. Bravant le froid et la faim, contournant ou enjambant avec courage les glaces libérées par la débâcle d'avril, ils s'acquittent de cette mission au péril de leur vie. Hélas, deux ans plus tard, « [q]uasi tous ceux qui estoient dans la cabane où le Sorcier m'a assez mal traité sont morts » (1634, 193). Le sorcier a brûlé vif dans sa cabane et Mestigoït, son hôte héroïque, s'est noyé. Quant à Pierre, après divers atermoiements, « [c]e misérable est mort cette année [1636] de mal-faim, délaissé dans les bois comme un chien » (1634, 194). Quand on connaît le sort réservé aux chiens par les Montagnais côtoyés par Lejeune, on saisit avec acuité toute la violence de cette comparaison.

Comme nous avons pu le constater, de nombreuses fausses rumeurs courent au sujet des *Relations* des jésuites. Si toutes ne sont pas aussi enlevantes que durant les années de découverte, celles rédigées par Lejeune constituent, qu'il en fût conscient ou non, des œuvres à part entière. Émaillées de traits d'esprit et de sautes d'humeur, riches en rebondissements et en portraits, les *Relations* des années 1632 à 1634 pourraient tout aussi bien se lire comme le plus étonnant des romans d'aventures.

Sébastien Côté est professeur agrégé au département de français de l'université Carleton. Il s'intéresse aux écrits de la Nouvelle-France et à leur place dans l'histoire littéraire du Québec et du Canada. Dans cette perspective, il édite aussi des textes, dont Les lettres canadiennes (1700-1725).

Écrire l'histoire autrement :
Gabriel Sagard et la chronique des missions franciscaines en Amérique du Nord[1]

Marie-Christine Pioffet

L'histoire des missions récollettes en Amérique du Nord n'a pas encore révélé tous ses secrets malgré les récents travaux sur la question, dont la thèse de Caroline Galland qui s'est employée à exhumer la contribution des frères mineurs à l'évangélisation des Amérindiens. Dès la publication des premières *Relations* des jésuites et des *Voyages* de Samuel de Champlain en 1632, les récollets ont le sentiment d'avoir été laissés pour compte dans l'aventure missionnaire américaine. Premiers ecclésiastiques à débarquer sur les rives du Saint-Laurent à l'invitation de Samuel de Champlain en 1618, les récollets sont supplantés, voire éclipsés par les jésuites, après le rétablissement des Français à Québec en 1632.

Mon propos est moins de retracer les faits saillants d'une âpre rivalité entre deux ordres religieux que de montrer que l'*Histoire du Canada* de Gabriel Sagard est une riposte aux *Relations* des jésuites, décriées à quelques reprises par le récollet. Cette fresque fut aussi rédigée en réponse à la relation de Samuel de Champlain publiée en 1632, qui passe sous silence les travaux évangéliques des récollets au profit de ceux des jésuites, et notamment à une lettre du jésuite Charles Lallemant parue en

1. Ce texte, préludant à la réédition critique de l'*Histoire du Canada* de Gabriel Sagard, s'inscrit dans le cadre de mon projet de recherche subventionné par le CRSHC sur l'historiographie en Nouvelle-France.

1626 dans le *Mercure françois* et dans laquelle se trouvent force allusions à l'incompétence des récollets[2]. Par-delà cette visée polémique, l'*Histoire du Canada* de Sagard véhicule une autre manière d'écrire l'histoire de la Nouvelle-France que celle des jésuites et de plusieurs historiens de l'époque. Prenant à partie les doctes jésuites et dénonçant la vanité de leurs écrits, le frère convers prône l'usage d'une écriture dépouillée et exempte des fleurs de la rhétorique comme il préconise une autre manière de convertir les Amérindiens, axée non plus sur la science et l'art de l'éloquence dans lesquels excellent les jésuites, mais sur le vertueux exemple de la pitié et de la charité chrétiennes.

L'exclusion des récollets et la rédaction de l'*Histoire du Canada*

Revenons d'abord sur les circonstances liées à la rédaction et à la publication de cette fresque. Trois ans après la parution de son *Grand voyage du pays des Hurons*, imprimé à la hâte pour concurrencer celle des *Voyages* de Champlain de 1632 et la première *Relation* de Paul Lejeune qui, la même année, inaugure la célèbre série des relations annuelles, la situation des récollets ne s'est guère améliorée. Les marchands de la Compagnie des Cent-Associés avaient refusé de les laisser embarquer à bord de leur navire, alléguant que ces bons religieux n'étaient pas prêts.

En fait, les conflits entre les récollets et les marchands datent des tout premiers débuts de la colonie. Comme le note Lucien Campeau, « [n]'ayant en vue que le profit, ceux-ci évitaient autant qu'ils le pouvaient de le rogner en le dépensant pour l'établissement d'une colonie[3] ». Les récollets étant à leur charge, les marchands voient leur venue d'un mauvais œil. Les différends

---

2. Cette lettre est reproduite par Lucien Campeau dans *Monumenta Novæ Franciæ* [*MNF* dans la suite], Rome et Québec, Monumenta Hist. Soc. Iesu et Presses de l'université Laval, 1967, t. II, doc. 50. Sur la rivalité entre les jésuites et les récollets, voir Caroline Galland, *Pour la gloire de Dieu et du Roi. Les récollets en Nouvelle-France aux XVIIᵉ et XVIIIᵉ siècles*, Paris, Cerf, « Histoire religieuse de la France », 2012, p. 87-93.

3. Lucien Campeau, « Introduction », dans *MNF*, t. II, p. 49.

avec la compagnie des marchands allaient s'envenimer au point où Joseph Le Caron rédigea un pamphlet intitulé *Advis au Roy sur les affaires de la Nouvelle France*[4], publié au début de 1626 sous l'anonymat, mais dont l'attribution ne faisait pas de doute à l'époque. Dans ce factum, Joseph Le Caron blâmait nettement la compagnie des marchands pour la stagnation de la colonie. Mais ce n'était pas la première offensive des récollets contre les commerçants et armateurs huguenots ; Georges Le Baillif, à moins que ce ne soit encore Le Caron, avait rédigé en 1622 un texte encore plus virulent, intitulé *Plainte de la Nouvelle-France à la France sa germaine*[5], qui dénonçait leur peu d'empressement à répandre la foi catholique.

Laissés de l'autre côté de l'Atlantique en 1632, alors que les jésuites s'embarquent sur le navire d'Émery de Caen qui fait voile vers Québec, les récollets doivent avaler leur déception. Plusieurs historiens, dont le rédacteur du *Premier Etablissement de la Foy*, imputent leurs difficultés à Jean de Lauson, intendant de la Compagnie des Cent-Associés, qui aurait refusé de permettre leur passage[6]. Quelles sont les raisons de cette obstruction délibérée ? Sans entrer dans le détail des joutes politiques qui se nouèrent à la cour où règne l'influence de Pierre Coton, confesseur en titre du roi, on se rappellera que les jésuites, contrairement aux récollets, avaient participé à la création de la Compagnie des Cent-Associés. S'ensuivit la préférence des autorités en faveur des membres de la compagnie. Non seulement les récollets se voient interdits en 1632 dans la vallée laurentienne, mais leur départ pour la colonie en 1633 n'aura pas lieu. Quatre jésuites

---

4. Voir à ce propos *MNF*, t. II, doc. 43.

5. Ce pamphlet a été retranscrit par Jack Warwick et figure en annexe à son édition critique du *Grand voyage du pays des Hurons* de Gabriel Sagard, Montréal, Presses de l'université de Montréal, « Bibliothèque du Nouveau Monde », p. 460 et suiv. Alors que Marcel Trudel prête ce factum à la plume de Georges Le Baillif, Hugolin Lemay l'attribue à Joseph Le Caron (voir à ce sujet Odoric-Marie Jouve, avec la collaboration d'Archange Godbout, Hervé Blais et René Bacon, *Dictionnaire biographique des récollets missionnaires en Nouvelle-France*, Montréal, Bellarmin, 1996, p. 551).

6. Voir notamment John M. Lenhart, « Who kept the Franciscan Recollects out of Canada in 1632? », *Franciscan Studies*, vol. 5, 1945, p. 286-287.

prendront leur place. En 1634, le même scénario se répète. À la suite du refus qu'ils essuient à nouveau, les récollets dépêchent avec succès un émissaire à Rome pour obtenir le mandat de retourner en Nouvelle-France, erreur diplomatique qui sera fatale à leur projet, puisque le gouvernement français verra, dans l'intervention de l'émissaire de Rome, François Ingoli, une ingérence et y fera la sourde oreille. À partir de 1635, on opposera à leur projet de retour en Nouvelle-France un refus catégorique.

C'est dans ce climat d'amertume que Gabriel Sagard met la dernière main à son *Histoire du Canada*. Plus encore que *Le grand voyage du pays des Hurons*, l'*Histoire du Canada*, œuvre maîtresse du frère mineur, vise à réhabiliter son ordre et à rétablir les récollets au-delà de l'Atlantique, le long du Saint-Laurent et aux abords des Grands Lacs.

Une « histoire sans qualités[7] »

Il convient de rappeler que le terme « histoire », selon l'étymologie, désigne un témoignage singulier sur une région du monde particulière. C'est bien dans ce sens que Gabriel Sagard emploie le mot dans le titre même de son livre. Du reste, cette histoire du Canada, loin de rivaliser avec la grande littérature, fait fi des ornements de la rhétorique. Dès la dédicace, le récollet prévient le lecteur de la rusticité de son style : « mon histoire mal polie ne merite pas de vous estre offerte [...], la lecture vous en seroit ennuyeuse comme mon stile grossier trop importun[8] ».

Sagard, l'humble frère mineur, refuse de parer son écriture des fleurs de la rhétorique ou de recourir aux services d'un écrivain fantôme pour pallier les maladresses de son style, ainsi que le font nombre d'historiens à l'époque. C'est que la vérité est, à ses yeux, incompatible avec les ornements du discours, comme le suggère un autre passage :

---

7. Nous faisons nôtre le titre de l'ouvrage de Christine Fauré, d'Arlette Farge et de Christiane Dufrancatel, *L'histoire sans qualités*, Paris, Galilée, 1979.

8. Gabriel Sagard, *Histoire du Canada* [*HdC* dans la suite], Paris, Claude Sonnius, 1636, « Epistre », p. 7-8.

> On me pourra dire que je devois avoir emprunté une plume meilleure que la mienne pour polir mes escrits, & les rendre recommandables, mais c'est dequoy je me soucie le moins, & vous asseure que quand bien je l'aurois pu faire je ne l'aurois pas fait, car il n'est pas raisonnable qu'un pauvre frere mineur comme moy, se pare des riches thresors de l'eloquence d'autruy, & puis je n'ay pas entrepris de contenter les amateurs de beaux discours, mais d'edifier les bonnes ames qui verront en cette Histoire une [*sic*] grande exemple de patience & modestie en nos Sauvages, un cœur vrayement noble, & une paix & union admirable[9].

La « simplicité ordinaire[10] » de l'auteur se marie à celle des Amérindiens et du sujet traité : « [l]aissons à discourir des hautes sciences aux Doctes[11] », avise encore Gabriel Sagard, pour dissiper la déception des lecteurs. Sa description du pays ne présente pas les merveilles attendues de plusieurs autres régions du globe. Plus qu'un *topos* propre aux écrits viatiques, les aveux de l'humilité permettent ici à Sagard de faire un pied de nez à l'éloquence des jésuites. À l'encontre de ceux-ci, Sagard n'hésite pas à se définir comme un homme sans études et se présente sans ambages comme un naïf historien. Cependant, pour qui sait lire entre les lignes, sa naïveté n'est qu'apparente. Aussi, cette feinte modestie dissimule mal les ruses de son discours si l'on considère les critiques à peine voilées formulées contre les jésuites, taxés de vantardise. À ses confrères, Sagard ne saurait, de l'autre côté, que reprocher la rareté de leurs écrits :

> Si nos Freres qui sont à present devant Dieu, & ceux qui restent en tres grand nombre dans toutes les parties de la terre habitable, estoient blasmables en quelque chose, ce seroit pour avoir esté trop retenus, & n'avoir descrites leurs sainctes actions, & les grands fruicts qu'ils ont faits, & font actuellement en l'Eglise

---

9. *HdC*, « Au lecteur », p. 14.
10. *HdC*, livre III, chap. I, p. 724.
11. *Ibid.*

de nostre Seigneur, qui eussent servy pour nostre exemple &
edification ; mais comme leur sentiment a esté bon & ne
cherchent que l'honneur & la gloire de Dieu, ils se contentent
de bien faire sans se soucier des vaines loüanges du monde, de
maniere que si nous sçavons quelque chose d'eux, ç'a esté
plustost, par autruy que par eux mesmes, car ils ne se sont
jamais amusez à faire des Relations annuelles, qui ne sont pour
l'ordinaire que redites, & un desguisement de Rhetoriciens,
autant plein de fueilles que de fruicts[12].

La rédaction de l'*Histoire du Canada* vient donc combler
les silences de son ordre. Aussi l'ouvrage se veut-il une réplique,
tant par le style que par son contenu, aux célèbres *Relations* des
jésuites, dont la série inaugurée par Paul Lejeune en 1632
connut comme on sait un succès retentissant. Aux discours
creux des jésuites, Sagard oppose les actions des siens : « Nos
pauvres Religieux […] ont peu parlé, moins escrit, & beaucoup
operé, car le vray serviteur de Dieu, en operant, patissant, &
souffrant, non plus qu'en jouïssant n'a que la seule voix de
l'agneau[13]. » On ne sauroit mieux que par ces quelques lignes
souligner le contraste entre la verbosité des robes noires qui
excellent à faire leur autopromotion et la discrétion des bures
grises, dont la parcimonie scripturale paraît être la règle. Rédacteur
hésitant, le récollet regrette parfois son « imperfection &
[s]on deffaut d'étude[14] » qui le contraignent à couper court à
son propos « plus faute de rhetorique que de matiere » : « ô qu'il
y a de personnes riches en paroles & en eloquence, qui diroient
des merveilles où je me trouve muet[15] », confie-t-il au lecteur.
Toutefois, à la lumière des griefs contre les relations, ces aveux
d'incapacité s'inversent de manière positive, tandis que l'éloge
des maîtres de la rhétorique devient en quelque sorte paradoxal.
La sobriété de l'écriture sert ici de garant à la véracité du propos.
Méprisant ouvertement les longs panégyriques, et la « science »

---

12. *HdC*, livre II, chap. XXXVIII, p. 610-611.
13. *HdC*, livre II, chap. XXXVIII, p. 611.
14. *HdC*, livre II, chap. XXXI, p. 503.
15. *Ibid.*

inutile des « Docteur[s] » et même les livres savants[16], Sagard cite en exemple la pauvreté des frères mendiants, à elle seule plus persuasive que tous les beaux discours :

> Plusieurs s'estoient imaginez que le monde se convertissoit plustost par la science des Doctes, que la bonne vie des simples, & s'est [*sic*] en quoy ils se sont trompez, car encor bien que l'un & l'autre soit necessaire, de peu sert le discours docte & eloquent sans l'exemple de vertu. Nostre Seraphique P. S. François souloit dire aux Predicateurs de son ordre qui sembloient avoir quelque vanité de leur science & du fruict de leur Predication : Ne vous enflez point Predicateurs, de ce que le monde se convertit à Dieu par vos predications, car mes simples Freres convertissent aussi par leurs prieres & bon exemple, qui est la Predication que principalement je desire & souhaite à tous mes Freres[17].

Dans le contexte de la rivalité missionnaire, les appels de saint François à l'humilité de ses disciples résonnent comme une critique à peine voilée de leurs concurrents qui surent obtenir des appuis politiques et financiers beaucoup plus considérables que les récollets et les ont évincés de l'œuvre évangélique en Nouvelle-France. Cette polémique scripturale n'empêche nullement Sagard d'évoquer le témoignage de Jean de Brébeuf pour faire valoir son *Grand voyage* et vanter les attraits de son *Histoire* :

> Les esprits curieux, & qui n'ont autre but que leur propre divertissement y verront dequoy se satisfaire allechez par l'aggreable aspect & diversité des choses y contenuës, & ceux qui ont voyagé dans le pays comme a fait depuis moy le R. P.

---

16. Sagard avoue préférer l'expérience pratique des sauvages aux ouvrages savants : « j'ay veu des personnes que pour avoir leu de ces livres, se croyoient fort habiles gens, lesquels venant à l'experience se trouvoient fort ignorans devant des Mariniers mesmes, qui sçavoient à peine lire. La theorie de nos Doctes est bien necessaire, mais la pratique de nos Barbares vaut encor mieux, à laquelle je me fierois plustost qu'à l'autre » (*HdC*, livre IV, chap. IV, p. 908).

17. *HdC*, livre II, chap. XXXVIII, p. 612.

Brebeuf Jesuite, pourront avoir le mesme sentiment que ce bon
Pere tesmoigna de mon premier Livre, lequel il jugea non
seulement digne de voir le jour, mais s'offrit d'en donner son
approbation s'il eut esté necessaire[18].

Loin d'être innocente, l'évocation de cette approbation
vient en quelque sorte neutraliser les critiques de Charles
Lallemant qui suggéraient l'incompétence des récollets en
matière d'évangélisation.

L'éloge des missions récollettes

Alors que les jésuites restent discrets sur les travaux des
franciscains au Canada, Sagard ne craint pas de faire leur apologie.
Le titre complet du livre, *Histoire du Canada et voyages que les
Freres Mineurs Recollects y ont faicts pour la conversion des Infidelles*,
en révèle d'emblée l'orientation et le sujet. Dès les premières
pages de l'*Histoire du Canada*, le ton est donné ; le chroniqueur
en appelle au lecteur pour juger de la valeur des disciples de saint
François qui ont œuvré comme missionnaires :

[S]i vous prenez la peine de lire les historiens vous verrez qu'il
n'y a coin où l'Evangile ait esté presché depuis quatre cens ans,
que ce n'ait esté des Religieux de sainct François qui en ayent
faict l'ouverture aux despens de leur propre vie[19].

À l'expérience passée se joint l'argument de la priorité : les
récollets, poursuit le même auteur, auraient été les « premiers »
parmi les « Ecclesiastiques seculiers » à s'exposer aux périls et à
passer les mers pour porter l'Évangile, « de sorte que l'on peut
dire que sans les Religieux, les deux Indes, & le reste des peuples
barbares convertis, seroient encores à convertir[20] ». Les franciscains ont en effet fait œuvre de pionniers dans le monde
musulman et en Amérique méridionale.

---

18. *HdC*, « Epistre », p. 12-13.
19. *HdC*, livre I, chap. II, p. 7-8.
20. *HdC*, livre I, chap. II, p. 8.

Sagard revient à plusieurs reprises sur cet argument de la priorité de l'établissement des récollets, qui paraît légitimer leur retour en Nouvelle-France :

> Je sçay bien que nos Peres estasblirent des Colleges & Seminaires par toutes les deux Indes avant la venuë des RR. PP. Jesuites, auxquels ils les cederent volontairement à leur arrivée, comme ayans d'ailleurs assez d'autres occupations à prescher, convertir & confesser par tout où ils estoient appellez[21].

En d'autres mots, les franciscains, qui précèdent les jésuites aux Indes, auraient dû, selon Sagard, se voir attribuer la prééminence dans l'octroi des missions. Qui plus est, le chroniqueur affirme même à deux reprises que ce sont les récollets qui ont invité les jésuites à les « seconder[22] » en Nouvelle-France. Cette affirmation répétée, mais absente du *Grand voyage du pays des Hurons*, permet aux récollets de faire passer les jésuites pour des usurpateurs, ce que confirment d'ailleurs la suite du passage et les objections de leurs amis :

> Ce choix que nous fismes desdits Pere [*sic*] Jesuites pour le Canada, fut fort contrarié par beaucoup de nos amis, qui taschoient de nous en dissuader, nous asseurant qu'à la fin du compte ils nous mettroient hors de nostre maison & du païs, mais il n'y avoit point d'apparence de croire ceste mescognoissance de ces bons Peres[23].

Cette mise en garde, malgré les objections de Sagard, se révélera prémonitoire. On le voit donc, Sagard est tout sauf un historien naïf, comme il veut bien le faire entendre. Le chantre de la Huronie émaille sa prose de sentences diverses à travers lesquelles filtrent ses préoccupations missionnaires ou religieuses. Sur l'inventaire zoologique qu'il reprend du *Grand voyage du pays des Hurons*, le livre III greffe des commentaires au sujet des dons de saint François d'Assise, qui maîtrise les animaux les plus sauvages :

---

21. *HdC*, livre IV, chap. I, p. 863.
22. *HdC*, livre II, chap. XXXIV, p. 559 et livre IV, chap. I, p. 863.
23. *HdC*, livre IV, chap. I, p. 863-864.

Plusieurs grands Saincts ont neantmoins commandé aux plus feroces & cruelles [bêtes], & ont esté obeys, comme un sainct François qui deffendit à un loup enragé de plus faire de mal, & se rendit doux comme un agneau, mais ce sont graces qui n'appartiennent qu'à ceux qui ont la mesme innocence de nostre premier Pere avant son peché[24].

L'allusion n'est bien sûr pas indifférente; si saint François pouvait dompter des animaux enragés, ses disciples étaient bien placés pour apprivoiser les sauvages et les ramener dans le bercail de Jésus-Christ. Pour faire l'éloge de son ordre, Sagard use souvent du discours rapporté venant d'un locuteur extérieur à son ordre, qu'il soit huguenot ou sauvage; il n'est pas non plus anodin que Sagard mette dans la bouche du huguenot Gravé Du Pont un plaidoyer en faveur des franciscains :

[I]l n'importe pas qu'un capuce soit rond, quarré, ou pointu, mais que le Religieux observe bien sa regle & pour moy j'ay quelquefois leu les Croniques de S. François, & ay tousiours aymé les Religieux de son Ordre, mais à dire vray, l'observance qu'on dit autrement les Cordeliers, a donné un grand nombre de Saincts à l'Eglise, & y a encores parmy eux de grands serviteurs de Dieu, que le monde ne cognoist point, lesquels s'y perfectionnent en bien faisant, & non point en regardant à la vie de quelques libertins, desquels le College de Jesus Christ n'a pas esté exempt, ny l'Ordre pendant le vivant mesme de S. François[25].

Cette longue conversation menée sur le chemin du retour vers la France et absente du *Grand voyage du pays des Hurons*, apparaît comme un hors-d'œuvre destiné à valoriser les missions franciscaines. On mesure ici l'habileté du récollet à mettre dans la bouche d'un commerçant huguenot de tels propos, alors que les récollets, Le Caron et Le Baillif en tête, avaient nettement dénoncé la tiédeur religieuse des marchands calvinistes dans leurs écrits.

116

24. *HdC*, livre III, chap. I, p. 726.
25. *HdC*, livre III, chap. XI, p. 850-851.

La structure de l'*Histoire du Canada*, œuvre hétéroclite, ne reflète pas la belle unité du *Grand voyage*. Sur le canevas initial, l'auteur ajoute de longs chapitres rapportant des conversions et retraçant les succès des missions franciscaines au-delà des mers. Pensons notamment au chapitre XXXIX du livre III intitulé « *Des deux Indes Orientales & Occidentales, & des conversions admirables que les Freres Mineurs y ont operé [...]*[26] ». Pourquoi Sagard élargit-il ainsi le cadre de son *Histoire du Canada*, si ce n'est pour glorifier le travail évangélique des frères mineurs dans les autres parties du globe ? L'intention était de tempérer l'échec de la mission canadienne par les palmes remportées dans d'autres régions. Chez Sagard, le « je » devient le porte-parole de l'ordre et la mission canadienne se range dans une vaste entreprise missionnaire menée par les frères mineurs. Ainsi, les références aux annales franciscaines de la Nouvelle-Espagne prennent tout leur sens. Isabel Torres a montré que ces réminiscences, loin d'être fortuites ou complètement digressives, enchâssent l'épisode missionnaire canadien dans le vaste continuum des missions franciscaines couronnées de succès[27]. Sagard rappelle d'ailleurs, à quelques reprises dans son *Histoire*, les origines ibériques de son ordre[28]. On peut penser au long discours, rapporté par le père François Boursier, qui s'adresse aux marchands sur le chemin du retour en 1629 :

> Messieurs. Les Peres Recollects ont eu leur commencement dés l'an 1496, deux cens septante sept ans apres l'institution de la Regle qui commença en l'an mille deux cens neuf, & septante & un an après la reformation des Pères de l'Observance, dits Cordeliers, [...]. Le fondateur ou celuy qui a donné commencement à la Reformation des Peres Recollects, a esté le venerable Frere Jean de la Puebla Ferrara, personnage tres-insigne en saincteté & merite. Il prit naissance dans l'Espagne

---

26. *HdC*, livre III, p. 626.
27. Isabel Torres, « References to Spain and the Spanish in Gabriel Sagard's *Histoire de Canada* (1636) », *Revue hispanique : recueil consacré à l'étude des langues, des littératures et de l'histoire des pays castillans, catalans et portugais*, t. LXXII, n° 162, 1928, p. 607.
28. *HdC*, livre III, chap. XI, p. 855.

des Ducs de Beiar, il estoit propre nepveu du Roy Catholique
Dom Ferdinand V. [...] Estant touché d'une inspiration divine
il quitta les grandeurs de la terre, & rompit tout à faict avec le
monde, pour se consacrer entierement au service de nostre
Dieu, sous les enseignes du Seraphique sainct François[29].

Sagard clôt habilement cette tirade sur la chronique des
missions récollettes par une courte biographie du frère Nicolas
Facteur qui « avoit esté premierement Cordelier, puis Recollect,
se fit aprés Capucin, & retourna mourir Recollect[30] ». Comment
mieux affirmer que par ce cheminement spirituel erratique la
supériorité des frères mineurs sur les autres religieux ?

Élogieux envers les fondateurs de son ordre, Sagard sait
aussi valoriser le travail de ses compagnons en terre canadienne.
La proximité qu'il a avec ses compagnons ne l'empêche pas de
donner à certaines scènes une portée épique. Ainsi dramatise-
t-il à merveille la première messe célébrée aux abords de Québec,
insistant sur les larmes qui coulaient sur les joues des récollets
pendant l'office :

> Il [le R. Père Dolbeau] y [à Québec] dit la premiere Messe
> le 25e jour de Juin de la mesme année [1615] & nos autres
> Religieux en suitte, avec des contentemens d'esprit qui ne
> se peuvent expliquer, les larmes leur en decouloient des yeux
> de joye, il leur estoit advis d'avoir trouvé le Paradis dans ce
> païs sauvage où ils esperoient attirer les Anges à leur secours
> pour la conversion de ce pauvre peuple plus ignorant que
> meschant[31].

Les *Relations* des jésuites nous ont habitués aux professions
de foi et aux scènes de baptême, sacrement réclamé avec
ferveur par les Amérindiens. L'*Histoire du Canada* les vaut
bien sur ce plan. Le récit du baptême instamment sollicité
de Napagabiscou, appelé Trigatin par les Français, vise à
montrer que les récollets n'administraient pas ce sacrement

---

29. *HdC*, livre III, chap. XI, p. 855-856.
30. *HdC*, livre III, chap. XI, p. 858.
31. *HdC*, livre I, chap. III, p. 24-25.

à la légère et à mettre au jour toute l'industrie qu'ils pouvaient déployer pour convaincre les Amérindiens d'embrasser leur foi. Parmi les nouveaux baptisés sur lesquels le chroniqueur s'arrête figure notamment un jeune Montagnais à qui le diable serait apparu à plusieurs reprises pour le décourager d'avoir commerce avec les récollets :

> [L]'enfant qui avoit un peu trop tardé avec son pere, fut bien marry que le Pere Joseph fut party, car il craignoit tousjours la rencontre de ceux qui le dissuadoient de son salut, & fut contrainct de s'en aller seul, en nostre maison. Estant arrivé au dessus de la coste du fourneau à chaux, qui est à un grand quart de lieuë de nostre Convent, chantant comme ils ont accoustumé allans par les bois ; s'apparut à luy un fantosme en guyse d'un vieillard, ayant la teste chauve, & une grande barbe toute blanche, qui n'avoit point de pieds, mais seulement deux bras, & deux aisles, avec lesquelles il voltigeoit autour de luy, luy disant quitte les Religieux, & le P. Joseph, ou autrement je te tueray.
>
> Ce petit un peu esmeu, luy respondit qu'il n'en feroit rien, qu'il les aymoit trop, & vouloit estre baptisé. Je te tueray donc repliqua le fantosme, & à mesme temps se jetta sur luy, comme il passoit entre deux arbres, l'abatit sur la neige pour lors encore d'un pied & demy d'espoisseur, & luy pressa tellement l'estomach que de douleur il fut contrainct de jetter de hauts cris, & d'appeller le Pere Joseph à son ayde, ce qu'ayant fait lacher prise à ce fantosme, il luy emporta son chapeau à plus de trois cents pas de là.
>
> S'estant relevé, il se prit à crier, & courir de toute sa force, sans sçavoir où estoit son chapeau, lequel il retrouva au milieu du chemin, fort loin d'où il luy avoit esté pris, & l'ayant ramassé, non sans quelque apprehension du malin esprit, qui l'avoit l'a [*sic*] porté, il ouyt une voix qui luy dit derechef, quitte donc ces *Ca Iscoue ou acipet*, (ainsi appellent-ils les Recollects) il respondit : Je n'en feray rien, & fuyoit tousjours vers le Convent en criant aux Religieux qu'ils l'allassent secourir, lequel ayant este à la fin entendu, le Pere Joseph envoya Pierre Anthoine pour voir que c'estoit, car on ne pouvoit encor discerner la voix que confusement. Estant rencontré, il conta à Pierre

> Anthoine son infortune, & les frayeurs qu'il avoit eu de ce
> fantosme, le priant au reste de n'en dire mot à personne, peur
> que cela ne retardat son baptesme[32].

Qu'on pardonne la longueur de cette citation, qui met au jour l'utilisation du discours de seconde main pour faire le panégyrique des « *Ca Iscoue ou acipet*» ou « *Ca Iscoueouacopet*», soit « ceux qui sont habillez comme les femmes, c'est à dire les Recollects qui portent leurs habits longs[33] ».

Réal Ouellet a souligné, à juste titre, la propension de Gabriel Sagard à s'auto-héroïser dans *Le grand voyage du pays des Hurons*. Cependant, nous pensons plutôt avec Jack Warwick que la mise en relief des actions et du courage du narrateur, loin de servir uniquement à des fins divertissantes ou romanesques, contribue ici à valoriser le projet récollet de retour au Canada[34]. En effet, il s'agit moins pour Sagard d'une volonté de s'attirer des louanges que de glorifier son ordre. La valorisation de l'ordre de saint François atteint peut-être son point culminant lorsque, sur le chemin du retour, Sagard relate comment Dieu épargna la vie des passagers et le navire à bord duquel se trouvaient les frères alors qu'une violente tempête faisait rage :

> Tout ce que nos Religieux pouvoient faire dans ceste extremité,
> estoit de prier Dieu, & d'induire tous les autres d'en faire de
> mesme & de se mettre en bon estat, [...]. Ils leur firent faire
> un vœu à nostre Seraphique Pere sainct François, lequel estant
> fait la tempeste dés aussi-tost cessa, il n'y eut que les deux autres
> Navires separez par les vents, qui ne se retrouverent point au
> calme, & s'ils perirent ou non personne n'en a rien sçeu[35].

---

32. *HdC*, livre II, chap. XXXIV, p. 550-551.

33. *HdC*, livre II, chap. XXXV, p. 580.

34. « By enhancing his own prestige, he [Sagard] raises the credibility of his entire institution » (Jack Warwick, « Gabriel Sagard's " je " in the First *Histoire du Canada*», dans K. P. Stich (dir.), *Reflections. Autobiography and Canadian Literature*, Ottawa, Presses de l'université d'Ottawa, 1988, p. 29).

35. *HdC*, livre IV, chap. IX, p. 957-958.

L'intervention du Tout-Puissant, courante dans les relations de missions, vient en quelque sorte confirmer l'élection des disciples de saint François pour la conversion des Amérindiens.

Duel de plumes

On a souvent accusé les récollets d'avoir mené une cabale secrète contre les jésuites. Le pamphlet anonyme prêté à la plume du père Joseph Le Caron confirme bien la rancœur existant entre les deux communautés. Mais qu'en est-il dans l'*Histoire du Canada*? Le ton n'est certes pas aussi acrimonieux et Sagard adopte souvent un discours en apparence conciliateur à l'égard de ses rivaux, comme le prouve l'exhortation du père Joseph, auprès du Montagnais Mecabau, à faire preuve de clémence envers les jésuites qui ont tenté de l'empoisonner : « il faut, dit le Pere Joseph [,] que tu efface [*sic*]de ton esprit toutes les mauvaises pensees que tu as contre les Peres Jesuites[36] ».

Mais si l'on va au-delà de ces prétendues manifestations de solidarité entre missionnaires, la promotion du travail des franciscains entreprise par Sagard s'inscrit directement dans un duel de plumes entre le camp des jésuites et celui des récollets, qui, après 1632, se trouvent isolés. Dans maints passages, les tensions sont palpables entre les missionnaires. Ainsi Sagard rapporte-t-il, non sans quelque amertume, comment un des pupilles dont les récollets avaient soin leur fut finalement retiré au profit des jésuites :

> Or il arriva neantmoins un petit zele pour ce petit garçon, entre les Reverends Peres Jesuites, le sieur Emery de Caën, & nous, car chacun desiroit s'en prevaloir, & nous l'oster pour l'amener en France. Tous offroient des presents à l'envie, & cependant le Pere de l'enfant desiroit à toute force qu'il nous restat, disant : comme il estoit vray semblable qu'il nous l'avoit promis, & le vouloit consigner entre les mains de nostre Pere Paul qui estoit lors prest de s'embarquer pour France. Le Pere Noirot avec les autres Peres Jesuites, prierent le Pere Joseph de faire envers le

36. *HdC*, livre II, chap. XXXVII, p. 603.

Pere du garçon qu'il trouvat bon qu'ils eussent eux mesmes son fils, moyennant quelque gratification, & qu'infailliblement le menant en France, ils le rameneroient l'année prochaine, accommodé à son contentement.

Le sieur Emery de Caën en promettoit encore davantage pour l'avoir, de maniere que nos Religieux, ny le pere de l'enfant par tant de poursuittes, & solicitez de tant de prieres, ne sçavoient comment conserver le garçon, ny comment s'en deffaire[37].

Le commentaire qui suit cette anecdote laisse planer le doute sur les bonnes intentions des jésuites, qui, selon l'auteur, se soucient moins de l'avancement de la foi que de leur gloire personnelle :

Bon Dieu est il bien possible que l'on cherchat en cela plus l'honneur propre, que vostre interest Seigneur, car le vray zele ne se soucie pas par qui le bien se fait, pourveu qu'il se fasse, ainsi que fit voir nostre Pere Joseph, lequel se desinteressant, renonça au petit qui nous appartenoit, & pria en faveur des Reverends Peres Jesuites, qui le receurent en France de la main du sieur de Caën, par le moyen du Seigneur Duc de Vantadour qui s'employa pour eux[38].

La mise en relief de la contribution des récollets va ici de pair avec la dépréciation des jésuites présentés comme des anti-modèles chrétiens et apostoliques. Non seulement le fait de se voir évincer par les jésuites avait dû heurter l'amour-propre des récollets, mais les griefs de Charles Lallemant publiés dans le *Mercure de France* n'allaient pas apaiser les rivalités de pouvoir. Dans sa lettre adressée à son frère Jérôme Lallemant, l'auteur multiplie les allusions à l'incompétence des récollets. La confection par Sagard du *Dictionaire de la langue huronne* se veut notamment une réponse à Charles Lallemant, qui dit les récollets incapables de transiger avec les truchements et de s'exprimer dans les idiomes du pays. Sagard réfute en maintes occasions

37. *HdC*, livre IV, chap. II, p. 876-877.
38. *HdC*, livre IV, chap. II, p.877.

les reproches formulés en alléguant que les jésuites eux-mêmes ne comprennent ni le montagnais ni le huron. Nous ne donnerons qu'un seul exemple de ses sarcasmes lorsqu'il relate un malentendu entre le jésuite Énemond Massé et le Montagnais Mecabau, grand ami des Français :

> [L]e R. P. Masse Jesuite (encor nouveau dans la langue,) luy voulan, dire quelque chose en Montagnais, luy dit tout autrement de sa pensée, certains mots qui signifioient, donne moy ton ame, aussi bien mourras tu bien-tost : ce qui estonna fort le Sauvage, qui luy repartit, comment le sçay-tu, ce que n'entendant pas le Pere Masse il continua sa premiere pointe, qui fascha à la fin […] le Sauvage & le porta à luy dire leur diction ordinaire, tu n'as point d'esprit, puis feignit s'en aller mescontant, ce qu'apercevant le R. P. Masse, changea de discours & luy fist present d'une escuellée de poix, qu'il accepta volontiers & l'emporta à sa cabane, d'où il revint à nostre Convent, pendant que ses enfans les firent cuire dans un chaudron sur le feu[39].

Mais la mauvaise préparation et le manque d'hygiène lors de la cuisson rendirent ces pois impropres à la consommation, à tel point que le nommé Mecabau, sévèrement indisposé, crut qu'on avait tenté de l'empoisonner. Il en voulut longtemps au jésuite et il fallut l'intervention du père Joseph Le Caron pour les réconcilier. Par cette anecdote, le chroniqueur suggère non seulement que les récollets entendent mieux le montagnais que les jésuites, mais aussi qu'ils se révèlent d'habiles pacificateurs, aptes à dénouer les conflits.

Sagard présente à quelques reprises les jésuites comme des hôtes mal adaptés au mode de vie canadien. Jean de Brébeuf fera à son tour les frais des sarcasmes de Sagard, qui le présente comme un voyageur encombrant et inapte au canotage en raison de sa corpulence :

> […] pour le pauvre Pere Brebeuf, il y [à voyager] eut un peu plus de difficulté, car outre qu'il leur estoit nouveau, & aussi

---

39. *HdC*, livre II, chap. XXXVII, p. 592-593.

mal armé que nous, ils [les Hurons] prenoient pour excuses qu'il estoit un peu lourd pour leur canot, qui estoit un honneste refus fondé sur la raison, car si une personne pesante panche tant soit peu plus d'un costé que d'autre, ou qu'en entrant dedans il ne met le pied doucement & droitement au milieu du canot, c'est à dire qu'il tournera, & que tout renversera dans la riviere, & puis voyez si vous sçavez nager avec vos gros habits, ce sera avec peine, car cela peut arriver à de certains endroits, d'où les Sauvages mesme ne se sçauroient retirer qu'en se noyans[40].

Les critiques à l'endroit des jésuites se font parfois beaucoup plus virulentes. La rivalité récollets-jésuites atteint son point culminant au moment où Sagard raconte l'invasion de Québec par les frères Kirke. Le récollet souligne sans aménité la disparité du traitement réservé par les Anglais aux uns et aux autres :

Le Pere Joseph le Caron superieur de nostre maison, ayant sçeu la reddition de Kebec [,] envoya promptement un de ses Religieux au fort, supplier le Capitaine Louys de leur donner un soldat pour la garde de nostre logis comme il avoit promis, à quoy obtemperant il leur en donna un & au R. P. Brebeuf deux ou trois pour leur maison, qui furent suivis de leur Capitaine dés le lendemain avec quantité de ses soldats, qui firent une raffle chez ces pauvres Peres de ce qu'ils trouverent de meilleur & propre à butiner. Ils vindrent enfin chez nous où le Capitaine receut la collation des vivres qu'il y avoit envoyé de son bord, car il sçavoit bien que nous estions Religieux, fort pauvres & qu'il cherchoit des Castors ou autres richesses chez nous, c'estoit perdre temps, aussi ne s'en mist il pas en peine, & nous traicta en tout assez honnorablement fors un Calice d'argent doré qui nous fust desrobé[41].

---

40. *HdC*, livre IV, chap. II, p. 874-875.
41. *HdC*, livre IV, chap. XIII, p. 996-997. On se souviendra que Champlain soupçonnait les récollets de garder leurs réserves agricoles pour eux : «Pour ce qui estoit des Reverends Pères Jesuites ils n'avoient que de la terre défrichée & ensemencée pour eux & [leurs] serviteur[s] au nombre de douze ne nous en pouvant ayder comme je croy qu'ils eussent fort desiré : le lieu où ils sont habituez est très agreable, estant

Sagard renverse même le grief formulé contre eux par Champlain, qui les taxait d'avarice, en l'adressant aux jésuites par l'entremise de Lewis Kirke, qui tient aux récollets le discours suivant :

> [J]e scay bien quels sont ces gens là, vous les appellez pauves, mais ils sont plus riches que vous & avez tort de prendre leur cause ; j'espere de faire la visite chez eux & d'y trouver de fors bons castors & non chez vous[42].

Le propos rapporté au style direct permet au récollet de hasarder des accusations sans se compromettre. L'*Histoire du Canada* a des relents de règlement de comptes et Sagard a bien le sentiment d'avoir été trahi par les jésuites.

Les substrats textuels

Discours savoureux d'où émerge la voix subjective d'un singulier frère confiant ses aventures en terre américaine, l'*Histoire du Canada* révèle donc les talents d'un conteur, d'un polémiste, mais aussi d'un amant de la nature canadienne. L'engagement du narrateur est manifeste tout au long du récit, mais le « moi » ne correspond pas toujours à la personne de Sagard et il est clair que ce dernier puise par endroits aux souvenirs et aux notes de ses compagnons. Le style personnel

---

sur le bord de la riviere S. Charles. Les Pères Recolets avoient beaucoup plus de terres défrichées & ensemencées & n'estoient que quatre, promettant que s'ils en avoient plus que ne leur faudroit en 4 à 5 arpens de terre ensemencez de plusieurs sortes de grains, légumes, racines & herbes potagères qu'ils nous en donneroient. L'année précédente chacun avoit si bien conservé ce qu'il avoit qu'il s'estoit fait fort peu de liberalitez, sinon à quelques particuliers de ceux qui estoient logez à l'habitation, & celle comme dit est, des Pères Jesuites qui nous assisterent de quelques naveaux [navets] selon leur puissance » (Samuel de Champlain, *Voyages*, dans *Œuvres de Champlain*, Charles-Honoré Laverdière (dir.), Québec, s. n. [Georges-Édouard Desbarats], 1870, t. V, livre III, chap. II, p. 235-236).
42. *HdC*, livre IV, chap. XII, p. 993.

correspond à un choix délibéré. Sagard rejette ouvertement « la maniere de certaines personnes, lesquelles descrivans leurs histoires, ne disent ordinairement que les choses principales, & les enrichissent encore tellement, que quand on en vient à l'experience, on n'y voit plus la face de l'Autheur[43] ». Le récollet, à l'encontre de ces historiographes, livre toutes ses observations avec « naifveté & simplicité[44] », sans faire de tri préalable.

En raison de la modestie obligatoire du franciscain strictement réformé, il n'est pas étonnant que Sagard ne se mette pas en avant en tant qu'auteur et fasse part de ses hésitations liées à la rédaction d'un ouvrage aussi important auquel ont sans doute collaboré plusieurs de ses frères. Apprenti historien, Gabriel Sagard rédige la chronique des missions en Nouvelle-France selon un moule hérité de l'ordre séraphique de saint François et en reprenant diverses sources franciscaines, ou du moins apparentées, voire favorables à cet ordre. Songeons en premier lieu aux historiens de la Nouvelle-Espagne fréquemment cités, mais aussi au best-seller qu'est l'*Histoire du grand royaume de la Chine* du capucin Juan Gonzalez de Mendoza qu'il dit avoir lue[45]. Outre les écrits profanes sur son ordre, il évoque encore *Les inventions de l'amour divin*, traité du récollet Bartolommeo Cambi da Saluzzo ou Barthelemy Solutisve, publié chez Denis

---

43. *HdC*, livre II, chap. VIII, p. 204.

44. *Ibid.*

45. « J'ay leu autrefois l'histoire de la Chine, où j'ay remarqué qu'entre leurs principales Idoles, ils en ont une qui a trois testes » (*HdC*, livre II, chap. XXXI, p. 504). On reconnaîtra dans ce passage une allusion à une page de Mendoza : « [...] entre les figures des Idoles qu'ils ont, les Chinois disent qu'il y en a une de merveilleuse & estrange facture qu'ils tiennent en tres-grande reverence. Ils la depeindent avec un corps, des espaules duquel sortent trois testes se regardant l'une l'autre, qui signifie, ce disent ils, que toutes les trois n'ont qu'un mesme vouloir, & que ce qui plait à l'une plait à l'autre, & au contraire ce qui desplait à l'une desplait aussi aux deux autres. Cecy estant interpreté Chrestiennement se peut entendre du mystere de la Tressainte Trinité, que nous autres Chrestiens adorons & confessons par foy [...] » (Juan Gonzalez de Mendoza, *Histoire du grand royaume de la Chine, situé aux Indes orientales*, trad. Luc de la Porte, Paris, Jérémie Perier, 1588, Première partie, livre II, chap. I, « Du grand nombre de Dieux qu'ils adorent, & de quelques signes & peintures qui se trouvent entre eux, lesquels symbolisent en quelque sorte avec les choses de nostre Religion Chrestienne », p. 19 v°).

Moreau en 1619 : « Sans Oraison la vie de l'homme est miserable, & sa fin malheureuse, disoit le B. Pere Barthelemy Solutive[46] ». Enfin, le projet de Sagard a sans doute été influencé par l'ouvrage du révérend père Charles Rapine, provincial des récollets de Paris et auteur d'une *Histoire generale de l'origine et progrez des freres mineurs de S. François, vulgairement apellés en France, Flandre, Italie, et Espagne, Recollects, reformez ou Deschaux, tant en toutes les Provinces & Royaumes Catholiques, comme dans les Indes Orientales & Occidentales, & autres parties de nouveaux mondes. Divisée en douze Decades d'Années depuis l'an 1486 jusques a l'an 1606,* ouvrage publié à Paris, chez Claude Sonnius, en 1631. Le choix de la maison Sonnius par l'historien du Canada semble d'ailleurs conforter cette filiation.

Se démarquant des écrits jésuites souvent critiqués, la chronique de Sagard est une source incontournable sur les débuts des missions en terre canadienne, mais bien peu d'historiographes, sauf les récollets eux-mêmes, semblent avoir pris son témoignage au sérieux. Un siècle plus tard, le jésuite Charlevoix, pourtant bien au courant de l'œuvre des franciscains, ne soufflera mot de l'*Histoire du Canada*[47]. Pourquoi ce silence, si ce n'est par rancœur contre les récollets, qui menèrent une campagne secrète contre les jésuites dans la bataille de l'évangélisation de la Nouvelle-France ?

Aussi Charlevoix dissimule-t-il mal la satisfaction qu'il éprouve lorsqu'il raconte l'exclusion des frères mineurs en 1632 et prend un malin plaisir à décrier leurs insuccès : « Dans le séjour, que les PP. Recollets avoient fait parmi eux, ils en avoient gagné quelques-uns à Jesus-Christ ; mais ils n'en avoient pu baptiser que très-peu[48]. » Du reste, Charlevoix semble accréditer, dans sa version des événements, la thèse du complot jésuite pour différer l'embarquement des récollets :

46. *HdC*, livre II, chap. XXXII, p. 514.
47. H. Émile Chevalier, *Notice sur F. Gabriel Sagard Théodat et son œuvre, servant d'introduction à la nouvelle édition de* L'Histoire du Canada *par le F. Sagard*, Paris, Tross, 1866, p. vii.
48. François-Xavier de Charlevoix, *Histoire et description generale de la Nouvelle France*, Paris, Pierre-François Giffart, 1744, t. I, livre V, p. 177.

La Compagnie [de Jésus] s'étoit laissé persuader que dans une Colonie naissante, des Religieux Mendians seroient plûtôt à charge, qu'utiles à des Habitans, qui avoient à peine le nécessaire pour vivre; elle ne fut point donc d'avis qu'on y renvoyât, au moins sitôt, les PP. Recollets; & elle trouva le moyen de faire goûter les raisons au Conseil du Roy[49].

Les successeurs de Charlevoix n'ont pas accordé une place beaucoup plus généreuse aux récollets et, en particulier, à l'*Histoire du Canada* de Gabriel Sagard. François-Xavier Garneau en parle comme d'un historien naïf et sans importance. L'abbé Ferland en ignore jusqu'à l'existence. Malgré la portée de ses écrits et leur agrément, Sagard reste jusqu'à maintenant un éternel laissé-pour-compte, le grand oublié de la tradition historiographique canadienne.

Marie-Christine Pioffet est professeur titulaire à l'université York de Toronto. Ses travaux portent principalement sur les textes de la Nouvelle-France et la littérature française du dix-septième siècle. Elle a publié de nombreux articles et ouvrages et dirige actuellement un projet de recherche sur l'historiographie en Nouvelle-France.

49. *Ibid.*, t. I, livre V, p. 178-179.

Louis Hennepin : de découverte en découverte

Catherine Broué

Les hommes ne se lassent jamais de contempler les objets qu'ils ont devant les yeux, parce qu'ils y découvrent toujours mille beautés ravissantes capables de les satisfaire et de les instruire. Ils sont même souvent surpris et comme enchantés des merveilles qu'ils y rencontrent, et c'est par là qu'ils sont fortement engagés à les considérer avec toute l'exactitude possible, dans le dessein de contenter leur curiosité naturelle et de nourrir leur esprit.

Louis Hennepin, *Nouvelle découverte*, 1697[1]

On a dit de lui qu'il était « impétueux et autoritaire », « vaniteux et buté », « menteur », d'un « caractère vindicatif », « fieffé hâbleur », « imposteur public », « écrivain versatile », « rusé » et aussi « habile », « candide et héroïque », « un personnage curieux », doté d'une « inquiétante et mystérieuse personnalité », « attachant », « intelligent », « courageux », « persécuté », « doué d'une volonté énergique »… Louis Hennepin, écrit le père Ceyssens à l'historien Armand Louant, « est une espèce de fou, mais de fou génial […]. Il ne suffit pas d'être simplement fou pour réaliser une carrière aussi imposante ! Qui a retenu à tel point l'attention des historiens de divers pays[2] ? »

1. Les citations de Louis Hennepin sont tirées de l'édition modernisée de la *Nouvelle découverte d'un très grand pays* parue sous le titre de *Par-delà le Mississippi* (Toulouse, Anacharsis, 2012). .

2. L. Ceyssens, lettre à Louant, 9 septembre 1980. Papiers Louant, carton 2. Archives municipales d'Ath.

Fou, ce missionnaire apostolique récollet (1640?-1705?) ne l'est certainement pas[3]. Mais qu'a-t-il donc fait pour s'attirer depuis plus de trois siècles à la fois la vindicte la plus acerbe et les sympathies les plus enthousiastes? Il a écrit des livres! On connaît de lui jusqu'à présent quatre publications, dont trois récits rapportant les entreprises d'exploration de Cavelier de La Salle dans la région du Mississippi et au-delà, explorations auxquelles il a lui-même pris part de 1678 à 1681, et un factum anti-janséniste. Ses trois récits de voyage, *Description de la Louisiane [...]* (1683), dédié au roi de France Louis XIV, *Nouvelle découverte [...]* (1697), dédié au roi de Grande-Bretagne Guillaume III d'Orange, et *Nouveau Voyage [...]* (1698), dédié encore à Guillaume III, en ont fait l'écrivain le plus lu en son temps et une source historique très controversée, Hennepin ayant prétendu, dans son ouvrage de 1697, avoir descendu le Mississippi deux ans avant La Salle.

Certes, le père Hennepin a une façon toute personnelle de raconter les faits : il passe sous silence ce qui le dérange (notamment la présence de ses confrères jésuites dans les missions de la région des Grands Lacs), voire invente quand la vérité n'est pas bonne à dire (il se serait approprié le récit de la découverte de l'embouchure du Mississippi par Cavelier de La Salle pour masquer un voyage plus gênant sur un affluent ouest du Mississippi). Il ne fait pas semblant d'être modeste et parle volontiers au «je». Généreux, il ajoute à ses récits nombre de détails que d'autres auraient jugé superflus et inintéressants pour l'Histoire avec un grand H. L'ampleur du travail de réécriture dont témoignent ses textes conduit inévitablement son lecteur à se demander où se situe la marge entre la vérité et le mensonge, la révélation et l'occultation, l'héroïsme et la rouerie. Bref, Louis Hennepin est à la fois un témoin des explorations de Cavelier de La Salle en terre d'Amérique, un acteur de premier plan dans ces explorations de 1678 à 1681... et un conteur extraordinaire!

N'entrons donc pas ici dans les débats encore en cours sur la paternité de son œuvre, la véracité de certains passages de ses récits, les raisons qui l'ont poussé à revendiquer la découverte

---

3. Pour A. Louant, Louis Hennepin serait plutôt né en 1626, mais cette date pose des difficultés qu'il serait trop long de discuter ici

de l'embouchure du Mississippi ou les différentes personnalités qui lui ont été attribuées depuis trois siècles : il faudrait un livre ! Contentons-nous de relire cette œuvre en nous attardant justement à certains des détails qui en font une source d'étonnement, voire d'émerveillement.

La découverte d'un territoire immense

Débarqué à Québec en 1675 avec quatre de ses confrères, ce récollet originaire de la région d'Artois remplace d'abord des curés absents, le temps d'un baptême ou d'une messe, dans diverses paroisses de la rive nord du Saint-Laurent, entre Québec et Montréal. À partir de 1676, il exerce les fonctions de chapelain au fort Frontenac (à l'emplacement de la ville actuelle de Kingston) aux côtés de Luc Buisset. À l'automne 1678, il part avec le premier groupe de travailleurs et d'artisans dépêché par Cavelier de La Salle pour commencer, à l'entrée du lac Érié, la construction d'un entrepôt et d'un navire. Pendant plus de huit mois, il assure seul la conduite spirituelle du groupe constitué d'une vingtaine d'hommes et participe, avec Dominique La Motte de Lucière, à une démarche diplomatique auprès des Tsonnontouans (Senecas), au village desquels les deux hommes se rendent en plein hiver, parcourant raquettes aux pieds environ 70 lieues (240 km) aller-retour. Le navire le *Griffon* enfin terminé, La Salle, de nouveaux engagés et deux autres récollets se joignent à eux pour traverser les Grands Lacs jusqu'à Michilimakinac, d'où le *Griffon* repart vers la rivière Niagara chargé de fourrures, pendant que le gros de l'équipe prend en canot la direction du fond du lac Michigan. À la fin de 1679, tout le groupe se trouve rassemblé sur la rivière Illinois où l'explorateur fait entreprendre la construction d'un second navire et d'un établissement fortifié baptisé Crèvecœur (près de l'actuelle Peoria). C'est de ce fort qu'à la demande de La Salle, le soir du 29 février 1680, Louis Hennepin part à nouveau pour accompagner deux engagés, Antoine Auguelle et Michel Accault, dans un mystérieux périple en canot d'écorce vers le Mississippi, pour visiter « des nations inconnues dont on n'[avait] jamais ouï parlé ». Au bord du grand fleuve, le 11 avril 1680, leur canot est intercepté par une armée de guerriers sioux qui, mécontents de trouver des Français sur le territoire d'un groupe miami avec lequel ils étaient en conflit, décident d'amener ces hommes dans leur pays, au-delà de la ville actuelle de Minneapolis. Cette rencontre imprévue met un terme à la participation du récollet à l'entreprise de La Salle : après un séjour de quelques mois parmi les Sioux Issatis (Santees), il retourne à Michilimakinac en compagnie des deux autres canoteurs et de Daniel Greysolon Duluth et ses hommes rencontrés au pays des Sioux. Il en repart pour Québec au printemps de 1681. En tout, depuis 1678, il aura accompli un périple de plus de six mille km à pied ou en canot. Dans la petite colonie, raconte-t-il, on l'accueille comme un « ressuscité »! Mais il ne reste pas en Nouvelle-France : dès la fin de 1681, il fait voile vers la France où il rédigera un rapport au roi qui constituera la première relation publiée de son voyage.

La découverte d'un environnement nouveau

Rappelons que, dans les années 1670-1680, l'exploitation agricole des terres qui caractérise l'occupation territoriale euro-péenne sur les rives du Saint-Laurent ne s'étend guère au-delà de Montréal. À l'ouest, dans la région des Grands Lacs, l'espace est très diversifié, majoritairement boisé : forêts de haute futaie, prairies, marécages abritent une faune et une flore abondantes dont plusieurs espèces sont inconnues en Europe. Ces grands espaces constituent, aux yeux des voyageurs, un environnement « sauvage » un peu inquiétant, et la survie de la troupe de Cavelier de La Salle dépend pour une bonne part des chasseurs et guides autochtones habiles à trouver les portages, à identifier des traces, à débusquer le gibier, mais aussi des populations locales presque toujours disposées à aider les voyageurs :

> Nous portions nos couvertures avec notre petit équipage et nous passions souvent les nuits à la belle étoile. Nous n'avions avec nous que quelques petits sacs de blé d'Inde rôti. Mais nous trouvâmes en faisant notre voyage des Iroquois qui étaient à la chasse et qui nous donnèrent du chevreuil avec quinze ou seize écureuils noirs, qui sont très bons à manger.

Pour certains engagés nouvellement arrivés de France, artisans ou hommes à tout faire, tout ce qui fait le quotidien du coureur des bois ou de l'Amérindien est nouveau et demande acclimatation. La navigation en canot, par exemple, est indispensable, « parce qu'il n'y a point de chemins praticables dans ce pays-là », explique Hennepin, et qu'il faut « donc y aller par eau et se servir pour cela de ces petits bateaux ronds ».

En regard de la simplicité de ce moyen de transport inconnu en Europe, la quantité de matériel transporté, énuméré au compte-gouttes au hasard des péripéties des voyages, frise la démesure : armes (fusils, pistolets, sabres, couteaux), outils (forge, haches, pelles, pioches, scies de diverses sortes, marmites…) et agrès (toile pour fabriquer des voiles, ancres, cordages, clous, etc.) doivent servir à la construction d'un navire et d'un ou de plusieurs forts… À ces objets s'ajoutent les provisions de bouche (farine de maïs, vin, eau-de-vie), mais également le matériel liturgique des trois récollets (dotés chacun d'une « chapelle portative », comprenant tous les instruments et accessoires nécessaires à la messe ou aux cérémonies du baptême (nappe d'autel, vêtements sacerdotaux, ostensoir, calice, bréviaire, etc.), les médicaments ou substances considérées comme tels (orviétan, confection d'hyacinthe, thériaque), les graines potagères (choux, pourpier, et « autres légumes ») que Louis Hennepin s'empressera de semer au pays des Sioux… Sans compter, bien sûr, les marchandises de traite et les chiens qui sont du voyage ! Bref, le lecteur n'a pas de peine à imaginer l'insécurité des voyageurs dans ces embarcations légères si lourdement chargées :

> Les quatre canots d'écorce étaient chargés d'une forge avec toutes ses fournitures, de charpentiers, de menuisiers et de scieurs de long, avec des armes et des marchandises.

D'un cours d'eau à un autre, ou quand une chute ou des rapides obligent les voyageurs à mettre pied à terre, les portages sont nécessaires. Hennepin souligne bien la difficulté que ces portages représentent, surtout quand le chemin est accidenté, comme c'est le cas aux abords des chutes du Niagara :

> Notre monde fit plusieurs voyages pour porter les munitions de guerre et de bouche, et les autres agrès du navire. Ce voyage fut assez pénible parce qu'il y a deux grandes lieues de chemin à faire à chaque fois. Il fallut quatre hommes pour porter la plus grosse de nos ancres. Mais on leur donna de l'eau-de-vie pour les encourager […].

Le canot n'est pas le seul objet de fabrication autochtone à être utilisé par les voyageurs. Hennepin signale que l'usage des raquettes est de mise quand l'accumulation de neige rend les déplacements difficiles. Habitué, en Europe, à voyager pieds nus ou chaussé de sandales suivant la règle de son ordre, le récollet prend la peine d'expliquer comment il se fait que, chaussés de souliers de peaux, les voyageurs ne souffrent pas du froid :

> Je portais sur moi une petite chapelle et je marchais avec de larges raquettes, sans quoi je serais souvent tombé dans des précipices affreux où je me serais perdu. […] Nous enlevions jusqu'à quatre pieds de neige pour faire du feu sur le soir après avoir marché pendant dix ou douze lieues tous les jours. Nous avions des souliers à la mode des Sauvages, lesquels étaient bientôt pénétrés de cette neige qui se fondait en touchant nos pieds, échauffés du mouvement que nous faisions en marchant.

À mesure que la troupe s'enfonce toujours plus avant dans l'inconnu, le lecteur découvre que certains engagés de La Salle manient déjà habilement certaines techniques autochtones. La fabrication de caveaux ou « caches », notamment, qui servent traditionnellement à entreposer les réserves de maïs, n'est pas inconnue des voyageurs, qui, pour leur part, les utilisent pour dissimuler des marchandises de traite dont ils n'ont pas besoin dans l'immédiat, afin de les récupérer à leur retour :

> Nous trouvâmes en descendant le fleuve un endroit entre deux élévations de terre qui avait à l'est un petit bois. Nous avions une bêche et une pioche dont nous nous servîmes à faire une cave. Nous y serrâmes toutes les marchandises de nos hommes, nous réservant seulement les plus nécessaires et ce qui était propre à faire des présents. Après quoi nous mîmes des pièces

de bois sur cette petite cave que nous couvrîmes de gazons de telle manière qu'on n'en pouvait rien remarquer. Nous ramassâmes toute la terre que nous en avions tirée et nous la jetâmes dans la rivière.

Ces détails presque anodins rendent compte de l'importance de l'objet en tant que porteur et moteur du mode de vie européen, et d'une adaptation des nouveaux «Canadiens» aux conditions de la vie en forêt, adaptation qui passe par l'appropriation de nombreux objets, usages et techniques autochtones. Le lecteur européen du dix-septième siècle, de son côté, découvre dans ces récits une nouvelle manière de vivre et peut sans doute s'imaginer qu'il pourrait survivre dans ces grands bois maintenant qu'il sait s'y prendre! Mais la surprise la plus grande vient de la découverte d'un mode de pensée qui n'a rien à envier aux prouesses rhétoriques des philosophes les plus aguerris.

La découverte de l'autre

Dans les *Relations* écrites par les pères jésuites et publiées annuellement de 1632 à 1672 pour rendre compte, en Europe, des progrès de leur travail d'évangélisation des peuples autochtones, les passages sont nombreux où ces missionnaires s'émerveillent devant le bon sens et l'habileté rhétorique autochtones. Cherchant à édifier leurs lecteurs européens, ces *Relations* sont toutefois souvent écrites de façon telle que le dernier mot est laissé au missionnaire, même lorsque, sur le terrain, celui-ci n'a pas réussi à convaincre son interlocuteur de la supériorité de son mode de pensée. La posture de Louis Hennepin est radicalement différente à cet égard : loin de l'optimisme jésuite, le récollet souligne que la difficulté d'apprendre les langues amérindiennes et la profonde «indifférence» des peuples américains à l'égard des vérités de l'Évangile rendent plutôt vain le travail apostolique. Ce pessimisme se traduit par des dialogues où l'Amérindien a parfois le dernier mot et paraît s'amuser de son interlocuteur démuni devant tant de bon sens :

> Les chefs de ces barbares, voyant mon inclination à apprendre leur langue, me disaient souvent, *Vatchison égagahé*, c'est-à-dire « Esprit, tu prends bien de la peine. Mets du noir sur le blanc. » Par ce moyen, ils me faisaient souvent écrire. Ils me nommaient un jour toutes les parties du corps humain. Mais je ne voulus point coucher sur le papier certains termes honteux dont ces peuples ne font point de scrupule de se servir à toute heure. Ils me réitéraient souvent le mot d'*égagahé* pour me dire « Esprit, mets donc aussi ce mot comme les autres ».

L'écriture de cet épisode laisse entrevoir que sur cette question, Louis Hennepin n'est pas loin de donner raison aux Sioux qui trouvent saugrenus les tabous langagiers du missionnaire, d'autant plus que, deux pages plus loin, il obtempère aux injonctions de ses anciens interlocuteurs en intégrant dans son propre texte, comme si de rien n'était, l'un de ces mots « honteux » que ceux-ci voulaient lui faire écrire :

> Ce nouveau père, voyant que je ne pouvais me lever de terre que par le moyen de deux personnes, fit faire une étuve dans laquelle il me fit entrer tout nu avec quatre Sauvages, qui avant que de commencer à suer se lièrent le prépuce avec des liens faits d'écorce de bois blanc. Il fit couvrir cette étuve avec des peaux de taureaux sauvages, et y fit poser des cailloux et des morceaux de rochers tout rouges, après quoi il me fit signe de retenir mon haleine de fois à autre, ce que je fis comme les Sauvages qui étaient avec moi. Du reste, je me contentai de me couvrir d'un mouchoir.

Le baron de Lahontan systématisera ce procédé dans ses *Dialogues avec un Sauvage* quelques années plus tard en prêtant à son « Huron » Adario des raisonnements où la relativité des points de vue prend le dessus sur la suprématie de la pensée unique et où la liberté de penser triomphe des idées convenues. Chez Hennepin toutefois, la tolérance et l'ouverture d'esprit prêtées aux Amérindiens ne semblent pas perçues comme une bonne chose, et le missionnaire, en homme de son temps, se fait surtout l'avocat d'une colonisation à grande échelle devant passer par la soumission des cinq nations iroquoises. La traite des fourrures, de l'eau-de-vie et des âmes, la recherche de richesses mythiques (celles de la Chine ou de l'ancien royaume inca) ou minières, la volonté d'asseoir en sol américain une colonie permettant au roi de France de rester concurrentiel sur l'échiquier colonial et commercial européen fondent en effet les principaux motifs de l'expansion territoriale, toujours plus loin vers l'Ouest, de la Nouvelle-France, dont Louis Hennepin constitue alors l'un des acteurs les plus entreprenants et l'un des promoteurs les plus convaincants.

La découverte d'un auteur

Surprenant, Louis Hennepin l'est assurément. Plus encore que son périple de près de trois ans dans les vastes territoires autochtones, son obstination à raconter « sa » vérité, sa combativité devant l'adversité et son talent d'écrivain ont fait de lui un auteur majeur de la Nouvelle-France. Ses récits de voyage ont eu une influence déterminante sur la géopolitique des grandes puissances européennes et sur l'évolution de la pensée et de la littérature occidentales.

Mémoire historique, roman d'aventure, autobiographie, manifeste, ouvrage polémique… : l'œuvre de Louis Hennepin est tout cela à la fois. Au fil des siècles, elle a intrigué, surpris, indigné ou enthousiasmé… mais résisté à toute tentative de catégorisation tranchée !

Malheureusement, le lecteur d'aujourd'hui fait encore les frais de l'opprobre jeté pendant près de trois siècles sur cette œuvre — et des lenteurs de la recherche ! —, puisque des quatre ouvrages publiés sous le nom d'Hennepin, seule la *Nouvelle découverte* a jusqu'ici fait l'objet d'une édition récente sous le titre de *Par-delà le Mississippi*.

Catherine Broué enseigne à l'université du Québec à Rimouski. En collaboration avec Mylène Tremblay, elle prépare l'édition critique des œuvres complètes de Louis Hennepin, et l'édition modernisée de plusieurs autres récits entourant l'exploration de la Louisiane par Cavelier de La Salle.

Le bon sauvage du baron de Lahontan

France Boisvert

Louis-Armand de Lom d'Arce naît un 9 juin 1666 à Lahontan, dans le Béarn. Son père, Isaac de Lom d'Arce, est ingénieur dans les armées du roi. Sa mère, Françoise Le Fascheux de Couttes, est apparentée aux Bragelonne de Paris dont un membre, Claude, avait été l'un des Cent-Associés[1] de la compagnie du même nom qui participe à la relance de la Nouvelle-France sous Richelieu. Jean Talon (qui devient trois mois plus tard intendant en Nouvelle-France) est présent lors de la signature du contrat de ce mariage. La même année (1664), nommé réformateur des eaux et des forêts de Béarn et conseiller au parlement de Pau, Lom d'Arce laisse Paris pour s'établir près de cette ville, dans la baronnie de Lahontan qu'il vient d'acquérir et qui constitue une partie des anciennes terres de Montaigne. Il y passe les dix dernières années de sa vie, tâchant de vivre des privilèges que lui confère sa condition de noble, dont celui de s'endetter. Le drame financier dans lequel sa veuve est impliquée déclenche une suite interminable de procès et, dépossédée, la petite famille retourne vivre à Paris. On ne sait trop quelle éducation reçoit le jeune Louis-Armand. En 1683, à dix-sept ans, à La Rochelle, il s'embarque le 29 août pour le Canada et il y accoste en novembre, probablement à titre de « volontaire ».

---

1. Cette précision est redevable à David M. Hayne qui a rédigé l'article « Lom d'Arce de Lahontan », *Dictionnaire biographique du Canada*, t. II, Québec et Toronto, Presses de l'université Laval et University of Toronto Press, 1969, p. 458.

Argument vol. 16, n° 2, 2014

Selon les archives de la marine, Lahontan monte en grade en 1687 quand il est nommé lieutenant réformé; en 1691, il est capitaine réformé. En mars 1693, Lahontan est nommé garde-marine pour devenir capitaine et lieutenant du roi à Plaisance et Isle de Terreneuve, sous le commandement du gouverneur Brouillan. Hélas, les deux hommes se brouillent. Le gouverneur adresse deux lettres au ministre de la Marine Pontchartrain pour se plaindre de l'insubordination, l'irresponsabilité et les désordres divers de son lieutenant. Pris au piège, Lahontan se sauve sur les côtes du Portugal en invoquant les mythologiques déités du désastre, Charybde et Scylla. Nous sommes déjà en décembre 1693 et son voyage en Amérique se termine dans l'opprobre et l'exil.

Les *Nouveaux voyages de Mr. Le Baron de Lahontan dans l'Amérique septentrionale*, suivi des *Mémoires de l'Amérique septentrionale* et du *Supplément aux voyages du Baron de Lahontan, où l'on trouve des dialogues curieux entre l'Auteur et un Sauvage de bon sens qui a voyagé*, sont publiés en 1703 et 1704 à La Haye, chez les frères L'Honoré. Cette œuvre se révèle aussi singulière — la littérature de voyage étant à l'époque une pratique très peu codifiée — que son auteur, dont on sait aujourd'hui qu'il pratiqua le métier d'espion pour deux sinon trois cours d'Europe, entre 1693 et 1715 (année officielle de sa mort). Dès lors, un autre problème s'ajoute à l'absence de balises génériques : il s'agit d'évaluer la véracité de l'œuvre.

Tous les commentateurs de Lahontan ont tâché de discerner le vrai du faux dans ses récits de voyage. Si la plupart condamnent les écarts de l'aventurier, les invraisemblances, sinon les mensonges, il en reste une minorité attachée à prouver la véracité des assertions de l'auteur afin de rétablir sa réputation. Il s'agit là d'un faux débat résultant d'une incompréhension du genre qu'est la relation de voyage. Lahontan eut le talent de se fabriquer un personnage pour mieux vendre son œuvre et ses services d'informateur. Il semble que cette aura ait joué en sa faveur dans la réception critique de l'époque. Le succès, attesté par les nombreuses rééditions et traductions, vint en effet couronner cette publication. Il convient alors de replacer ce succès dans le milieu éditorial tel qu'il fonctionne au tournant du dix-huitième siècle. La découverte d'un monde de lettrés français protestants exilés en Hollande, bannis d'une France « toute catholique » (après la révocation de l'édit de Nantes de 1685) permet de mesurer l'ampleur du Refuge huguenot en Hollande et l'importance de son activité dans l'industrie du livre et de l'édition, notamment à La Haye et Amsterdam, vraies *bibliopolis*. Avec insistance, la question de l'influence huguenote chez Lahontan se pose.

Banni lui aussi de son pays pour des raisons d'insubordination alors qu'il était lieutenant du roi, Lahontan est passé à « l'ennemi » (soit en pays protestants), où il réussit à s'installer auprès de puissants personnages (il côtoie même Leibniz à l'occasion). L'œuvre porte donc assez naturellement l'empreinte de sa migration, entre autres celle d'un journalisme imprégné de controverses religieuses et autres polémiques politiques. Ces lettrés huguenots réfugiés en Hollande gravitaient autour du lexicographe érudit Pierre Bayle, esprit exceptionnel, auteur des *Pensées diverses sur la Comète* (1680) et du *Dictionnaire historique et critique* (1695-1697). À l'époque, il régnait dans ce pays un esprit d'ouverture extraordinaire et ce sont ces protestants qui firent connaître l'œuvre de Lahontan après l'avoir publiée, vendue et piratée.

Cette prise en considération de l'influence du Refuge protestant dans l'œuvre de Lahontan s'appuie sur deux faits : cette œuvre est la seule relation de voyage en Amérique qu'ait recensée Basnage de Beauval (le continuateur de Pierre Bayle) dans son important mensuel *Histoire des ouvrages des Sçavants*; de plus, bien accueillie par les journalistes protestants, elle souleva l'ire des catholiques en France, et cela pendant plus de trois cents ans… signe indéniable de quelque désapprobation quant au discours de l'auteur.

Quand on traite de Lahontan, il est également essentiel de s'interroger sur la poétique de la relation de voyage en général[2], et entre autres d'identifier à quel moment l'histoire s'était « disciplinée » (par l'adjonction d'un corps de méthodes) pour se distinguer des voies de l'invention (propres à la littérature). On peut situer ce moment vers la fin du dix-septième siècle,

---

2. En cela, je suis redevable aux travaux de Maurice Roelens, Frank Lestringant, Jacques Solé, Michèle Duchet, François Laplanche, Réal Ouellet et Dominique Deslandres.

au moment où triomphaient les controverses autour de la Bible et où étaient publiées certaines utopies. Lahontan a conçu son œuvre alors que les frontières génériques, loin d'être étanches, se voyaient encore franchies avec une facilité déconcertante, d'où l'idée, chez certains auteurs, que le « brouillage des codes » était à cette époque une caractéristique de la littérature de voyage. Quelques chercheurs ont ainsi établi des liens entre récits de voyage, œuvres de controverse et ouvrages d'histoire. La controverse étant à la fois partie liée et liante, les historiens de l'époque s'obligèrent à prendre leur distance par rapport au passé et à questionner ce qui jusque-là faisait autorité dans la cueillette et l'ordonnancement des faits. L'écriture de l'histoire se vit ainsi remodelée non seulement par la prescription d'un style nu (sans ornementation), mais surtout par la prescription de règles que le bénédictin Jean Mabillon institua lors de la publication de son ouvrage traitant de diplomatique (*De Re Diplomatica*, 1681).

Si l'évocation du Nouveau Monde devint, dans l'utopie, construction imaginaire d'un monde nouveau, le récit de voyage foisonnait de signes attestant la lente constitution du sujet par la voie de sa propre historicisation. En effet, le relationnaire parle de l'inconnu, voire du méconnu en cherchant à s'élever au-dessus des conflits déchirant son époque, tout en y puisant aussi son inspiration. Chez Lahontan, le louvoiement entre les factions est tel qu'il s'avère difficile d'identifier le parti pris de l'auteur, qui emprunte tant aux catholiques qu'aux protestants, pour enfin générer une forme de pensée laïque par l'absurde, l'ironie ou la confusion! C'est d'ailleurs sur cette ambiguïté que joue et se joue toute l'œuvre de Lahontan.

Les aventuriers qui écrivent leur voyage obéissent à quelques lieux communs dont le premier est de prétendre à la vérité; le deuxième, de se vanter de ne pas être écrivain de métier; et le troisième, comme de raison, d'avoir découvert quelque chose d'inédit, de nouveau, et, nécessairement, de fameux. Lahontan fit tout cela et mieux encore. Pour accroître sa crédibilité, l'aventurier exploita à fond un procédé : l'emprunt.

Fils déchu d'un noble ruiné, Lahontan emprunta des mots aux Amérindiens et des bribes aux grands auteurs (il cite notamment Homère, Virgile, l'Arioste et l'Évangile). De fait, ses citations révèlent son ignorance des Anciens, et la répétition des mêmes citations, une mince culture littéraire. Mais l'originalité de l'aventurier reste l'adjonction à son œuvre d'un singulier réseau de renvois, structure probablement empruntée aux dictionnaires d'Antoine Furetière ou de Pierre Bayle. Car Lahontan empruntait aussi les formes littéraires savantes aux érudits. Le voyageur donne ainsi l'illusion du caractère savant dans son œuvre, qui ne l'est pas, puisqu'il ne renvoie toujours qu'à lui-même, de lettre en lettre, de mémoire en dialogue, sans jamais s'appuyer sur quelque autre source extérieure! Mais Lahontan ne s'arrête pas là : il va jusqu'à emprunter des actes héroïques aux autres soldats pour mieux se les attribuer. Ce système d'emprunts lui permet d'organiser ses mensonges en les fondant cette fois sur des faits! Occupé à restaurer sa propre image par la publication de son œuvre, le soldat banni de France réintègre ainsi sa caste de baron.

Les *Mémoires* constituent un exemple frappant d'une telle *protéité*[3] générique. Dans ce deuxième tome, Lahontan couche ses mémoires personnelles en ayant recours à la forme encyclopédique, ce qui donne un ton sérieux à son propos, tant et si bien qu'on a l'impression de lire un rapport de synthèse (un mémoire). L'intérêt de ces mémoires réside dans l'appréciation des diverses postures de l'auteur : Européen chez les Indiens, Français chez les Canadiens, libre penseur chez les catholiques, métropolitain en colonie, spectateur neutre ou héros agissant, Lahontan s'improvise même conseiller du roi!

Par ce travail périphérique, Lahontan dépeint un Nouveau Monde transformé par la narration de son voyage, assimilant l'écriture à quelque processus de transfiguration et de libération des puissances civilisatrices. Révélant une pensée neuve en ce qu'elle paraît *ensauvagée*, Lahontan arrive à falsifier sa propre mémoire au profit des attentes de ses lecteurs européens.

Là comme ailleurs, l'esprit de controverse est à l'œuvre. C'est dans la construction du personnage du sauvage que

---

3. Chez Lahontan, il y a entrelacement, juxtaposition, amalgame, parodie et altération génériques. Ne pouvant parler de « salade », nous proposons le terme *protéité*, en italique, afin de distinguer ce type d'œuvres et ainsi marquer le caractère distinct du terme « hybridité » surtout associé à la littérature postmoderne.

Lahontan exprime une forme de déisme fait d'éléments catholiques et protestants qui, amalgamés les uns aux autres, détournés puis altérés, produisent ironiquement une pensée plus ou moins libertine qui, somme toute, a peu de choses à voir avec les Amérindiens réels de l'époque.

Bien que la plupart des commentateurs reconnaissent que les *Dialogues avec un Sauvage* sont des conversations fabriquées, paradoxalement, ils aiment en attester le caractère d'authenticité! Mettant en scène le Huron Adario et le Français Lahontan, ces dialogues font triompher le sauvage sur l'Européen, l'homme naturel et raisonnable sur le chrétien superstitieux, surtout l'homme libre et souverain sur le sous-homme aliéné par un corps de lois. Il s'agit là d'une véritable somme des enjeux religieux de l'époque, car on y dénonce le relâchement moral des jésuites, les pouvoirs abusifs du pape, l'existence du purgatoire, le trafic des indulgences, ainsi que la croyance au diable, à la magie et aux sorciers, etc.

À l'époque, la scène littéraire est le théâtre de multiples disputes. Après la promulgation de l'édit de Nantes (1598) il y a celles entre protestants et catholiques que viendront grossir celles entre jésuites et jansénistes. De part et d'autre, on développe des techniques de controverse qui feront école tant chez les jésuites (auteurs de catéchismes dialogués et manuels de conversion) que chez les protestants (auteurs évoluant dans toutes les formes dialoguées dont la raillerie et l'ironie constituent les traits récurrents). Cette pratique de la controverse a aussi existé en Nouvelle-France. Indissociable de la francisation, la christianisation s'adressait d'abord aux chefs amérindiens afin de faciliter la transmission du message évangélique aux autres membres du clan. Il s'agissait d'un procédé d'humanisation de la part des jésuites qui cherchaient à faire des sauvages de nouveaux sujets du roi. Or, s'ils acceptaient de converser avec les missionnaires, les Indiens oubliaient vitement les leçons apprises une fois retournés à la forêt. Néanmoins, l'existence de la controverse en Amérique rend encore plus vraisemblables les entretiens fictifs entre Adario et Lahontan…

Duel verbal, joute oratoire, dialogue d'idées, voilà autant d'expressions désignant la controverse religieuse qui, peu à peu, s'appuie sur le rationalisme naissant. Toutes ces disputes feront de la Hollande le laboratoire d'une pensée libre (voire libérée), menant au déisme, voire à l'athéisme. On constate pourtant que la littérature huguenote et la controverse sont étrangement absentes de la littérature classique et de son histoire, tout se passant comme si seul était pris en compte le versant catholique de la littérature de cette époque. N'est-ce pas pour cette raison que l'on associe par exemple Pierre Bayle aux apôtres de la libre pensée?

Attribuer à la controverse une position centrale permet d'identifier les autres formes dialoguées qui foisonnaient au dix-septième siècle : le dialogue, l'entretien, la conversation, la promenade littéraire, l'épistolaire, etc. Enfin, ce qui distingue formellement la controverse du dialogue d'idées, de l'entretien et du dialogue des morts reste le passage de la polémique savante à sa fiction, car si la controverse appartient à la littérature éristique (engagée), le dialogue d'idées reste une invention.

Les fameux *Dialogues* de Lahontan nourrissent donc cette poétique du voyage, de la dérive et du dérapage générique. Ils témoignent de leur *protéité* en fictionnant la controverse, ce qui a pour effet de la désacraliser et de rendre «vrais» les entretiens entre le bon Huron, Adario, et le Français ensauvagé, Lahontan.

Cela dit, l'intrusion du personnage du sauvage dans la controverse produit un second effet : celui de transformer celle-ci en une parodie de ce qu'elle prétend être. Le personnage d'Adario ressemble au sauvage de Montaigne (qui n'était d'aucun parti ni religion), et à ceux de la tradition protestante (ces sauvages ont la simplicité des paysans et ne comprennent pas les enseignements à propos des sacrements catholiques). Le sauvage de Lahontan constitue une allégorie de quelque réflexion laïque à propos de l'histoire humaine. Et le fait de joindre ce personnage libre à un genre engagé saborde le genre en soi, notamment dans le premier dialogue, véritable salade de controverses de l'Ancien Monde !

Dans le deuxième dialogue, Lahontan combat quelques idées empruntées au *Leviathan* de Hobbes et fait triompher le droit naturel en Amérique, terre de liberté. On sait que Thomas Hobbes associe l'état de guerre à l'état de nature, justifiant alors la mission civilisatrice européenne visant à délivrer les sauvages de l'anarchie. Chez Lahontan, l'originalité consiste à faire coïncider un état de paix à l'état de nature. Il montre qu'en Europe le corps de lois constituant la justice produit paradoxalement l'injustice. Le troisième entretien remet quant à lui en question la servitude volontaire, rejette l'écriture pour préférer les images qui parlent (*hiéroglyphes*) et le serment, cette parole d'honneur. Dans le quatrième entretien, Lahontan et Adario traitent de médecine. Le sauvage y défend le polygénisme, ce qui explique selon lui la santé des Américains et la dégénérescence des Français. Quant au cinquième dialogue, il porte sur le bonheur, cette paix de l'âme en repos, réalisée chez les sauvages, où le désir n'est pas exacerbé par la soif de posséder.

Nicolas Gueudeville, moine défroqué au service de Pierre Bayle, a réécrit ces dialogues de Lahontan, en relevant son style (à force d'ornementations) et, surtout, en précisant les attaques religieuses (anticatholiques) et politiques (antimonarchiques et antihobbesiennes) qui rappellent la pensée du *Discours de la servitude volontaire* d'Étienne de La Boétie. C'est cette réécriture qui, par cette succession d'ajustements, a fait en sorte de présenter le sauvage huron comme figure idéale opposée au Français aliéné, rejoignant en cela toute la tradition littéraire protestante associée à la controverse.

En conclusion, la *protéité* générique signe la littérature de voyage et la controverse religieuse. Si le sauvage de Lahontan, soldat en exil, ouvre le siècle des Lumières en altérant certaines idées du *Leviathan* de Thomas Hobbes, il incarne aussi l'athée vertueux de Pierre Bayle et jette les bases d'un déisme dans une Huronie imaginaire fondée sur le droit naturel. Il s'agit là moins d'une utopie que d'une œuvre de combat retouchée par un ex-moine logeant dans le camp des huguenots exilés. Bref, l'œuvre de Lahontan et le personnage d'Adario inaugurent ce mythe du bon sauvage qui évoluera au dix-huitième siècle dans l'imaginaire des grands écrivains philosophes que furent Voltaire, Diderot et Rousseau.

France Boisvert enseigne la littérature au collège
Lionel-Groulx et anime l'émission Le pays des livres
sur les ondes de Radio Ville-Marie.
Elle a récemment publié Vies parallèles *(Lévesque, 2014).*

Ils ont cartographié l'Amérique[1]

Jean-François Palomino

Aujourd'hui, la Terre n'a pratiquement plus de secrets à cacher à ceux qui en scrutent la surface. Les meilleurs satellites la photographient à une résolution d'environ 10 cm (le rayon d'un ballon de handball). Au Québec, l'ensemble du territoire est cartographié à l'échelle 1 : 20 000, ce qui permet de montrer l'emplacement des chemins, des bâtiments et des cours d'eau les plus discrets. Les internautes peuvent survoler virtuellement le globe, tandis que le GPS permet, en tout temps, de connaître avec précision une localisation géographique quelconque. Aujourd'hui, la société nord-américaine baigne dans cette profusion d'images cartographiques. Évidemment, la situation était tout autre il y a quelques siècles, aux premiers temps de la Nouvelle-France, quand les Français se sont implantés en Amérique et qu'ils y ont rencontré les Amérindiens, sur un vaste territoire qu'ils connaissaient à peine. Pas de GPS, pas de cartes topographiques précises, mais seuls la boussole, parfois l'astrolabe, et surtout l'aide des Amérindiens pour s'y retrouver dans ces vastes étendues inconnues, sans repères pour les Occidentaux, qui pouvaient s'y perdre facilement.

---

1. Le titre de cet article reprend celui d'une exposition présentée à la Grande Bibliothèque, à Montréal, en 2008 dans laquelle plus d'une centaine de cartes et autres objets étaient exposés. Pour en savoir plus sur le sujet du présent article, voir notamment Raymonde Litalien, Jean-François Palomino et Denis Vaugeois, *La mesure d'un continent : atlas historique de l'Amérique du Nord, 1492-1814*, Sillery, Septentrion, 2007.

Quelques-uns d'entre eux ont néanmoins souhaité observer et cartographier le territoire. Comment ont-ils procédé et pour quelles raisons ont-ils cherché à connaître, à maîtriser et à domestiquer cet espace colonial qui s'ouvrait à eux? Si plusieurs de leurs cartes ne nous sont pas parvenues, certaines pièces d'archives ont heureusement été conservées qui nous permettent de plonger dans un monde qui ne nous est pas du tout familier.

Navigation et cartographie

C'est au début du seizième siècle que l'Amérique prend enfin forme dans la conscience et la cartographie européennes, surtout grâce aux pilotes qui frayent le long du continent et rapportent en Europe des renseignements sur les lieux explorés. Tout au long du siècle, le dessin des côtes se raffine. Avec la boussole, les pilotes déterminent l'orientation du navire et calculent des distances entre divers points. Grâce au loch et au sablier, ils évaluent la vitesse du navire. Avec l'arbalestrille et l'astrolabe, ils peuvent mesurer la hauteur des astres, de jour comme de nuit, et ainsi calculer la latitude. Tous ces instruments permettent de pointer sur la carte la position en mer. Toutefois, rares sont ces cartes qui ont voyagé sur mer et qui nous sont parvenues aujourd'hui. On peut très bien imaginer pourquoi, tant les conditions de navigation étaient difficiles. Et tous les pilotes n'en faisaient pas nécessairement usage. Jacques Cartier, par exemple, n'en fait pas mention dans ses récits de voyages. Par contre, des cartographes installés en Normandie ont noté sur des cartes somptueuses le résultat de ses voyages d'exploration, cartes sur lesquelles on aperçoit le fleuve Saint-Laurent parsemé de toponymes français et amérindiens. Quelques années plus tôt (en 1529), Girolamo Verrazano avait laissé une très grande carte manuscrite du monde, fruit des voyages de son frère Giovanni, sur laquelle on peut lire le nom de terres nommées *Nova Gallia,* c'est-à-dire Nouvelle-France, premier baptême pour une colonie qui n'existe alors que sur papier (sur parchemin pour être plus précis).

Un cartographe d'exception : Samuel de Champlain

Cet acte d'appropriation symbolique, par l'entremise de la cartographie, n'aura pas de véritable incidence sur le terrain jusqu'à l'arrivée de Samuel de Champlain au début du siècle suivant. Infatigable, celui-ci sillonne les rives de l'Amérique en faisant grand usage de la cartographie, outil bien utile à la fois pour se déplacer et pour rendre compte des territoires explorés. Navigateur chevronné, Champlain savait évaluer les distances et prendre des mesures de latitude. Explorant le fleuve Saint-Laurent et la péninsule acadienne, il cartographie les caps, les îles, les rivières, les baies et les ports. Mais Champlain ne se limite pas à la description des côtes. Animé, comme Jacques Cartier, par l'espoir de trouver une route vers le Pacifique, il fait construire une habitation à Québec et pénètre le continent, jusqu'au pays des Hurons où il séjourne à l'hiver 1615-1616. Ce voyage d'exploration lui permet d'esquisser l'intérieur du continent, en dessinant ces terres au-delà de l'île de Montréal et des rapides de Lachine, obstacle majeur à la reconnaissance du continent par les Européens. En plus de compiler ses propres observations cartographiques, Champlain incorpore les renseignements que lui fournissent ses alliés amérindiens, utiles pour mieux connaître le territoire à explorer. Il marque aussi l'emplacement des peuples amérindiens rencontrés à l'époque : les Iroquois au sud du lac Champlain, les Montagnais sur la rive sud du Saint-Laurent, les Algonquins sur la rivière des Outaouais, les Etchemins et les Souriquois sur la côte atlantique, les Hurons dans la région des Grands Lacs.

Lorsqu'il retourne en France, Champlain se rend à la cour pour plaider en faveur de ses projets coloniaux. Au jeune roi Louis XIII, il présente divers objets qui témoignent de son passage au Canada : une ceinture en poils de porc-épic, deux petits oiseaux incarnats, une tête de poisson. Il lui montre aussi la carte du pays pour lui permettre de se familiariser avec les terres que ses sujets revendiquent outre-mer. Maillon essentiel dans le processus de médiation entre l'explorateur et le commanditaire, l'objet cartographique présenté au souverain accompagne le récit du voyage, renseigne sur des contrées peu connues, fait partie d'un dispositif rhétorique pour obtenir tous les appuis nécessaires à la poursuite de l'entreprise. Grâce à la gravure et à l'imprimerie, l'œuvre de Champlain se répand à l'extérieur du cercle royal, dans les milieux lettrés, qui découvrent ainsi le Canada et ses habitants. Quelques cartes de Champlain regorgent même d'images, des spécimens de plantes, de fruits, de légumes et d'animaux aquatiques qui laissent entrevoir des richesses insoupçonnées dans ces terres nouvellement explorées.

Missionnaires et commerçants aux confins du territoire

Dans la foulée des projets de colonisation de Champlain, des missionnaires, empreints d'une forte culture scientifique, consignent et diffusent également par écrit leurs observations sur les mœurs et les coutumes des peuples rencontrés. Voyageant dans toutes les directions en quête d'âmes à convertir et de nouveaux savoirs à communiquer, plusieurs missionnaires manient le crayon et le charbon pour cartographier les territoires explorés, malgré les froids intenses et les rayons du soleil parfois insupportables. Les pères Dablon et Allouez, par exemple, dressent une carte du lac Supérieur en n'y mettant « que ce qu'ils ont vu de leurs propres yeux », démontrant à leurs lecteurs qu'ils connaissent bien les endroits fréquentés par leurs ouailles. On peut en deviner toute l'utilité pour planifier la lutte contre le paganisme. Sur le terrain, la cartographie jésuite est fortement redevable aux Amérindiens, qui le connaissent à merveille et ne se perdent que très rarement. Les sources écrites regorgent d'exemples de communication cartographique entre Blancs et Amérindiens[2]. Si les Amérindiens sont les principaux pourvoyeurs de données, les jésuites s'alimentent aussi auprès des voyageurs français qui repoussent les limites des terres connues :

2. Pour en savoir plus, voir « Cartographier la terre des païens : la géographie des missionnaires jésuites en Nouvelle-France au XVIIe siècle », *Revue de Bibliothèque et Archives nationales du Québec*, n° 4, 2012, p. 6-19.

Nicolet, Radisson, Des Groseillers et Jolliet, pour n'en nommer que quelques-uns.

Alors qu'ils préparent leur voyage de découverte vers le Mississippi, le père Marquette et Louis Jolliet interrogent les Amérindiens, tracent d'après eux une carte du pays et y font marquer rivières, peuples et lieux par lesquels ils doivent passer. Grâce à ces informations et à leurs guides amérindiens (de la nation des Miamis), ils parviennent au Mississippi au printemps 1673. Cette découverte géographique est certainement un des moments clés de l'histoire de la Nouvelle-France. Dès lors, de vastes contrées s'ouvrent aux explorateurs et aux commerçants français, tandis que l'image du continent en ressort complètement chamboulée. À son retour du Mississippi, Jolliet cartographie les territoires explorés. Sur une carte dédiée au ministre Colbert, il décrit la région découverte comme un véritable paradis sur terre. Cherchant à obtenir une concession pour s'y installer, il n'hésite pas à rebaptiser les lieux : le pays des Illinois prend le nom de Colbertie, le Mississippi celui de rivière Colbert. Par ce subterfuge, Jolliet cherche tout simplement à s'attirer les grâces du ministre. Mais le dispositif rhétorique mis en place par le cartographe échoue, car Colbert refuse de concéder les territoires demandés. D'autres auront la main plus heureuse. Usant du même stratagème, Cavelier de La Salle invente un nom au territoire qu'il convoite dans le bas Mississippi : la Louisiane, en hommage à Louis XIV. Et l'invention toponymique fait mouche, car La Salle obtient les hommes qu'il souhaite, plus de trois cents en tout, pour aller coloniser le territoire qu'il s'est approprié pour le roi, tandis que le nom se répand comme une traînée de poudre dans les cartes destinées au roi et dessinées pour appuyer les projets de colonisation. L'enjeu est d'obtenir l'attention du ministre et, encore mieux, du monarque. Plusieurs cartes sont ainsi envoyées depuis Québec jusqu'à Versailles, pour intéresser la cour aux affaires du Canada, et faire espérer que des fonds supplémentaires soient envoyés en soutien aux projets jugés prioritaires pour le développement de la colonie et en fonction des intérêts personnels en jeu.

Franquelin et la centralisation
de l'information géographique

Particulièrement talentueux en dessin, Jean-Baptiste-Louis Franquelin est sollicité par les autorités coloniales pour cartographier le fleuve Mississippi. Il faut croire que la hardiesse de sa plume plaît : pendant une vingtaine d'années, il cartographie la Nouvelle-France, au service des gouverneurs et des intendants qui se succèdent à la tête de la colonie. Sur ses immenses cartes envoyées à la cour, on aperçoit les principales routes depuis Québec jusqu'au golfe du Mexique au sud, jusqu'à la baie d'Hudson au nord, jusqu'au pays des Sioux à l'ouest. On y recense également des centaines de noms géographiques différents, des noms surtout amérindiens, que le cartographe a voulu en vain franciser, désespéré qu'il était de leur longueur et de leur usage flottant.

L'œuvre de Franquelin est essentiellement collective. Il n'a pas exploré lui-même l'immense continent. Établi à Québec, il intercepte ceux qui reviennent de l'Ouest et consulte leurs journaux de voyages lorsqu'ils en ont. Outre les commerçants et les militaires français, il interroge les Amérindiens et les prisonniers anglais. Il a pu rencontrer les plus célèbres explorateurs de la Nouvelle-France : non seulement Jolliet, Cavelier de La Salle, d'Iberville, Cadillac, Dulhut et Hennepin, mais certainement d'autres moins connus aussi. Franquelin a pu les interroger en personne, instaurer avec eux un dialogue (plus difficile, voire impossible à établir pour le cartographe européen). Il a ainsi donné une voix aux voyageurs illettrés, il a couché sur papier leurs parcours, leurs lieux de passage. Grâce à sa plume, de nouveaux lacs, de nouvelles rivières, de nouveaux peuples amérindiens ont été portés à la connaissance des Européens.

L'hydrographie du fleuve Saint-Laurent

La navigation sur le fleuve Saint-Laurent est d'une importance capitale pour la colonie. L'essor de celle-ci dépend de cette voie de transit obligée avec la métropole. Mais cette navigation constitue un véritable défi pour les pilotes. Écueils, rochers, courants, brouillards et tempêtes engloutissent plus d'un navire. Très préoccupées par ce problème, les autorités coloniales pressent les hydrographes de perfectionner la cartographie du fleuve.

En 1685, la colonie reçoit la visite du mathématicien Jean Deshayes, recommandé par l'Académie royale des sciences. Fondée en 1666, cette institution s'est donné pour mission de redessiner la carte du monde selon des mesures plus précises tirées d'observations astronomiques. Le Canada n'est pas la première des destinations exotiques de Deshayes. Trois ans plus tôt, il s'est rendu à Gorée, puis en Guadeloupe et en Martinique, avec une équipe de savants français qui s'aventuraient alors vers des terres outre-mer pour y mener leurs expérimentations. Éditeur de livres techniques, il maîtrise les instruments nécessaires aux prises de mesures. C'est donc un candidat de choix qui débarque à Québec pour effectuer les relevés précis du fleuve Saint-Laurent. À l'automne, malgré un état de santé fragile, Deshayes remonte le fleuve jusqu'au lac Ontario, dresse une carte avec une simple boussole. Le 10 décembre de la même année, l'observation approximative d'une éclipse de lune comparée à l'observation de la même éclipse à Paris permet de calculer la longitude de Québec avec une précision inégalée pour l'époque. Durant l'hiver, Deshayes parcourt la côte sud (jusqu'à Rivière-Ouelle) et l'île d'Orléans en raquettes, comptant chacun de ses pas pour calculer la distance parcourue. L'année suivante, équipé d'une barque et d'un canot d'écorce, il cartographie et sonde l'estuaire du Saint-Laurent avec l'aide de quelques matelots. Longeant la côte nord, de Québec jusqu'à Sept-Îles, il met en application ses connaissances en mathématiques et en triangulation pour dessiner le rivage. Il sonde également le fleuve pour en connaître la profondeur, tracer des chenaux et désigner les lieux de mouillage; bref, pendant une période d'au moins cinq mois, Deshayes s'évertue à colliger toutes les données utiles à la navigation sur le fleuve.

Les ingénieurs et la planification urbaine

Outre les cartes de navigation, les archives regorgent de plans urbains, surtout dessinés par des ingénieurs militaires, à qui l'on confiait la fortification et l'aménagement des villes. Une bonne connaissance du terrain était utile pour prendre les meilleures décisions en la matière. Les cartes devaient en rendre compte en faisant usage des codes picturaux appropriés montrant les caractéristiques du territoire ainsi que les principales voies d'accès par où les ennemis anglais et iroquois pouvaient attaquer. Si les autorités locales faisaient les propositions, les décisions finales étaient en général prises à la cour, avec l'aide des documents cartographiques accompagnant la correspondance, notamment des cartes topographiques montrant les chemins, le relief, les terres cultivées et les bâtiments ainsi que, parfois, le nom des habitants. Au dix-huitième siècle, le plus prolifique des ingénieurs fut Gaspard-Joseph Chaussegros de Léry. Dépêché dans la colonie en 1716, celui-ci doit revoir les fortifications à Québec et à Montréal. Pendant près de quarante ans, il dresse un nombre impressionnant de cartes et plans, la plupart du temps pour des projets de construction et de réfection.

Outre des prédispositions pour le dessin et pour l'analyse de données, les cartographes doivent posséder les outils nécessaires à leur pratique : demi-cercle, boussole, montre, pinceaux, couleurs, papier, etc. Afin de produire une œuvre originale, ils doivent eux-mêmes parcourir le territoire, ou s'informer auprès des voyageurs français ou amérindiens qui sillonnent l'empire. Surtout, il leur faut obtenir l'appui des autorités, car en Nouvelle-France la cartographie est intimement liée à l'État. Qu'ils soient géographes, hydrographes, ingénieurs ou militaires, la plupart des cartographes sont nommés et rémunérés par le roi, sur la recommandation des autorités coloniales ; la plupart des cartes sont d'ailleurs destinées au roi ou au ministre de la Marine.

Si l'espace manque ici pour évoquer tous les contextes et cas de figure dans lesquels le savoir cartographique est créé, transmis et consigné, on peut tout de même résumer en rappelant que les cartes sont bien utiles, à l'époque, pour faire état de la progression des découvertes géographiques sur le continent et pour faciliter l'administration coloniale, par exemple pour planifier la colonisation des terres ou la défense des frontières. Même si les cartographes français sont peu nombreux au regard de l'immensité du territoire convoité, ils produisent une œuvre originale qui assure la communication entre l'explorateur, l'administration locale et la cour, faisant de la géographie un art des plus utiles à l'État.

Jean-François Palomino est cartothécaire
à Bibliothèque et Archives nationales du Québec,
où il participe à l'acquisition, à la conservation
et à la mise en valeur des cartes géographiques patrimoniales.

René-Robert Cavelier de La Salle

Raymonde Litalien

L'homme qui a nommé la Louisiane après un parcours parsemé d'innombrables obstacles est l'un des plus controversés de l'histoire de la Nouvelle-France. Haï par plusieurs de ses compagnons au point de périr assassiné, il a aussi soulevé d'immenses enthousiasmes auprès de bailleurs de fonds et de certaines autorités françaises qui lui ont permis de réaliser ses grands voyages pendant lesquels il a su gagner la confiance de la plupart des autochtones rencontrés. Fait pour le moins surprenant, cet explorateur, décédé à quarante-trois ans, a ouvert le territoire français nord-américain depuis les Grands Lacs jusqu'au golfe du Mexique.

En dehors de connaissances sommaires sur l'existence d'une colonie française au Canada et surtout d'un irrépressible goût pour l'évasion hors de sentiers battus, peu de choses avaient préparé René-Robert Cavelier de La Salle à un tel parcours. Il naît le 21 novembre 1643 dans une riche famille bourgeoise, à Rouen, port de la Seine qui accueillait souvent des bateaux chargés de morue de Terre-Neuve à destination de Paris. Ses études secondaires chez les jésuites l'incitent à entrer dans cet ordre en 1660. Le noviciat, au collège de La Flèche, le met en contact avec des religieux missionnaires au Canada avant que lui soit confié un mandat d'enseignant, de 1664 à 1666. Mais rien de tout cela ne l'intéresse vraiment. Ce qu'il veut, c'est « aller chez les Sauvages ». Ses supérieurs opposent un refus très net à ses demandes successives de départ en mission, compte tenu de son instabilité et de son caractère colérique. Alors, le

28 mars 1667, il quitte définitivement la Compagnie de Jésus. Sur les traces d'un oncle membre de la Compagnie des Cent-Associés et de son frère Jean, sulpicien à Montréal, il s'embarque sans tarder pour le Canada à l'été 1667.

Seigneur de Lachine

À Montréal, les sulpiciens lui concèdent gratuitement une seigneurie dans l'ouest de l'île. Il y fonde aussitôt un poste de traite de fourrures. C'est l'origine des actuelles villes de La Salle et de Lachine. Robert Cavelier y fait construire rapidement des maisons en bois mais ne cherche ni à défricher ni à mettre en valeur le territoire de sa seigneurie, trop pressé de partir en voyage d'exploration. Ayant entendu parler de la « Belle Rivière » comme les Indiens désignent alors l'Ohio, il projette de la parcourir avec l'espoir d'être le premier à rejoindre la « mer du Sud » dont on ne connaît pas la localisation exacte. S'il s'agit du golfe de Californie, une voie navigable s'ouvrirait alors vers la Chine, destination ardemment recherchée depuis les tout premiers voyages d'exploration européens en Atlantique.

Pour financer son voyage, dès janvier 1669, La Salle vend sa seigneurie sauf l'habitation et le poste de traite, ce qui lui rapporte une somme non négligeable. Malgré quelques réticences quant aux préparatifs brouillons et au sérieux du projet d'exploration, les sulpiciens lui font suffisamment confiance pour y participer, surtout dans l'intention de fonder de nouvelles missions. Deux d'entre eux, Bréhant de Galinée et Dollier de Casson s'embarquent, au début de juillet 1669, avec les équipages de neuf canots, vers le lac Ontario. Mais les difficultés de la vie en forêt, de la communication avec les Indiens et l'ignorance de la géographie épuisent notre apprenti explorateur qui se trouve en outre accablé de fièvres. Une fois remis sur pied, il renonce à poursuivre son voyage et, le 1er octobre 1669, décide de rentrer à Montréal avec plusieurs de ses compagnons, laissant les sulpiciens poursuivre seuls leur projet missionnaire.

Seigneur de Cataracoui

Cavelier de La Salle ne renonce pas pour autant à ses ambitions. Grâce à la confiance et à la protection du gouverneur Frontenac, il effectue plusieurs autres voyages au lac Ontario. En 1673, la rencontre qu'il y organise entre les Iroquois et le gouverneur à Cataracoui (Kingston) connaît un réel succès, propre à assurer quelques années d'échanges commerciaux paisibles dans cette région très riche en castors, loups et loutres dont les fourrures sont très recherchées. Frontenac le recommande alors chaudement au ministre de la Marine et des Colonies. Lors d'un séjour en France en 1674-1675, La Salle entre ainsi dans les bonnes grâces du ministre Colbert et obtient tout ce qu'il demande : lettres de noblesse, seigneurie de Cataracoui, gouvernement du fort, droit de faire du commerce et de continuer les découvertes. Conséquemment, des prêts et de l'aide de sa famille lui sont largement acquis.

Dès son retour au Canada, La Salle ne tarde pas à entreprendre la construction d'un nouveau fort en pierre, sur le lac Ontario (à Kingston), fort auquel il donne le nom de Frontenac, son bienfaiteur. Ce lieu, qui sert évidemment de poste de traite, est aussi très bien placé comme point de départ d'un éventuel voyage vers le Sud. Deux ans plus tard, en 1677, deux autres seigneuries lui sont concédées, l'une à l'entrée du lac Érié et l'autre à la sortie du lac Michigan. Enfin, lors d'un nouveau voyage en France, il obtient, le 12 mai 1678, rien de moins que l'autorisation de « découvrir la partie ouest de l'Amérique du Nord comprise entre la Nouvelle-France, la Floride et le Mexique ». Que demander de plus quand on a trente-cinq ans, une énergie débordante et des projets illimités ?

Un projet hors de prix

La Salle est l'heureux bénéficiaire d'un mandat d'exploration, mais non du financement nécessaire à sa mise en œuvre. Depuis ses débuts, la colonie de la Nouvelle-France doit subvenir à ses propres besoins, y compris aux explorations jugées nécessaires. Dans ce cas, les frais sont pris en charge par le mandataire de l'expédition, en l'occurrence Cavelier de La Salle, en contrepartie du droit de commercer. Déjà, pour ramener de La Rochelle à Québec un bateau chargé d'une trentaine d'artisans, de matelots, de gentilshommes, de religieux récollets ainsi que d'une importante cargaison, La Salle doit emprunter auprès de nombreux fournisseurs, notamment auprès des membres de sa famille. Malgré les bons résultats du commerce des fourrures, les dettes s'accumulent pendant les trois longues années de préparatifs, de faux départs, de recommencements, de forts incendiés ou repris par les créanciers, de pertes, de vols et de désertions. Dans cette atmosphère délétère, La Salle lui-même subit une tentative d'empoisonnement.

Mais, pendant ces trois années, il parcourt toute la région des Grands Lacs et des rivières environnantes plusieurs fois dans tous les sens. En 1680, une nouvelle route terrestre est ouverte entre le lac Michigan et le lac Érié, au cours d'une incroyable expédition pédestre d'environ deux mille kilomètres, du fort Crèvecœur sur la rivière Illinois, jusqu'au lac Michigan puis jusqu'au lac Érié avant de parvenir au fort Frontenac sur le lac Ontario. Avec cinq de ses compagnons, il fait le « voyage [...] le plus pénible que jamais aucun Français ait entrepris dans l'Amérique [...] dans des bois tellement entrelacés de ronces et d'épines qu'en deux jours et demi, lui et ses gens eurent leurs habits tout déchirés et le visage ensanglanté et découpé de telle sorte qu'ils n'étaient pas reconnaissables ».

Le Griffon est perdu

Parmi les malheurs qui ont freiné les préparatifs de l'expédition, le plus démoralisant est sans doute la perte du *Griffon,* navire de quarante-cinq tonneaux armé de sept canons nommé ainsi en l'honneur des armoiries de Frontenac. Construit à partir du lac Ontario avec certains matériaux pris sur place et d'autres apportés de Montréal, le bateau est lancé le 7 août 1679, navigue vers la baie des Puants (Green Bay) et repart chargé d'une importante cargaison de fourrures et de marchandises diverses destinées à être entreposées à Michilimakinac. Sitôt après avoir levé l'ancre, à la mi-septembre, le *Griffon* subit une tempête et fait naufrage. La Salle, reparti plus tôt vers le sud du lac Michigan, cherche son bateau pendant près d'une année. Il en apprend la perte définitive au retour de son épuisant voyage pédestre vers le fort Frontenac et, par la même occasion, l'alourdissement du poids de ses dettes. (L'épave du *Griffon* a été retrouvée, par des archéologues américains, au début du vingt et unième siècle à Green Bay, non loin de son point de départ.) Bien que ses créanciers ne cessent de le harceler, La Salle entreprend la construction d'un nouveau bateau qui servira surtout au transport des fourrures et autres marchandises dans toute la région des Grands Lacs et, grâce au bénéfice ainsi obtenu, l'explorateur réussira à faire patienter ses créanciers.

Enfin la Louisiane!

Après trois ans de préparation, La Salle part pour de bon du sud du lac Michigan, en décembre 1681. L'expédition est formée de vingt-trois Français dont son fidèle lieutenant Henri de Tonty et dix-huit «sauvages». Les voyageurs reprennent l'itinéraire de rivières, lacs et portages, parcouru dix ans plus tôt, par Louis Jolliet et Jacques Marquette. Mais l'hiver leur impose de nouveaux obstacles. La circulation sur les rivières gelées les oblige à fabriquer des traîneaux pour transporter canots et bagages puis à les traîner sur de longues distances. Le 6 février 1682, ils arrivent au fleuve Mississippi, que La Salle nomme Colbert, en hommage au ministre de la Marine et des Colonies. Une semaine plus tard, les eaux sont libérées des glaces et la navigation peut reprendre. Le 14 mars, ils ont rejoint le village des Arkansas, où les explorateurs précédents avaient fait demi-tour. Enthousiasmés par l'abondance des produits cultivés, par la beauté de la nature et par l'accueil des Indiens Arkansas, ils poursuivent la descente du fleuve, toujours accueillis avec bienveillance par les Taensas, les Natchez et les Coroas. Ces derniers situent leur territoire à une dizaine de jours seulement de la mer. Effectivement, le 6 avril, l'expédition se trouve dans une eau tout à fait salée, devant un triple embranchement de « chenaux bons et profonds ».

Le temps est venu de prendre possession de la Louisiane. Le 9 avril 1682, par 26° de latitude Nord, au confluent de trois bras du Mississippi, sur une petite élévation, on dresse une croix sur laquelle sont fixées les armes du roi de France découpées dans la fonte d'une marmite. Après avoir tiré trois salves de mousqueterie et crié « Vive le Roi ! », La Salle s'avance revêtu d'un manteau écarlate galonné d'or, coiffé d'un grand chapeau, portant son épée au côté. Il lit solennellement la déclaration de propriété « au nom de Sa Majesté et des successeurs de sa couronne, de ce pays de la Lousiane, […] depuis l'embouchure du grand fleuve Saint-Louis du côté de l'est, appelé autrement Ohio […] comme aussi le long du fleuve Colbert ou Mississippi […] jusqu'à son embouchure dans la mer ou golfe du Mexique ». Le document officiel est consigné par le notaire Jacques de la Métairie, dont La Salle avait requis la présence, et contresigné par tous les Français membres de l'expédition.

Jamais peut-être une prise de possession de territoire par des explorateurs en Amérique du Nord ne fut aussi solennelle et cérémonieuse. La Salle avait trop attendu cet événement pour ne pas l'entourer d'un certain faste, s'attribuant ainsi la gloire d'une réussite, aussi bien pour sa satisfaction personnelle que pour l'éblouissement de son entourage immédiat.

Pas question toutefois d'accorder du repos à ses troupes ni de reconstituer ses forces. Dès le lendemain, le 10 avril 1682, La Salle prend le chemin du retour afin d'annoncer le plus tôt possible au gouverneur de la Nouvelle-France qu'un nouveau territoire vient d'entrer sous son autorité. Mais la remontée du fleuve, comme l'on pouvait s'y attendre, est plus laborieuse que la descente, les rencontres avec des Indiens hostiles plus fréquentes et le ravitaillement plutôt rare. Aussi La Salle et plusieurs membres de l'expédition, épuisés, tombent-ils malades. Le groupe se scinde alors afin de permettre aux hommes les plus valides d'avancer plus rapidement. À l'été 1683, l'un des voyageurs, le récollet Zénobe Membré arrive à Québec avec les messages à remettre au gouverneur. C'est le successeur de Frontenac qui l'accueille, le gouverneur La Barre, qui met en doute la réalité des découvertes, et se montre absolument hostile aux entreprises de La Salle car, dit-il, «la tête lui a tourné». Il lui refuse toute aide en armes et munitions, l'accuse de traite illégale et lui retire même la propriété des forts et seigneuries qui lui avaient été concédés par Frontenac.

Une nouvelle expédition avec des colons

La Salle ne se laisse pas abattre et décide d'aller plaider sa cause lui-même auprès de la cour. Fin décembre 1683, on le retrouve chez le ministre de la Marine Seignelay, fils et successeur de Colbert, qui se laisse séduire par le projet d'un retour au Mississippi par mer, en abordant dans le golfe du Mexique. Le ministre rêve probablement, lui aussi, d'une base maritime en Louisiane, d'où pourraient partir des conquérants français vers la Floride et le Mexique, apportant ainsi des richesses incommensurables à la France. La Salle obtient donc du roi, le 10 avril 1684, une commission pour commander dans tout le territoire compris entre le fort Saint-Louis-des-Illinois et le Mexique. Cette fois, son mandat est accompagné d'importants moyens humains et matériels. Le 24 juillet 1684, l'expédition quitte La Rochelle avec quatre navires : le *Joly*, un gros navire de guerre de trois cents tonneaux armé de trente-six canons, la *Belle*, une barque de soixante tonneaux et quatre petits canons, l'*Aimable*, une flûte de cent quatre-vingts tonneaux et une petite caiche, le *Saint-François*. La flotte, surchargée, transporte au moins trois cent vingt personnes dont cent soldats et huit sous-officiers tous destinés à fonder la colonie de la Louisiane. Henri Joutel, l'écrivain de l'expédition, parle «de gens qui avaient été pris par force ou par surprise, de sorte que nous pouvions dire que c'était presque comme à l'arche de Noé, où il y avait toutes sortes d'animaux de même que nous avions toutes sortes de nations».

Si la détermination et le courage de La Salle sont sans faille, on ne peut en dire autant de son caractère et de ses aptitudes à diriger un groupe d'hommes et de femmes. Dès les préparatifs, la mésentente s'installe entre les officiers de marine et le chef de l'expédition. La Salle entretient le secret autour de la destination et accepte mal les avis des marins professionnels, les capitaines des navires. Ainsi, malgré les besoins des nombreux passagers, il refuse de faire escale à Madère pour compléter ses provisions en eau fraîche, ce qui entraîne ensuite la propagation de maladies dont La Salle sera lui-même victime. Mais le pire est encore à venir.

Où est passé le Mississippi ?

Le 2 octobre, le *Joly*, l'*Aimable* et la *Belle* font escale dans la principale colonie française des Antilles, au Petit-Goave (Saint-Domingue). Le *Saint-François*, qui portait la plus grande partie des vivres et des fournitures pour les colons a été capturé par les Espagnols durant la traversée de l'Atlantique. Les désertions se multiplient pendant les opérations de radoub et de ravitaillement. Le 25 novembre, les trois navires appareillent en direction du delta du Mississippi qu'ils atteignent moins d'une semaine plus tard. Mais comment s'orienter dans les méandres marécageux de l'embouchure immense de ce fleuve ? Comment retrouver la colline de la prise de possession ? N'oublions pas qu'en 1682 La Salle n'était pas allé jusqu'au golfe du Mexique, s'étant arrêté à l'embranchement de trois voies d'eau, au 26° de latitude Nord. Retrouver une latitude était relativement facile à cette époque mais à quelle longitude ? à quelle distance de la Floride ? Il faudra encore un siècle avant que la longitude puisse être mesurée avec précision.

Commence alors une pénible recherche des bras de mer du delta qui dure plusieurs mois, émaillée de querelles entre les officiers, de navigation dans le brouillard et d'exploration pédestre sur le sol bourbeux. Le 14 février 1685, tous les colons et membres d'équipages se trouvent enfin réunis dans la baie de Matagorda, au Texas. C'est là, sur la presqu'île de ce nom, que La Salle décide de s'installer, au moins temporairement. La *Belle*, petite caiche très mobile arrive à se tracer un chenal au travers des herbes marines et à atteindre la presqu'île, pendant que la grosse flûte l'*Aimable* heurte les hauts-fonds et sombre avec sa cargaison de vivres et de marchandises dont peu de chose put être récupéré. Le mois suivant, le capitaine Beaujeu, commandant du *Joly*, en désaccord total avec La Salle, repart vers la France avec une partie des membres de l'expédition.

Tragédies en Louisiane

Pour assurer leur sécurité et un confort sommaire, les hommes restés à Matagorda construisent un fort avec le bois de l'épave de l'*Aimable*. L'année 1685 avance, marquée de brèves périodes sereines, mais surtout de maladies, de décès et de désertions. Au cours de l'exploration du delta, La Salle fait aussi élever le fort Saint-Louis sur la rive droite de la rivière aux Bœufs (Lavaca). Pendant ce temps, la *Belle*, le dernier bateau restant, en continuant d'explorer la partie nord-ouest de la baie, se perd et fait naufrage. Le 1ᵉʳ mai 1686, les six survivants arrivent au fort Saint-Louis en canot avec la terrible nouvelle. (L'épave de la *Belle* a été retrouvée en 1995 par des archéologues de la Texas Historical Society et a pu être identifiée grâce à un canon de bronze aux armes de Louis XIV qui avait été fondu à Rochefort en 1682. Comme la *Belle* appartenait à la marine royale, l'épave reste la propriété de l'État français qui a conclu un accord avec la Texas Historical Society pour que le bateau soit conservé sur les lieux du naufrage.)

Il faut maintenant survivre, continuer sans bateau et regagner l'Illinois à pied, voyage de plusieurs milliers de kilomètres. La Salle est immobilisé de longues semaines au fort Saint-Louis par une hernie. Une fois rétabli, il repart vers le Nord avec seize autres marcheurs, laissant vingt-cinq personnes dont sept femmes au fort Saint-Louis, les seuls survivants des cent quatre-vingts colons installés au Texas deux ans plus tôt. Le 12 janvier 1687, ce ne sont plus des marins mais des marcheurs furieux et découragés qui, avec cinq chevaux, quittent Matagorda pour se diriger vers la vallée du Saint-Laurent. Ils essuient des pluies diluviennes qui rendent les pistes boueuses et glissantes. Les cours d'eau peuvent difficilement être passés à gué. Les forêts sont denses et inhospitalières. Heureusement, de nombreux villages indiens se révèlent très accueillants. Mais le désenchantement des hommes persiste, les disputes se terminent parfois par des meurtres et des complots se trament contre le chef qu'on rend responsable de tous les malheurs. À proximité de la rive gauche de la rivière Trinity (Texas), le 19 mars 1687,

La Salle est abattu d'une balle dans la tête par l'un des conjurés. Ces derniers finissent par s'entretuer. Les quelques survivants rejoindront Montréal le 13 juillet 1688.

Talent et courage

Malgré le dénouement tragique de l'exploration de la Louisiane, les deux voyages de La Salle ont apporté plusieurs réponses à des interrogations sur la géographie de l'Amérique du Nord. Désormais, on connaît avec exactitude la destination du fleuve Mississippi : il ne se jette pas dans le golfe de Californie mais bien dans celui du Mexique où les embûches de son delta ne sont plus insurmontables. Les récits rapportés de ces durs voyages permettront à d'autres explorateurs comme Pierre Le Moyne d'Iberville, une dizaine d'années plus tard, en 1698, de reprendre l'exploration à partir du golfe du Mexique avec son frère Le Moyne de Bienville. Ce dernier deviendra le premier gouverneur de la Louisiane en 1715.

Sur Cavelier de La Salle, pionnier et seigneur de plusieurs territoires dans la région des Grands Lacs, explorateur des onze cents kilomètres du cours inférieur du Mississippi menant à son embouchure, parrain de la Louisiane, laissons l'appréciation à son compagnon Henri Joutel, survivant du dernier voyage : « Il avait l'esprit et du talent pour faire réussir son entreprise, la fermeté et le courage [...] capables de lui procurer un grand succès. » L'historien Charlevoix dira plus tard qu'il fut un de « [c]es hommes qu'un mélange de grands défauts et de grandes vertus tire de la sphère commune ».

Raymonde Litalien est historienne et archiviste.
Elle a publié de nombreux articles et quelques ouvrages, dont
Les explorateurs de l'Amérique du Nord. 1492-1795
(Septentrion, 1993), et, avec Jean-François Palomino, Denis
Vaugeois, La mesure d'un continent. Atlas historique de
l'Amérique du Nord. 1492-1814 *(Septentrion, 2007).*

D'Iberville, un corsaire
à la mesure de l'Amérique

Biz

Régulièrement, les médias sportifs nous proposent des classements du type : les cinquante meilleurs joueurs de hockey de tous les temps. Notamment parce que plusieurs critères de sélection sont subjectifs et qu'on ne peut pas comparer des statistiques établies à des époques où les règlements et l'équipement différaient, les résultats de ce genre de palmarès demeurent éminemment contestables. On ne classe pas des joueurs avec la même certitude qu'on classe des voitures. Néanmoins, l'exercice est intéressant, parce qu'il permet aux amateurs d'argumenter autour de leur passion. Qui plus est, peu importe la méthode et les sélectionneurs, certains incontournables (Maurice Richard, Wayne Gretzky, Mario Lemieux) s'y retrouvent invariablement, preuve que certaines légendes peuvent faire consensus.

Ne serait-ce que pour le plaisir, imaginons un classement des cinquante plus grandes figures historiques québécoises. Sans statistiques objectives, quels seraient les critères de sélection ? Comment mesurer la grandeur des exploits et leur impact sur une société ? Faudrait-il avoir recours à des sondages populaires ou à un comité d'experts ? Vastes débats en perspective. Peu importe la méthode, on peut présumer sans se tromper que René Lévesque et Louis-Joseph Papineau se retrouveraient dans tableau. Mais à quel rang ? Champlain est-il plus important que Cartier ? Peuvent-ils être considérés comme québécois ? Il faudrait bien sûr inclure Jeanne-Mance et Marie de l'Incarnation. On ne pourrait passer à côté du grand chef wendat

Kondiaronk, l'architecte de la grande paix de 1701. Même si sa présence ferait grincer certains des dents, Pierre Elliott Trudeau y serait assurément.

On le voit, si futile puisse-t-il paraître, pareil exercice force à une réflexion sur l'identité québécoise à travers l'histoire et sur l'impact de la vie des individus sur le destin de leur collectivité.

Pour ma part, sans avoir établi de palmarès complet, je considère Pierre Le Moyne d'Iberville comme le plus grand héros de l'histoire du Québec. Dans mon classement, d'Iberville est le premier en importance, mais aussi dans le temps. C'est le premier héros né sur le territoire de la Nouvelle-France. Plus précisément à Montréal (Ville-Marie à l'époque) en 1661. Contrairement à Champlain ou Cartier (dont je ne minimise absolument pas l'importance historique), d'Iberville est né en Amérique. Dès les premiers instants de sa courte vie, il porte donc en lui le paradigme d'un monde nouveau, un continent titan où, encore aujourd'hui, tout reste à faire.

Fils d'un prospère marchand de fourrure normand, Pierre Le Moyne d'Iberville est promis à une carrière de prêtre. À douze ans, il troque le goupillon contre l'astrolabe et s'engage comme matelot sur le voilier de son oncle. À vingt-cinq ans, il se retrouve lieutenant d'un détachement de cent hommes en route pour la baie James. L'expédition a pour but de prendre des forts aux Anglais et ainsi assurer le contrôle du lucratif commerce des fourrures à la France.

Guidée par des Amérindiens, la troupe s'ébranle de Montréal le 30 mars 1686, en direction de fort Monsoni (aujourd'hui Moose Factory). Lourdement armé, le convoi comporte une trentaine de canots et autant de traîneaux à chiens. Encore de nos jours, il s'agit d'un voyage éprouvant de mille trois cents kilomètres. Imagine-t-on seulement la démesure de l'aventure, à une époque où l'on voyageait sans GPS, sans Kanuk et sans skidoo ?

L'opération est un succès et d'Iberville impressionne par son courage et son génie militaire, tant sur terre que sur mer. Pendant dix ans, c'est dans les eaux glacées de la baie d'Hudson que d'Iberville forgera sa légende d'intrépide capitaine, capable de vaincre trois navires anglais avec son seul équipage. Au cours de cette période, il montera en grade, jusqu'à devenir, avec son contemporain Jean Bart, le corsaire le plus réputé de tout l'empire français. Malheureusement, en 1697, le traité de Ryswick, restitue toutes ses conquêtes nordiques aux Anglais. Tant de sueur et de sang pour ça. Il résume l'ingratitude de la joute politique par ce mot : « Bête comme un traité de paix. »

Ayant abandonné la baie d'Hudson aux Anglais, le roi a d'autres plans pour d'Iberville. Il l'envoie repérer l'embouchure du Mississippi, dans le but d'y établir des peuplements français permanents. Visionnaire, d'Iberville entrevoit dès la fin du dix-septième siècle la future expansion continentale des colonies britanniques, jusqu'alors contenues entre les Appalaches et l'Atlantique : « Si la France ne se saisit pas de cette partie de l'Amérique qui est la plus belle, pour avoir une colonie, […] la colonie anglaise qui devient très considérable s'augmentera de manière que, dans moins de cent années, elle sera assez forte pour se saisir de toute l'Amérique et en chasser toutes les autres nations. »

Au tournant du dix-huitième siècle, appuyé sur des alliances diplomatiques avec les autochtones, il fonde les villes de Biloxi au Mississippi et de Mobile en Alabama (où l'on retrouve une statue en son honneur). Un siècle plus tard, son rêve d'une Amérique française sera à nouveau sacrifié sur l'autel politique, alors que Napoléon vendra la Louisiane aux États-Unis.

Les cinq dernières années de sa vie sont difficiles. Entre deux attaques de fièvre, il peaufine ses plans et s'échine à convaincre Versailles de l'équiper pour bouter les Anglais hors de l'Amérique. Finalement, en 1706, il obtient une escadrille et fait route vers les Antilles. Il prend habilement l'île de Nevis aux Anglais, avant de faire escale à Cuba. Malheureusement, il y meurt prématurément au mois de juillet de la même année, probablement terrassé par la malaria. Il a quarante-cinq ans. Certains imaginent même qu'à la veille de bombarder les colonies de la Nouvelle-Angleterre, le corsaire a été empoisonné par des espions anglais… On ne saura probablement jamais le fond de l'histoire. Mais il est permis de penser que si d'Iberville avait pu mener à bien tous ses projets, l'Amérique au complet aurait pu être française.

Les restes de Pierre Le Moyne d'Iberville reposent à La Havane, où il a été inhumé sous le nom de dom Pedro Berbila. Il faudra bien un jour rapatrier les ossements de ce géant dans un panthéon québécois. En attendant, sa courte vie héroïque, son destin inachevé et sa mort mystérieuse rassemblent tous les ingrédients d'un formidable film.

Le Québec a son lot de héros ambigus. Après avoir allumé le feu de la rébellion, Papineau s'enfuit, avant de revenir en seigneur. Avec son beau risque, Lévesque tend l'autre joue, après s'être fait poignarder en pleine « nuit des longs couteaux ». D'Iberville n'est pas de cette farine. C'est un héros téméraire, vengeur et violent. En 1689, il tient personnellement à punir le massacre de Lachine par les Iroquois (commandité par les Anglais) en frappant le fort Schenectady en Nouvelle-Angleterre. Selon ses mots, « les ennemis de ce pays ne doivent pas être ménagés ».

Avec lui, pas de « Messieurs les Anglais, tirez les premiers ». La bourgade sera incendiée et pillée en pleine nuit. On laissera s'échapper quelques survivants terrorisés pour qu'ils puissent témoigner de la brutalité du massacre. Cette opération poursuit trois buts : dissuader les Anglais et les Iroquois d'attaquer la Nouvelle-France, rassurer les habitants du Saint-Laurent quant à la vaillance de leurs troupes et impressionner les alliés Amérindiens.

Au contraire des officiers français nés et formés sur le vieux continent, d'Iberville s'inspire de la guérilla autochtone et adapte ses techniques militaires au climat du Nouveau-Monde. Non seulement intègre-t-il des Amérindiens dans ses détachements, mais il a l'intelligence d'écouter leurs conseils et d'adopter leurs stratégies. Notamment, il préconise les attaques hivernales, au cours desquelles ses troupes, rompues aux climats rigoureux, se déplacent rapidement en raquettes. La sauvagerie de ses pillages à Terre-Neuve et sur la côte est américaine ont établi sa réputation de croque-mitaine des mers. J'imagine les Anglais menacer ainsi leurs enfants rétifs : « Finis ton pudding, sinon d'Iberville va venir te scalper ! »

À l'instar de d'Iberville lui-même, la figure du corsaire est paradoxale. C'est bien sûr un pirate et un pillard, mais légitimé et équipé par l'État. D'Iberville a d'ailleurs ses entrées à

Versailles, d'où il prend ses ordres directement du ministre de la Marine Pontchartrain. En 1699, Louis XIV lui-même reconnaît le courage de son corsaire et lui remet en mains propres la Croix de Saint-Louis. C'est la première fois qu'un fils de la Nouvelle-France reçoit cette distinction qui récompense le mérite militaire.

Mais nul n'est prophète en son pays. Le long du Saint-Laurent, des voix s'élèvent contre le Cid canadien. Son souhait d'ouvrir des comptoirs de fourrure en Louisiane inquiète les marchands de Montréal. À Québec, le gouverneur Frontenac considère d'Iberville comme un « babillard [...] présomptueux, [...] ayant beaucoup plus en vue ses intérêts et son commerce que le service du Roi ». Il est vrai que l'explorateur est doublé d'un redoutable homme d'affaires, qui fait parfaitement coïncider ses intérêts commerciaux avec la défense de sa patrie. Il veut à la fois s'enrichir personnellement et œuvrer à la gloire de sa nation. C'est de ce genre d'ambitions, trop souvent qualifiées de contradictoires, que les Québécois pourraient s'inspirer, nous qui, encore aujourd'hui, nous considérons trop souvent comme nés pour un petit pain, écartelés entre la réussite individuelle et le bien-être collectif.

Visualisés sur une carte, les nombreux périples de d'Iberville donnent le vertige. En vingt ans, il a bourlingué des glaces de la baie d'Hudson jusqu'au soleil des Antilles. Aussi à l'aise en escarpins dans les salons de Versailles qu'en mocassins sous le feu de la mitraille, il a œuvré jusqu'à la fin de sa vie, par le commerce et par l'épée, à l'établissement d'une Amérique française. Comète fulgurante, il a incarné toute la démesure du continent qui l'a vu naître. Même si l'astre est éteint, la brillance de ses exploits illumine encore le ciel de notre histoire.

Ce n'est pas tant pour l'impact historique de ses actions, trop souvent court-circuitées par les tergiversations politiques de Versailles, que je retiens Pierre Le Moyne d'Iberville comme le plus grand héros du Québec. Mais plutôt pour son courage, son ambition, son acharnement, son génie militaire, sa clairvoyance géopolitique et sa capacité de décoder l'ADN de l'Amérique. Et surtout, parce que c'est un authentique gagnant : en vingt ans de combats, tant sur mer que sur terre, il n'a jamais perdu une bataille.

Pour en savoir plus, je recommande la biographie écrite par Guy Frégault, *D'Iberville le conquérant*, Montréal, Pascal, 1944 (rééd. *Pierre Le Moyne d'Iberville*, Montréal, Fides, 1968).

Membre du célèbre groupe Loco Locass, Biz a également publié chez Léméac trois romans : Dérives *(2010),* La chute de Sparte *(2011)* et tout récemment Mort-Terrain *(2014).*

La Nouvelle-France :
une économie étouffée et en surchauffe[1]

Vincent Geloso

Lorsque les Britanniques prennent le contrôle de la Nouvelle-France en 1760, ils remarquent fréquemment — et pour dénigrer — que l'économie du pays est pauvre, peu développée et que les paysans ont encore des pratiques médiévales. Encore aujourd'hui, cette image persiste et l'attribution du retard économique du Québec à des traits culturels inférieurs est toujours régulièrement reprise. Mais qu'en est-il vraiment? Les données semblent indiquer une certaine croissance économique qui surpasse en vitesse celle des colonies américaines. Toutefois, il semble aussi que cette croissance allait inévitablement prendre fin un jour puisqu'elle reposait sur un régime institutionnel qui n'encourageait ni la spécialisation ni la productivité.

Une économie en croissance

Deux historiographies s'opposent quant à l'économie de la Nouvelle-France. La première, celle des pessimistes, représentée principalement par Jean Hamelin et Louise Dechêne, soutient que l'économie de la Nouvelle-France s'est peu diversifiée au cours du dix-huitième siècle. Ils ajoutent que les différents secteurs de l'économie — notamment ceux de la fourrure et de l'agriculture — ne sont pas intégrés et ont

Argument vol. 16, n° 2, 2014

---

1. Remerciements à Alexandra Foucher et Maxime Doucet-Benoît

donc évolué séparément. La seconde, celle des optimistes, représentée par Cameron Nish et Alice Jean Lunn, soutient que l'économie de la Nouvelle-France s'est au contraire diversifiée et développée — particulièrement au cours de la longue paix de 1713 à 1739.

Divers ouvrages récents portent à penser qu'en dépit du respect pour le camp des optimistes les pessimistes soient devenus majoritaires. Mais manifestement les historiens ont eu le tort d'ignorer les travaux des économistes qui ont étudié la question et qui semblent donner raison aux optimistes. Au cours des années 1980, l'économiste Morris Altman a pu estimer la croissance économique de la Nouvelle-France entre 1695 et 1739[2]. Le taux de croissance réel qu'il a trouvé (0,42 % par année) est remarquablement identique à celui observé dans les treize colonies américaines à la même époque (les évaluations varient entre 0,3 % et 0,6 %)[3]. En fait, les méthodes statistiques qui utilisent une approche similaire à celle d'Altman indiquent que la croissance économique de la Nouvelle-France était même plus rapide que celle des treize colonies[4].

Un échantillon de nouvelles données concernant les prix en vigueur collectées par moi-même dans le cadre de mes recherches doctorales démontre que le niveau général des prix est resté stable au cours de la période de 1700 à 1740 à l'exception de la période allant de 1715 à 1719 où il est associée à de mauvaises politiques monétaires. Plus important encore, le prix du blé est resté plus ou moins stable comparativement au prix des autres biens au cours de l'ensemble de la période indiquant que le pouvoir d'achat des producteurs de blé (un produit représentant environ 30 % du total de l'économie de la Nouvelle-France) ne s'est pas dégradé.

---

2. Morris Altman, « Economic growth, economic structure and real gross domestic product in early Canada, 1695-1739 », *William and Mary Quarterly*, vol. 45, 1988, p. 684-711.

3. Alice Hanson Jones, *Wealth of a Nation to Be*, New York, New York University Press, 1980 ; John J. McCusker et Russell Menard, *The Economy of British America, 1607-1789*, Chapel Hill, University of North Carolina Press, 1991.

4. Peter Mancall et Thomas Weiss, « Was economic growth likely in colonial British North America », *Journal of Economic History*, vol. 59, n° 1, 1999, p. 17-40.

Tout cela affaiblit la thèse d'une détérioration du niveau de vie des habitants de la colonie. Tout indique que la qualité de vie de la population s'est en fait améliorée entre la fin du dix-septième siècle et le début de la guerre de succession d'Autriche (1740-1748).

Toutefois, il y a des éléments discordants qui alimentent toujours les pessimistes. Normalement, un économiste s'attend à observer qu'une hausse du niveau de vie s'accompagne d'une hausse de la productivité — ce qui n'est pas le cas pour la Nouvelle-France. Pour une période qui est marquée par une embellie des conditions climatiques[5], il est surprenant de constater que la productivité des travailleurs dans le secteur agricole (représentant environ les trois quarts de la production totale) a diminué entre 1688 et 1739. Selon Morris Altman, les rendements pour chaque arpent cultivé en Nouvelle-France ont diminué de 14,3 % entre 1688 et 1713 et ont chuté ensuite de 6,9 % jusqu'en 1739[6]. C'est à cause de cette contradiction entre la baisse de la productivité et l'augmentation du niveau de vie qu'il semble exister un débat entre les pessimistes et les optimistes.

Un tel phénomène est pourtant observable là où existe une quantité importante de ressources inutilisées. Ainsi, en augmentant l'utilisation des ressources disponibles (sans pour autant être plus efficace dans leur emploi), on peut augmenter la production totale. Dans le cas de la Nouvelle-France, les terres étaient si abondantes qu'il était plus efficace de labourer *moins* efficacement une quantité *plus* grande de terre que d'investir dans une amélioration de la productivité agricole. C'est d'ailleurs l'explication que fournit Altman pour rendre compte du fait que le niveau de vie augmente alors que la productivité diminue.

---

5. Daniel Houle, Jean David Moore et Jean Provencher, « Ice bridges on the St-Lawrence River as an index of winter severity from 1620 to 1910 », *Journal of Climate,* vol. 20, n° 4, 2007, p. 757-764 ; et Kenneth Briffa, Phil Jones et Frank Schweingruber, « Summer temperatures across Northern North America : regional reconstructions from 1760 using tree-ring densities », *Journal of Geophysical Research,* vol. 99, n° D12, 1994, p. 25835-25844.

6. Morris Altman, « Seignorial tenure in New France, 1688-1739 : an essay on income distribution and retarded economic development », *Historical Reflections / Réflexions historiques,* vol. 10, n° 3, 1983, p. 335-375.

Dans une lettre précédent la Révolution américaine, le général George Washington illustre bien comment le même phénomène se produit dans les treize colonies. Il affirme en effet que «l'objectif des agriculteurs de ce pays [...] n'est pas d'optimiser l'utilisation de la terre, ce qui est, ou a toujours été abordable, mais d'optimiser l'utilisation de la main-d'œuvre qui est névralgique [...] par conséquent, une quantité considérable de terres sont réclamées, et ne sont pas cultivées, ni améliorées». Toutefois, les statistiques disponibles démontrent aussi que la productivité agricole suivait une trajectoire ascendante particulièrement en Nouvelle-Angleterre[7] — ce qui indique que l'explication d'Altman, même si elle est valide, n'est pas suffisante pour décrire adéquatement la situation économique de la Nouvelle-France.

Des institutions étouffantes

On aurait tort de croire que les arguments des pessimistes et ceux des optimistes sont opposés. En fait, ils sont complémentaires. Il est en ainsi parce que les institutions économiques de la Nouvelle-France — notamment le régime seigneurial et les réglementations des prix agricoles — ont incité les paysans à se retirer des échanges de marché et à devenir de plus en plus autarciques.

Le système seigneurial est probablement le principal facteur d'explication du déclin de la productivité. Ce régime d'attribution des terres consiste à octroyer à un seigneur une terre qu'il devra développer, notamment en construisant un moulin. Toutefois, les paysans qui s'établiront sur sa seigneurie devront lui payer une série de taxes sans jamais devenir officiellement propriétaires : une taxe sur la superficie de la terre, une taxe pour l'utilisation du moulin, une taxe lorsque la terre est vendue, des journées de corvée pour le compte du seigneur et certains autres droits obscurs. À toutes ces taxes s'ajoutait la

---

7. Winifred Rothenberg, «The productivity consequences of market integration : agriculture in Massachusetts, 1771-1801», dans Robert Gallman et John Joseph Wallis (dir.), *American Economic Growth and Standards of Living before the Civil War,* Cambridge (Mass.), National Bureau of Economic Research, 1990, p. 312-338.

dîme perçue par l'Église. Il est difficile d'établir en quel sens le régime seigneurial était nécessaire au développement économique. Les terres ne manquant pas, les paysans auraient eu l'avantage sur les propriétaires de vastes domaines. Les seigneurs auraient dû attirer, sans l'aide d'obligations légales, les paysans sur leurs terres en créant des biens publics tels que des moulins à eau ou à vent, comme ce fut le cas au sein des treize colonies. Par conséquent, l'établissement du régime seigneurial en Nouvelle-France a créé un système qui redistribuait le revenu des paysans au profit des seigneurs. En grugeant le surplus de production des familles paysannes, les seigneurs pouvaient financer leur consommation de produits de luxe importés. Toutefois, ils réduisaient aussi la capacité des paysans à dégager des revenus leur permettant d'acheter des biens de consommation tout en les forçant à devoir travailler davantage pour obtenir un revenu équivalent.

Lorsqu'on soustrait les besoins alimentaires des familles ainsi que les besoins en semences pour la récolte suivante, on obtient le surplus de production qui pouvait être vendu au marché pour un revenu monétaire (qui servirait ensuite à acquérir des biens tels que des vêtements, de l'alcool, du tabac, etc.). Selon Morris Altman, l'ensemble des obligations des paysans à l'égard des seigneurs représentait entre 26 % et 37 % de ce surplus[8], et selon mes propres calculs entre 26 % et 52 % du surplus de production en 1739.

Ces obligations limitaient donc de manière importante la capacité des familles de la Nouvelle-France à demander des biens et services, produits localement ou importés. Ainsi, les familles ont commencé à labourer des quantités grandissantes de terre sans pour autant devenir plus efficaces. Elles ont aussi décidé de dépendre de plus en plus du blé, qui assurait un maximum de calories comparativement aux autres produits céréaliers. Finalement, elles ont aussi tenté de produire davantage pour elles-mêmes, notamment du tabac et des vêtements de chanvre (connus pour leur piètre qualité). Par ces mécanismes, le régime seigneurial a donc eu deux effets pervers importants : il a empêché de libérer des travailleurs pour de nouvelles

---

8. Morris Altman, art. cité.

industries, les forçant à travailler inefficacement dans le domaine agricole, et a réduit la demande des familles pour des biens non agricoles en réduisant leur revenu disponible. L'effet final fut d'étouffer l'émergence de nouvelles industries locales. L'octroi de subventions publiques considérables visant au maintien de projets industriels tels ceux des Forges du Saint-Maurice démontre le caractère artificiel de la diversification économique de la Nouvelle-France. Incapables d'utiliser du capital provenant de l'épargne coloniale et face à une demande insuffisante de la part de la population locale, les industries en dehors du domaine agricole nécessitaient l'utilisation des fonds publics. Ces tendances économiques expliquent aussi pourquoi le taux de mortalité — tant pour les enfants que pour la population en général — augmente et que le revenu progresse alors que, normalement, les deux courbes devraient s'opposer[9].

Aux obligations du régime seigneurial s'ajoutent une multitude de réglementations imposées par l'administration coloniale. Au cours du dix-huitième siècle, les gouverneurs ont imposé par exemple de nombreuses restrictions à la circulation des céréales tout en réglementant sévèrement les prix. À ces réglementations se sont ajoutées de nombreuses acquisitions de portions importantes des récoltes pour garnir les magasins du roi destinés aux soldats, créant ainsi des pénuries artificielles. Ces politiques gouvernementales, en les empêchant de se fier aux mécanismes de prix et en les rendant réticents à la prise de risque eu égard au poids important des obligations seigneuriales, ont renforcé la prédisposition des paysans à ne pas participer à l'économie de marché.

Ce raisonnement nous amène à une triste conclusion. L'économie de la Nouvelle-France aurait pu croître rapidement grâce au défrichement de nouvelles terres et en dépit d'une efficacité en diminution. Sous le poids des obligations seigneuriales, les agriculteurs ont décidé de faire du blé la culture prédominante et d'augmenter les surfaces cultivées. Ainsi, ils

---

9. Marilyn Gentil, *Les niveaux et les facteurs déterminants de la mortalité infantile en Nouvelle-France et au début du régime anglais (1621-1779)*, thèse de démographie, université de Montréal, 2009.

se sont assurés de ne pas tomber sous le niveau de subsistance, même si cela signifiait un déclin de la productivité en général. Avec une augmentation de la population, l'érosion des sols et une diminution marginale des rendements agricoles, un déclin de la productivité limite les possibilités de spécialisation, ainsi que l'émergence de nouveaux secteurs, en plus de réduire le niveau de vie. Bref, peu importe la croissance économique de la Nouvelle-France de l'époque, elle n'était pas soutenable à long terme. Lorsque les Britanniques ont conquis la colonie en 1760, ce système avait atteint sa limite et une importante modernisation des institutions était nécessaire afin d'éviter un déclin du niveau de vie.

Vincent Geloso est chargé de cours en économie à HEC Montréal et doctorant en histoire économique à la London School of Economics.

Abécédaire insolite
de la Nouvelle-France amoureuse et lubrique

Jean-Sébastien Marsan

Allaitement 1. Février 1702 : un important marchand de Montréal, Pierre Rose, meurt à la suite de graves maux d'estomac. Il n'a que trente ans. Quelques temps plus tard, lorsque vient le temps de régler la succession, un tribunal doit éclairer une relation particulière que Rose a entretenue avec une Iroquoise.

Surnommée Marie Chambly bien qu'elle ne parle pas français, cette Iroquoise explique au tribunal (par les soins d'une interprète) que le marchand lui avait demandé de calmer ses douleurs en... l'allaitant. Il lui avait promis, en échange de ses faveurs, de la vêtir à la française de la tête aux pieds. N'ayant pas obtenu son dû, Marie Chambly demande à la justice d'intervenir.

Puis elle raconte que les séances d'allaitement se déroulaient devant le frère du malade, François Rose. Y assistaient aussi Paul Le Moyne de Maricourt (personnalité marquante, fils du seigneur Charles Le Moyne et frère de l'explorateur Pierre d'Iberville). Et l'exécuteur testamentaire était au fait de cette cure inusitée. Parfum de scandale...

Convoqué par la cour, Paul Le Moyne de Maricourt avoue qu'il a lui-même déniché Marie Chambly pour le (prétendu) allaitement curatif.

---

1. Pour ne pas surcharger le texte, les références bibliographiques et les notes sont publiées sur la page web < ladrague.qc.ca/argument-16-2. html >.

La généreuse Iroquoise obtient les vêtements qui lui avaient été promis.

Bal. L'un des premiers bals organisé en Nouvelle-France se déroule à Québec le 4 février 1667, chez le seigneur Louis-Théandre Chartier de Lotbinière. Dans le *Journal des Jésuites*, le religieux, qui a noté l'événement, souligne, probablement scandalisé par l'impur spectacle d'hommes et de femmes dansant côte à côte : « Dieu veuille que cela ne tire point en confequence. »
Dieu n'a pas voulu, semble-t-il…

Bigamie. En 1662, le Français Pierre Pichet, vingt-six ans, traverse l'Atlantique pour s'établir en Nouvelle-France. Il a l'intention, une fois installé, de faire venir sa femme Marie Lefebvre, laissée en France. Quelque temps après son arrivée, Pierre Pichet reçoit une lettre de son frère annonçant une mauvaise nouvelle : son épouse est décédée.
Le colon décide de refaire sa vie en Nouvelle-France. Le 25 novembre 1665, il se remarie à Québec.
En 1671, un visiteur l'informe que Marie Lefebvre est toujours vivante ! On imagine le tourment du pauvre Pierre… Il retourne en France, retrouve sa première femme et réussit à la convaincre de l'accompagner en Nouvelle-France — bien que la bigamie y soit interdite. Mais pendant la traversée vers Québec, Marie Lefebvre meurt… pour de bon.

Bourreau romantique. Janvier 1751. Un militaire d'une vingtaine d'années, Jean Corollaire (ou Corolère, selon les sources), est arrêté à Québec pour s'être battu en duel — ce qui est interdit. En attente de son procès, il est écroué dans la prison du palais de l'intendant. Une prison mixte : hommes et femmes sont enfermés dans des cellules voisines, mais séparées.
La détenue voisine de Jean Corollaire est une jeune femme de vingt ans, Françoise Laurent. Condamnée à la pendaison. Son crime : elle a profité d'un emploi de servante pour voler dans le portefeuille de son maître. (En Nouvelle-France, une foule de délits sont punissables de la peine capitale.)

Le bourreau de la colonie a rendu l'âme en décembre 1750 et les autorités ne lui ont pas trouvé de successeur. Ce travail ayant très mauvaise réputation, personne ne se manifeste pour prendre la relève.

Ainsi, Françoise Laurent croupit en prison. Dans le couloir de la mort.

À l'époque, un individu condamné à la peine capitale peut échapper au châtiment en obtenant un pardon des hautes autorités judiciaires. Une autre porte de sortie consiste à devenir soi-même bourreau ou à épouser un bourreau.

Françoise Laurent décide que ce bourreau, ce sera Jean Corollaire! Elle entreprend de le séduire…

En août 1751, Jean Corollaire s'adresse par écrit au Conseil supérieur de Québec pour solliciter le *job* de bourreau, même s'il n'a aucune expérience de ce sale boulot. Il obtient rapidement satisfaction, car la colonie n'a pas d'autre candidat.

De toute façon, le tribunal n'a pas réuni suffisamment de preuves de son duel pour qu'il y ait procès. Jean Corollaire est un homme libre.

Le lendemain de sa libération, il s'empresse de réécrire au Conseil pour obtenir la permission d'épouser Françoise Laurent. Le Conseil décide d'annuler la condamnation à mort de la jeune femme si elle accepte de prendre le bourreau pour mari. Évidemment, elle s'empresse de dire oui.

Cabarets. En 1688, les autorités judiciaires de Montréal dénombrent trente cabarets clandestins. À l'époque, l'agglomération compte environ cent trente maisons et une population civile d'approximativement huit cents âmes (sauf les Amérindiens). «Il y a donc 23 % des maisons de Montréal qui sont des cabarets, presque une maison sur quatre! Dit autrement, il y a un cabaret pour 27 personnes à Ville-Marie en 1688», note Rémi Tougas, l'auteur de *L'Allemande : la scandaleuse histoire d'une fille du roi* (Septentrion, 2003). «Il n'est donc pas surprenant que les autorités dénoncent cette situation qui engendre continuellement des désordres et des abus de toutes sortes, y compris la prostitution.»

Légalement, seuls les individus pouvant fournir un certificat de bonnes mœurs signé du curé de leur paroisse obtiennent la permission d'ouvrir un cabaret. Et encore, l'établissement ne doit pas laisser les clients s'enivrer, ne doit pas servir à boire à crédit, ne peut accueillir des domestiques, artisans et ouvriers durant leurs heures de travail, doit fermer ses portes à 21 h en semaine et demeurer clos les dimanches, les jours de fêtes, pendant les messes et les vêpres.

En réalité, la majorité des cabarets sont clandestins, ouvrent leurs portes en tout temps, ne refusent personne et font couler l'alcool à flots. Lieux de désordre et de débauche.

Ironie du sort : le premier cabaret autorisé en Nouvelle-France, à Québec le 19 septembre 1648, était la propriété d'un homme au nom prédestiné, Jacques Boisdon.

Charivari. 28 juin 1683, à Québec. Une veuve, Marie Couture, vingt-cinq ans, qui avait perdu vingt et un jours auparavant son mari François Tessier dit Laverdure, se remarie (l'heureux élu se nomme Claude Bourget). Ce qui déclenche le premier charivari en Nouvelle-France : des citoyens font un tapage d'enfer devant la maison du couple, six nuits consécutives.

Le charivari est une vieille coutume européenne. Lorsqu'un veuf ou une veuve se remarie trop rapidement, ou si la différence d'âge entre les deux époux est trop grande, le peuple manifeste sa réprobation en se rassemblant la nuit devant la maison des nouveaux mariés pour taper bruyamment sur des poêles, des chaudrons, etc.

Cœur de Frontenac. 28 novembre 1698 : mort de Louis de Buade, comte de Frontenac, l'un des gouverneurs généraux les plus remarquables de la Nouvelle-France. Dans ses dernières volontés, il demande que l'on dépose son cœur dans un coffret et que ce dernier soit envoyé à son épouse restée en France.

Or, l'hiver est commencé, la navigation sur le fleuve est impossible. La romantique relique est donc acheminée en France au printemps suivant. Six mois plus tard. Imaginez l'odeur…

Courir l'allumette. Le rituel amérindien de l'« allumée » ou de l'« allumeuse », aussi appelé « courir l'allumette », étonne plusieurs explorateurs de la Nouvelle-France. Ancêtre du *speed dating*, ce cérémonial se déroule comme suit.

Le soir venu, les demoiselles du village se retirent dans leur cabane ou sous la tente. Un soupirant s'y présente en portant à la main un bâtonnet de bois, ou en prélevant un bout de bois dans le foyer de la jeune femme. Avec son petit bâton rougeoyant, il s'approche du lit. L'homme ne plaît pas à la jeune femme? Elle détourne le visage, se cache sous sa couverture. Le prétendant doit alors quitter sans protester.

Une femme peut accueillir autant de candidats qu'elle le désire. Lorsqu'un homme plaît à son hôtesse, celle-ci éteint la flamme. Signe convenu pour aller plus loin.

Mariage «à la gaumine». Selon le rituel catholique, un mariage doit être célébré devant un curé et deux témoins, après publication des bans et sans opposition.

Au dix-septième siècle, des amoureux confrontés au refus d'un parent ou de leur curé font des mariages «à la gaumine» — de Michel Gaumin, intendant sous Louis XIII et Louis XIV, qui avait imaginé l'astuce suivante : les amoureux s'assoient discrètement dans une église pendant la célébration de la messe, et soudain, ils déclarent à haute voix qu'ils se prennent mutuellement pour mari et femme, prenant comme témoins les personnes présentes ou des complices. Le curé est mis devant le fait accompli !

Faut-il le souligner, les autorités religieuses de l'époque s'opposent vigoureusement aux mariages «à la gaumine». Ces derniers disparaissent au début du dix-neuvième siècle.

Mariage mixte. Au début de la colonie, l'Église encourage le mariage entre Français et Amérindiens dans la mesure où il y a conversion au catholicisme. Samuel de Champlain déclare aux Hurons : «Nos jeunes hommes marieront vos filles, et nous ne formerons plus qu'un peuple. »

Mais le mariage mixte provoque rapidement des tensions. La liberté sexuelle avant les noces, monnaie courante chez les Amérindiens, et les coutumes polygames de certains peuples choquent les missionnaires — on les imagine s'étouffant d'indignation.

Deux personnalités coloniales, qui n'ont pas ces scrupules, cumulent deux mariages (avec une Française et une Amérindienne) : Paul Le Moyne de Maricourt et Louis-Thomas Chabert de Joncaire.

Le comble : des coureurs des bois et autres commerçants se font adopter par des communautés amérindiennes, s'y marient et ne veulent plus revenir à leur «ancienne vie». Leurs conditions d'existence sont plus agréables que la vie de soldat ou de colon…

Une historienne, Sylvie Savoie, a dénombré cent quarante-cinq mariages mixtes Blancs-Amérindiennes et trente-cinq unions Blanches-Amérindiens entre 1644 et 1760. (Il y a sûrement beaucoup de concubinage.)

L'administration coloniale commence à s'opposer aux mariages mixtes au début du dix-huitième siècle, sans les interdire. Le régime anglais les proscrira totalement.

Mariage tardif. Charles Chaboulié (ou Chaboillez), né en France vers 1638, venu en Nouvelle-France dans les années 1690, gagne sa vie à Montréal comme sculpteur (notamment pour l'Hôtel-Dieu et les récollets). Ce «vieux garçon» rencontrera l'amour au milieu de la soixantaine, âge avancé pour l'époque, ce qui l'obligera à revoir tous ses plans.

Au début de sa soixantaine, il habite avec un ami, le sergent Laurent Rousseau dit Larose. Un acte notarié daté du 7 mai 1702 indique que les deux compagnons sont associés dans l'exploitation d'une terre appartenant à Rousseau. (Certains hommes célibataires —paysans, voyageurs, soldats —, pour améliorer leurs conditions de vie, mettent tous leurs biens en commun et vivent en ménage, comme un couple.)

Chaboulié et Rousseau conviennent également, devant notaire, de faire don de tous leurs biens, immeubles et argent à un jeune couple de leurs amis, le sculpteur Noël Levasseur et son épouse Marie-Madeleine Turpin — leurs noces avaient été célébrées à Montréal le 3 avril 1701. Les descendants de ce couple hériteront également des biens des vieux garçons.

Ainsi, le vieillard Chaboulié, qui n'a jamais été marié et n'a pas eu de descendance, prend la peine de léguer ses biens à un couple d'amis et leurs enfants. Il pourra mourir en paix avec le sentiment d'avoir aidé son prochain.

Or, un événement imprévu surgit dans sa vie : il tombe en amour. Avec une mademoiselle de… 21 ans, Angélique Dandoneau du Sablé. En 1704, Chaboulié l'épouse. De leur mariage naîtront trois enfants.

Après la naissance de son premier enfant, le nouveau père fait des pieds et des mains pour faire annuler le contrat de donation aux Levasseur et à leurs descendants. Il s'adresse aux plus hautes autorités. Une ordonnance de l'intendant de la Nouvelle-France en personne, Jacques Raudot, « casse et annule » le contrat.

Le mariage tardif rajeunit Chaboulié : dans son contrat de mariage, en 1704, il se déclare « âgé de cinquante ans ou environ », alors qu'il a approximativement soixante-six ans ! (À sa mort, en 1708, on le dira officiellement « âgé de 70 ans ».)

Rapt de séduction. On accuse de « rapt de séduction » des hommes qui ont eu des relations sexuelles assorties d'une promesse de mariage, et qui ont ensuite pris la poudre d'escampette. Traduits en justice et reconnus coupables, ces séducteurs sont condamnés à payer des frais à la victime (un dédommagement, le coût de l'accouchement, etc.) et ils doivent prendre l'enfant à leur charge, subvenir à ses besoins, lui trouver un métier ou une occupation. Encore faut-il faire appliquer le jugement…

L'explorateur Pierre Le Moyne d'Iberville, sieur de Longueuil, est condamné pour rapt de séduction, crime commis à l'automne 1685, mais se contrefiche de la justice. Sa victime : Jeanne-Geneviève Picoté de Belestre, dix-neuf ans, a un enfant de cette relation.

Jeanne-Geneviève est la fille de Pierre Picoté de Belestre, ami et partenaire de Pierre Le Moyne d'Iberville dans ses entreprises de traite et d'exploration. La famille de Belestre s'adresse à la justice en 1686 pour que la promesse de mariage entre d'Iberville et leur fille soit respectée et empêcher l'explorateur de quitter le territoire sans qu'il ait répondu de ses actes. Le mandat d'arrêt n'est pas appliqué, d'Iberville vaque à ses occupations. À l'hiver 1687, il séjourne en France. À l'été 1687, il visite la baie d'Hudson (un ordre du gouverneur, l'autorisant à voyager, lui permet d'échapper à la procédure judiciaire). Ce n'est que le 22 octobre 1688 qu'il est reconnu coupable… mais il n'est pas même présent pour entendre la sentence.

En 1693, d'Iberville se marie avec Marie-Thérèse Pollet (de la seigneurie de La Pocatière). Jeanne-Geneviève, en apprenant que le sieur de Longueuil ne l'épousera jamais et que le déshonneur jeté sur sa famille ne sera jamais lavé, se résigne : elle entre au couvent des religieuses de l'Hôtel-Dieu de Montréal. Elle y meurt en 1721.

Travestissement. 1696. Une jeune femme de l'île d'Orléans, Anne Émond (seize ans), est follement amoureuse d'un militaire, Joseph Gaulin. Pour ses beaux yeux, elle fera une énorme bêtise.

Joseph Gaulin a entendu dire que le gouverneur Frontenac prépare une expédition guerrière contre les Iroquois des Grands Lac (les plus féroces ennemis de la jeune colonie). Et il n'a aucune envie d'affronter les Iroquois. Une idée effrontée lui traverse l'esprit : faire croire au gouverneur que les Anglais préparent une attaque contre la colonie, menace qui pourrait convaincre les autorités de laisser les Iroquois tranquilles et de fortifier la capitale, Québec. Plus effronté encore, Joseph Gaulin entreprend de convaincre sa maîtresse Anne Émond de propager la rumeur d'une invasion britannique!

Il la persuade de se déguiser en homme, de se faire passer pour un prisonnier français évadé de la ville de Boston qui aurait aperçu trente-quatre navires anglais en Nouvelle-Angleterre, prêts à prendre le large pour venir attaquer Québec, et qui aurait ensuite vu, à Tadoussac, quatre bateaux anglais sur le Saint-Laurent.

À l'île d'Orléans, Anne Émond demande à un canotier, Jean Bouchard dit Dorval, de l'emmener à Québec. Pendant la traversée, elle raconte au marin d'eau douce qu'elle a vu des Anglais se préparer à envahir Québec. La jeune femme déguisée en homme se fait conduire chez le gouverneur. Pendant ce temps, Jean Bouchard va raconter à toute la basse-ville ce qu'il a entendu dans son embarcation.

Devant les autorités, Anne Émond est nettement moins convaincante… Son subterfuge est rapidement découvert. Elle est jetée en prison en attendant son procès.

Quelques jours plus tard, elle est condamnée à être conduite dans les rues de la ville, attachée à l'arrière d'une charrette, et battue. Elle doit aussi payer vingt-cinq livres d'amende.

En fin de compte, la rumeur propagée par Anne Émond et le canotier a eu un tel impact qu'elle a retardé le départ des troupes pour les Grands Lacs… L'effet de surprise est raté.

Viagra. En 1699, deux militaires de Trois-Rivières sont condamnés à payer une amende pour avoir possédé des « billets de magie », recette surnaturelle qui aurait le pouvoir de « rendre dur ».

Jean-Sébastien Marsan, journaliste, a cosigné en 2009 l'essai Les Québécois ne veulent plus draguer *(Éditions de l'Homme). Depuis 2011, il coanime le blogue du site web de rencontre Réseau Contact (< blogue.reseaucontact.com >).*

Un fait divers en Nouvelle-France

Patrick Moreau

En l'an de grâce 1669, au début de l'été, cinq soldats du régiment de Carignan-Salières, munis d'une bonne quantité d'eau-de-vie, quittent subrepticement Ville-Marie, de nuit, dans l'intention de « courir les bois avec les Irroquois » et de faire la traite des pelleteries. Ils ont toutefois pris soin avant leur départ, ainsi que le précise Nicolas Perrot par qui toute cette affaire est racontée, d'avertir « quelqu'un de leurs officiers [1] ». Ce n'est pas leur première fois, et, comme nous l'explique le narrateur, ils « estoient desjà stylez à ces sortes de voyages » et « sçavoient la route de cette rivière [la rivière des Outaouais] et les endroits où les Irroquois avoient coustume de chasser ».

Parvenus « à la Pointe Claire du lac St. Louis », ces cinq soldats rencontrent un Sonnontouan (ou Tsonnontouan, c'est-à-dire un Sénéca, l'une des cinq tribus de la confédération iroquoise) qui allait vendre à Montréal les peaux d'élan dont son canot était plein, lui offrent de l'alcool, qu'il refuse tout d'abord, puis accepte une fois qu'il a compris que l'offre des Français est gracieuse apparemment ; l'Indien se saoule alors incontinent au point de tomber ivre mort aux pieds des soldats. Le voyant ainsi sans connaissance, ces derniers le jettent dans le lac, non sans avoir lesté le corps avec une grosse pierre et s'en

Argument vol. 16, n° 2, 2014

---

1. *Mœurs, coutumes et religion des Sauvages de l'Amérique septentrionale*, Montréal, Presses de l'université de Montréal, « Bibliothèque du Nouveau Monde », édition préparée par Pierre Berthiaume, 2004, p. 358 et suiv.

retournent, toujours « nuittament », à Montréal avec le chargement de peaux qu'ils remettent à leur officier en lui faisant « acroire qu'ils les avoient traittées avec des Irroquois ».

Les choses auraient pu en rester là, si, quelques jours plus tard, des sauvages (les compagnons du mort qui s'en retournaient chez eux après avoir vendu leurs fourrures) n'avaient aperçu le corps de ce Sonnontouan « dont on ne sçavoit point de nouvelles » qui flottait sur l'eau. Ils ramenèrent alors le cadavre à Montréal et firent valoir que, n'ayant croisé durant leur chasse le chemin d'aucun autre sauvage, « ce n'estoit que des Français qui pouvoient avoir tué leur camarade ». Les autorités procédèrent aussitôt à « d'exactes recherches » afin de découvrir l'identité des assassins, mais en vain, du moins dans un premier temps, jusqu'à ce qu'un des Iroquois qui avaient porté plainte découvrît chez un marchand de la ville une fourrure qui portait la marque de celui qui avait été retrouvé noyé[2]. Ils la portèrent aussitôt au commandant de la place, le capitaine du régiment de Carignan-Salières Pierre Lamotte de Saint-Paul. Le commerçant français fut interrogé et indiqua de qui il tenait cette peau d'élan, puis, questionnée à son tour, cette seconde personne fit de même, ce qui fit en sorte qu'on put remonter jusqu'à l'officier chez qui une perquisition permit de mettre la main sur plusieurs pelleteries ayant appartenu au pauvre sauvage assassiné. L'officier avoua à son tour qu'il tenait ces fourrures des cinq soldats de son régiment, et il lui fut alors ordonné d'arrêter ces dits soldats « aussytost qu'ils seroient de retour » car, pour l'heure, ils « estoient partys derechef pour traitter de l'eau de vie dans la rivière des Outaoüas ». Ainsi fut fait. Arrêtés dès leur retour et déférés devant un conseil de guerre, ils avouèrent leur crime et « furent condamnés touts les cinq à estre passés par les armes en présence des Irroquois ». L'exécution eut apparemment lieu le 6 juillet 1669.

Cette anecdote rapportée par Nicolas Perrot l'est aussi, quoiqu'avec quelques variantes, par Marie de l'Incarnation : dans le récit qu'en fait la supérieure des ursulines de Québec

---

2. Les chasseurs amérindiens avaient coutume de marquer ainsi les peaux qu'ils préparaient.

dans une lettre adressée à son fils[3], les meurtriers du Sonnontouan n'auraient été que trois, et ne furent exécutés qu'après qu'un second meurtre eut été commis, par trois autres Français, sur la personne de six Indiens de la nation des Loups, toujours dans le but de leur voler leurs fourrures. Il semblerait que Perrot ait quelque peu confondu les deux affaires.

Quoi qu'il en soit, ce petit récit fourmille d'informations et se révèle intéressant à plus d'un titre. Cet assassinat flirte en effet avec l'histoire générale de la Nouvelle-France et montre comment un événement de modeste importance, un *fait divers*, pouvait avoir des répercussions majeures sur l'avenir de la colonie. De plus, ce récit anecdotique apporte un éclairage qui n'est pas dénué d'intérêt sur la pratique de la traite des fourrures et les fameux coureurs des bois. Il peut enfin servir à remettre en question certaines idées reçues au sujet des relations entre Blancs et Amérindiens.

Tout d'abord, ce fait divers sanglant, qui appartient à ce qu'on nommait autrefois la *petite histoire*, relève aussi de la *grande*. Il se produit en effet alors qu'une trêve vient d'être signée entre la Nouvelle-France et les Iroquois. Encore précaire, cette paix, qui durera vingt ans (de 1667 à 1687) a été demandée par les Iroquois à la suite d'incursions menées sur le territoire des Agniers, l'une des cinq nations qui composent la confédération iroquoise, par « la plus grande armée jamais mise sur pied en Nouvelle-France[4] » composée de six cents soldats du fameux régiment de Carignan-Salières, six cents Canadiens et une centaine d'indiens Hurons et Algonquins. Or ce meurtre d'un Iroquois par des Français menace grave-ment cette paix récente. Comme le raconte Perrot, les compa-gnons de la victime laissent clairement paraître que « leur indignation estoit assez grande pour renouveller la guerre, si on avoit manqué à leur faire raison de cet assassinat ». Cette affaire est donc susceptible de mettre à nouveau à feu et à sang les Pays d'en Haut comme les rives du Saint-Laurent. Marie de l'Incarnation, qui précise que l'assassiné était « un

---

3. « Lettre CCLIV, De Québec, à son fils, octobre 1669 », *Correspondance*, Abbaye Saint-Pierre, Solesme, 1971, p. 863-865.

4. Jacques Lacoursière, *Histoire populaire du Québec*, t. 1, Québec, Septentrion, 1995, p. 110.

Capitaine Hiroquois des plus considérables », se fait l'écho des mêmes craintes. Quant aux membres de l'expédition menée vers la région de l'Ohio par Cavelier de La Salle qui séjournent au même moment parmi les Iroquois, ils remercient le Ciel que « les criminels convaincus » aient été « passés par les armes à la vue de plusieurs Sauvages de Sonnontouan » car ceux-ci « avaient résolu de tuer pour la vengeance du mort [...] tout autant de Français qu'ils en pourraient attraper[5] ». Cela pourrait au moins partiellement expliquer la sévérité dont fait preuve le conseil de guerre à l'égard de ces cinq (ou bien trois) soldats.

Mais un tel mobile politique n'est pas la seule justification possible de cette apparente sévérité. Le meurtre d'un Amérindien et le pillage de sa cargaison met aussi en péril la traite des fourrures qui occupe une place si importante dans l'économie de la colonie naissante. Il est essentiel pour la prospérité de ce commerce des pelleteries que soit assurée la sécurité des chasseurs qui viennent seuls ou en convois apporter leurs ballots de fourrures aux traiteurs montréalais. Les Iroquois l'avaient bien compris qui, dès 1643, décident de bloquer la rivière des Outaouais, véritable artère stratégique qui mène aux Pays d'en Haut. C'est pourquoi, durant toute l'histoire de la Nouvelle-France, les Français multiplieront les efforts pour mettre fin aux conflits incessants entre tribus amérindiennes qui entravent le commerce des fourrures. C'est pour cette raison, par exemple, qu'en 1634 Champlain dépêche Jean Nicolet vers le lac Michigan afin de négocier la paix entre les Outaouais, alliés des Français, et les Ouinipigons riverains de la baie des Puants. Plus tard, Daniel Greysolon Duluth aura pour charge de pacifier les relations entre les Sauteux et les Nadouessioux. Le fait est connu : guerres, traite et voyages de découverte sont ainsi étroitement imbriqués.

Ce commerce des peaux génère en outre des bénéfices tels que le jeu de la *course* dans les bois en vaut la chandelle. Mais des profits de ce genre, qui montent aisément à plusieurs milliers

---

5. « Ce qui s'est passé de plus remarquable dans le voyage de Messieurs Dollier et Galinée. Par René de Bréhant de Galinée », dans Pierre Berthiaume, *Cavelier de La Salle. Une épopée aux Amériques*, Paris, Cosmopole, 2001, p. 17.

de livres[6] et permettent, comme l'écrit Hennepin, « de se faire riche en peu de temps[7] », attisent aussi les convoitises ; la traite des fourrures, facteur de paix ainsi qu'on vient de le voir, se mue aussi en certains cas en facteur de guerres. La rivalité entre les Iroquois et les Algonquiens, par exemple, qui a probablement des causes antérieures à la venue des Blancs, est rendue plus aiguë par la volonté des premiers de contrôler les meilleurs territoires de chasse et les corridors fluviaux liés au commerce des peaux. Ainsi qu'on le sait, elle est attisée également par les traiteurs européens, les Hollandais, puis les Anglais de Manate (New York) et d'Orange (Albany), les Français de la vallée du Saint-Laurent, qui cherchent à instrumentaliser les Amérindiens pour leur plus grand profit. La guerre des Renards, en 1712-1714, sera elle aussi due à la volonté de cette tribu d'interdire aux traiteurs français la « rivière aux Renards » et la « rivière aux Loups » qui donnaient accès entre autres à la vallée giboyeuse du Mississippi.

Cette traite des pelleteries n'avivait pas seulement les rivalités entre tribus amérindiennes ou puissances européennes ; elle nourrissait aussi une concurrence féroce entre traiteurs rivaux appartenant à une même nation. Ça jouait dur dans les Pays d'en Haut, territoires sans loi où il était aisé de monter les Amérindiens contre un concurrent, voire de se débarrasser de lui d'un coup de fusil, ou plus simplement de le piller. L'exemple venait parfois de haut, comme le rapporte Perrot de M. de La Salle et de ses gens qui « troubloient les François qui alloient sur ses congés » et « enlevoient mesme leurs effects[8] ». La loi du plus fort prévalait bien souvent et on n'y hésitait pas à faire usage d'une certaine violence pour faire respecter des droits ou un monopole plus ou moins supposés. Ce sera encore le cas un siècle et demi plus tard quand la concurrence opposant la Compagnie du Nord-Ouest et la

---

6. Marie de l'Incarnation évalue ainsi « à trois mille livres » le butin de cet autre vol de pelleteries commis au même moment par des Français aux dépens d'Indiens de la tribu des Loups (*Correspondance*, p. 864).

7. *Par-delà le Mississippi*, texte présenté et annoté par Catherine Broué, Toulouse, Anacharsis, 2012, p. 148.

8. *Mœurs, coutumes et religion des Sauvages de l'Amérique septentrionale*, p. 391.

Patrick Moreau

Compagnie de la Baie d'Hudson dégénérera au point d'entraîner mort d'homme lors de la fameuse «guerre du pemmican[9]». Le meurtre du Sonnontouan au cœur du fait divers qui nous occupe ici reflète, quoiqu'à un degré exceptionnel, la brutalité qui pouvait régner dans ces territoires qui échappaient pour lors à l'orbe de la civilisation.

Il faut dire aussi que les coureurs des bois et autres aventuriers (si l'on fait exception des missionnaires) qui sillonnaient ces territoires ensauvagés n'étaient pas précisément des enfants de chœur. C'est d'ailleurs ce thème qui sert, dans la lettre de Marie de l'Incarnation, à introduire le récit de ce meurtre du chef iroquois. Évoquant l'arrivée des nouveaux colons qui débarquent à Québec, la supérieure des ursulines explique à son fils que «parmi les honêtes gens il vient beaucoup de canaille de l'un et l'autre sexe, qui causent beaucoup de scandale[10]». Ainsi nos cinq soldats du régiment de Carignan-Salières, qui avaient peut-être combattu l'Espagnol en Toscane et le Turc en Hongrie, avaient probablement eux aussi, comme tous leurs congénères appartenant à la soldatesque mercenaire de cette époque, la réputation d'être de bien mauvais sujets. Les soldats faisaient en effet partie au dix-septième siècle de cette frange marginale de la population qui échappait à la glèbe et au cadre paroissial : errants, vagabonds, Bohémiens, migrants saisonniers et autres *venants*, tenus — peut-être un peu vite par les mentalités paysannes d'antan — pour être *sans foi ni lieu*.

De plus, dans le cadre assez strict qui est celui de la société d'Ancien Régime, on peut aisément comprendre, outre l'intérêt pécuniaire lié à la traite, l'attirance pour le bois et le mode de vie amérindien que subissaient ces soldats comme bien des jeunes hommes de la colonie. Cette fuite dans les bois leur permettait d'échapper, au moins temporairement, à la discipline militaire comme à la rigueur morale (en matière de sexe ou de consommation d'alcool notamment) qu'imposait en ville la surveillance des clercs ainsi que le cadre de vie communautaire. En quelque sorte, l'espace américain, incommensurable, et qui

9. Voir Robert Rumilly, *La compagnie du Nord-Ouest*, t. II, Montréal, Fides, 1980, en particulier les chapitres 48 et 50 à 64.
10. *Correspondance*, p. 863.

s'ouvrait à peine avait-on quitté vers l'occident l'île de Montréal, avait, tel un appel d'air qui faisait souffler sur la société figée d'alors un vent de liberté, un rôle dissolvant en rendant aisée, trop aisée cette *course* forestière qui libérait l'individu du poids des hiérarchies importées d'Europe. On imagine fort bien l'entrain avec lequel ces jeunes gens s'en allaient courir les bois en compagnie des Iroquois!

Les autorités de la colonie ne l'entendaient naturellement pas de cette oreille et percevaient très distinctement le danger que représentaient pour la colonie en gestation ces *coureurs des bois* qui menaçaient la stabilité sociale de la Nouvelle-France. Le comte de Frontenac dénonçait en ces termes à son ministre de tutelle, le secrétaire d'État de la Marine Colbert, « les désordres des coureurs des bois qui, si l'on n'y prend garde, deviendront comme les bandits de Naples et les boucaniers de Saint-Domingue. Leur nombre s'augmente tous les jours, nonobstant toutes les ordonnances qu'on a faites, et que j'ai encore renouvelées, avec plus de sévérité qu'auparavant. Leur insolence, à ce qu'on m'a dit, va au point de faire des forts et d'aller du côté de Manate et d'Orange, où ils se vantent qu'ils seront reçus et auront protection[11]. »

Cette attirance pour le mode de vie libre des sauvages (qui sera plus tard, chez Lahontan, explicitement opposé au mode de vie contraint des Européen), alliée aux profits potentiels du commerce (ou même du vol) des fourrures, explique sans peine l'inefficacité des mesures prises par les autorités coloniales pour tenter de contrôler la traite au moyen de *congés* (c'est-à-dire de permis ou de privilèges) accordés seulement à certains traiteurs[12] ainsi que la vente d'alcool aux Amérindiens. Car c'est bien entendu parce que le commerce des pelleteries était illégal et interdit aux particuliers que nos soldats quittent Montréal et y reviennent discrètement et « nuittamment ». En même temps, l'anecdote rapportée par Nicolas Perrot éclaire aussi le rôle pour le moins ambigu de certains officiers qui

---

11. Lettre du 2 novembre 1672, citée par Benjamin Sulte, *Le régiment de Carignan*, Mélanges historiques, vol. 8, Imprimerie des éditeurs, 1922, p. 79.

12. Souvent des « protégés » du gouverneur ou de l'intendant qui prétendaient ainsi monopoliser ce commerce à leur profit.

semblent occuper dans ce système de traite plus ou moins clandestine la fonction de «banquiers» auprès des soldats auxquels ils avancent apparemment les fonds nécessaires à l'achat des marchandises de traite avant de se faire rembourser ce prêt avec intérêt; tout illégale qu'elle était, la traite leur offrait ainsi un moyen aisé, et peu risqué, d'améliorer l'ordinaire et de compléter une solde qui n'était pas très généreuse. On sait que la plupart des officiers qui servaient dans l'armée du roi étaient des «soldats de fortune», c'est-à-dire des gentils-hommes peu ou prou désargentés. Le service du roi était bien souvent l'occasion pour eux de gagner un peu (voire beaucoup) d'argent et l'accusation de s'intéresser davantage à la traite qu'au service du roi courra durant toute la période de la Nouvelle-France sur le compte de certains explorateurs du continent comme de plusieurs commandants de forts des Pays d'en Haut (sans compter les accusations, elles aussi assez fréquentes, de concussion).

Enfin, le dernier intérêt de ce fait divers du meurtre du Sonnontouan, et non le moindre, vient du fait qu'il permet de remettre en question bien des idées aujourd'hui reçues au sujet des relations entre Français et Amérindiens. Il est à craindre qu'en la matière des préjugés nouveaux n'aient fait que se substituer aux anciens. Ainsi, on tient trop souvent pour acquis que les Blancs faisaient preuve à l'égard des autochtones d'un racisme primaire, celui-ci se traduisant entre autres par le terme de «sauvages» qui leur était appliqué. Que les Européens du dix-septième siècle aient fait montre d'une forme d'ethnocen-trisme, qu'ils se soient considérés comme plus «civilisés» que les peuplades amérindiennes qui habitaient le vaste territoire de la Nouvelle-France, c'est en effet indéniable, mais ce réflexe qui est propre à vrai dire à toutes les civilisations ne débouchait pas sur un racisme idéologique dont l'apparition sera bien ultérieure à l'époque de la colonisation du Canada. Cette anecdote en apporte la preuve en mentionnant que cinq (ou trois) Français seront fusillés pour le meurtre d'un seul Amérindien, ce qui montre bien que la vie d'un autochtone n'était pas tenue pour quantité négligeable par la justice du roi.

Les suites de la condamnation des cinq soldats sont d'ailleurs plutôt étonnantes. On y voit en effet les Iroquois, qui peu de temps auparavant menaçaient de « renouveller la guerre », intercéder auprès des autorités françaises en faveur des condamnés, ou plutôt de quatre d'entre eux, alléguant que « n'ayant perdu qu'un homme, il n'estoit pas juste [...] d'en deffaire [tuer] cinq » afin de leur donner satisfaction. Ils allèrent « pour obtenir la grace de quatre » d'entre eux jusqu'à faire aux Français « des presens de colliers de porcelaine ». Pour sa part, Marie de l'Incarnation justifie de la façon suivante cette intercession pour le moins surprenante des Amérindiens : « Car vous remarquerez, explique-t-elle à son fils, que parmi eux quand un Sauvage en tue un autre, ils ne le font point mourir, mais pour resusciter le mort, l'on donne son nom à un autre, au choix des intéressez, lequel prend dans la famille le rang de parentage que tenoit le défunt[13]. »

Ces pratiques amérindiennes de l'adoption ou du caractère équilibré de la vengeance peuvent à première vue sembler plus douces (voire plus raisonnables) que la mort infligée à quelques soldats par fusillade. Elles conforteraient alors le portrait rousseauiste que l'on aime mettre à l'honneur — afin de prendre le contrepied de celui qu'une certaine historiographie traditionnelle traçait des « Sauvages » cruels et sanguinaires — dès qu'il est question des Amérindiens[14]. Mais il ne faut pas s'y

---

13. *Correspondance*, p. 865.

14. Les autochtones du passé se voient ainsi prêter, à tort et à travers, des « qualités » très contemporaines (et combien anachroniques), comme celles d'avoir été écologistes avant l'heure, féministes, démocrates, pacifistes. J'ai personnellement été témoin de l'enseignement d'un professeur d'histoire qui apprenait à ses élèves du secondaire que la société iroquoise était matriarcale, ce en quoi il confondait apparemment matriarcat (le pouvoir appartient aux femmes) et famille matrilinéaire (où la filiation se fait par les mères, c'est-à-dire où les enfants du couple intègrent le clan maternel et non celui du père). Dans le même ordre d'idée, un ami me racontait récemment comment l'institutrice de sa fille avait réagi lorsque celle-ci lui avait posé une question au sujet de la pratique de la torture par les Amérindiens : « C'est ceux qui ne les aiment pas qui prétendent cela », lui répondit-elle sur un ton péremptoire. Quant à la « protection de la nature », c'est évidemment un souci d'urbains, qui était étranger aux premiers habitants de l'Amérique (voir à ce sujet Louis Hennepin, *op. cit.*, p. 267, qui raconte comment les Sioux qu'il accompagne tuent parfois quarante ou cinquante bisons dont ils ne prélèvent que la langue et les bons morceaux, abandonnant le reste des carcasses

tromper : ces coutumes des Amérindiens ne constituent, ainsi que l'avait bien perçu Champlain, qu'une variante américaine de la fameuse *lex talionis*[15]. Perrot en donne dans son récit d'autres exemples qui ont trait cette fois à la punition du vol. « Quand les Sauvages ont commis un larcin, écrit-il, et qu'ils sont reconnus, on les oblige à restituer ou à satisfaire au vol par d'autres effects, en cas qu'ils soient dissipés. Si on manquoit à cette satisfaction, celuy qui auroit esté volé, se joindroit à plusieurs de ses camarades, iroit tout nud comme s'il alloit aux ennemis, son arc et ses fleches à la main, dans la cabanne du voleur, où il pille et prend tout ce qui luy appartient, sans que le coupable ose rien dire, qui se tient la tete baissée entre les genoux[16]. » Même si le chapitre de Perrot s'intitule « Justice des Sauvages », il n'y a pas dans ces actes une ombre de justice — du moins au sens que l'on prête à ce mot aujourd'hui. Cette prétendue « justice » des Amérindiens ne consiste qu'à rétablir un équilibre que le vol ou le meurtre ont temporairement rompu. Il ne s'agit pas à proprement parler de punir un délit[17]. C'est pourquoi, en cas de meurtre, il est bien loisible, comme le craignent, aux dires de René de Bréhant de Galinée, Cavelier de La Salle et ses compagnons, aux parents de celui qui a été

---

aux charognards). De telles confusions ou mensonges ne font pas honneur aux Amérindiens d'autrefois et relèvent tout autant de l'ethnocentrisme que les accusations de cruauté et de barbarie portées contre eux il y a quelques décennies par une historiographie qui se complaisait dans les descriptions et les représentations imagées des supplices infligés aux pères Brébeuf et Lallemand par ces sauvages sanguinaires !

15. D'après son biographe David Hackett Fisher, Champlain considérait en effet, à propos des tortures infligées aux prisonniers de guerre, que les Amérindiens « n'avaient pas de vrai régime de droit, sauf la *lex talionis* », puisque « leur conception de la justice était de punir un méfait par un pire méfait » (*Le rêve de Champlain*, Montréal, Boréal, 2011, p. 318-319).

16. *Mœurs, coutumes et religion des Sauvages de l'Amérique septentrionale*, p. 292.

17. On remarquera que cette idée est propre à toutes les sociétés archaïques. On la retrouve par exemple dans les coutumes germaniques qui se substituèrent durant le Haut Moyen Âge européen au droit romain. Ainsi, la loi salique prévoyait en cas de vol, de mutilation ou de meurtre que soient payées des compensations en espèces à la victime elle-même ou bien à sa famille.

tué de « sacrifier à leur vengeance », non pas le meurtrier lui-même, mais « quelques Français[18] », tout comme on se vengeait de l'Amérindien coupable d'assassinat en tuant n'importe quel autre guerrier de sa tribu.

Ainsi, nonobstant ce qui a été dit précédemment, les causes politiques (pacification des Iroquois) ou économiques (la traite) de cette sévérité des autorités coloniales françaises à l'égard des soldats meurtriers n'expliquent pas tout. Cette prompte exécution des assassins est avant tout une question de justice. Car, comme il est rétorqué, selon Perrot, aux Iroquois, « les cinq [soldats] estoient egalement criminels et merittoient sans exception la mort », ou bien, comme l'atteste pour sa part Marie de l'Incarnation : « On leur dit que c'étoit la coutume des François d'en user ainsi, et que dans ces rencontres on en faisoit mourir deux pour la justice, et un pour celui qui avoit été tué. » Il est clair que cette deuxième explication, celle que rapporte l'ursuline, se veut en quelque sorte pédagogique, métissant « pensée sauvage » et raison civilisée afin de tenter d'expliquer aux Amérindiens pourquoi « on faisoit mourir trois François pour un des leurs qui avoit été tué[19] ».

Quoi qu'il en soit, ce qui distingue essentiellement la « Justice des Sauvages » de celle, « rigoureuse », des Français, ce n'est pas la bonté d'âme et le cœur pitoyable des premiers, mais bien l'absence chez eux d'une conception transcendante du Bien et du Mal, d'où sortira une définition moderne de la justice qui porte à la fois l'influence du droit grec puis romain, et celle du christianisme, et qui cherche non seulement à rétablir un certain équilibre dans la société, mais aussi à punir en lui-même un crime ou un délit. Au fur et à mesure qu'elle s'imposait tant dans les faits que dans les mentalités, cette conception moderne de la justice s'accompagna d'une moralisation du droit (cherchant à qualifier le crime pour lui-même) ainsi que d'une intériorisation consciente du Mal par l'individu. Elle représentait indéniablement un progrès, et il est à craindre que son abandon au nom d'un relativisme

---

18. « Ce qui s'est passé de plus remarquable dans le voyage de Messieurs Dollier et Galinée. Par René de Bréhant de Galinée », p. 17.

19. *Correspondance*, p. 865.

intégral qui se refuserait à qualifier les actes eux-mêmes comme bons ou mauvais eu égard à des valeurs clairement définies signerait un retour rapide à une forme de «droit du plus fort» et donc de barbarie. Pour revenir à notre propos, c'est significativement au nom d'une telle conception universaliste et transcendante de la justice que les descendants des Amérindiens d'alors peuvent aujourd'hui réclamer justice au nom de leurs ancêtres spoliés devant des tribunaux qui ne se contentent pas de juger sur la base du fait accompli.

Patrick Moreau enseigne la littérature au cégep Ahuntsic.
Il a publié plusieurs articles dans les revues Argument
et L'Inconvénient, *ainsi qu'un pamphlet sur l'éducation*
intitulé Pourquoi nos enfants sortent-ils de l'école ignorants?
(Boréal, 2008), et un essai sur la littérature québécoise,
Alain Grandbois est-il un écrivain québécois? *(Fides, 2012).*

L'assassinat de Jumonville et le début de la guerre de Sept Ans[1]

Sophie Imbeault

La mort d'un seul homme, celle de l'archiduc d'Autriche François-Ferdinand assassiné le 28 juin 1914, embrase l'Europe et constitue l'élément déclencheur de la première guerre mondiale. En Amérique, un événement similaire aurait eu lieu quelque 150 ans plus tôt. Il s'agit de l'affaire Jumonville, comme on la désigne généralement, à savoir la mort de Joseph Coulon de Villiers de Jumonville, assassiné par la troupe de George Washington le 28 mai 1754. Selon W. J. Eccles, « ce coup de feu allait marquer le début de la guerre de Sept Ans » en Amérique. Même si les deux morts ne se comparent pas vraiment, est-ce que l'on peut avancer que celle de Jumonville, tout comme celle de François-Ferdinand, met effectivement le feu aux poudres ?

---

1. Dans la rédaction de cet article, nous avons utilisé les ouvrages de Fred Anderson, *Crucible of War : The Seven Year's War and the Fate of Empire in British North America, 1754-1766*, New York, Alfred A. Knopf, 2000, p. 53-59 ; Amédée Edmond Gosselin, *Notes sur la famille Coulon de Villiers*, Lévis, Bulletin des recherches historiques, 1906 ; et les articles de Marcel Trudel, « L'affaire Jumonville », *Revue d'histoire de l'Amérique française*, vol. 6, n° 3, décembre 1952, p. 331-373 ; À rayons ouverts, n° 90 (automne 2012) ; et « François Coulon de Villiers », « Joseph Coulon de Villiers de Jumonville », « Louis Coulon de Villiers », « Nicolas-Antoine Coulon de Villiers », « Nicolas-Antoine Coulon de Villiers », fils, « Ange, marquis Duquesne de Menneville », « Claude-Pierre Pécaudy de Contrecoeur », « Robert Stobo » et « Tanaghrisson » dans le *Dictionnaire biographique du Canada*.

La guerre et les hommes

Le continent américain est une contrée qui connaît peu de jours de paix. Français et Anglais se disputent le territoire et ses richesses, particulièrement les pêcheries et les fourrures, depuis leur arrivée. Le début du dix-huitième siècle est marqué par deux guerres de succession, celle d'Espagne, qui se termine avec le traité d'Utrecht en 1713, et celle d'Autriche, qui prend fin en 1748 avec le traité d'Aix-la-Chapelle. Français et Anglais se font la guerre, certes, mais les premiers doivent également compter avec certaines nations amérindiennes plus belliqueuses, comme les Renards de la baie des Puants ou les Chicacas à l'est du Mississippi. Tout cela requiert un effort militaire énorme dans les colonies, notamment en effectifs. En Nouvelle-France, tous les hommes ou presque issus de familles nobles sont officiers.

La famille Coulon de Villiers n'est pas étrangère à cette tradition. Le père et ses six fils sont officiers dans les troupes de la Marine. Parmi eux, Jumonville, qui débute sa carrière comme cadet à l'âge de quinze ans et obtient le poste d'enseigne en second en 1746.

La guerre, qui commande d'être constamment sous le feu des fusils, a des conséquences tôt ou tard. Une tragédie familiale frappe les Coulon de Villiers en 1733. Cette année-là, Joseph perd son père, Nicolas-Antoine Coulon de Villiers, commandant du poste de la baie des Puants, un de ses frères (dont le prénom n'est pas connu) et son beau-frère François Regnard Duplessis, en plus de voir un autre de ses frères (François ou Louis) blessé au cours d'une des nombreuses attaques menées contre les Renards. Cette nation contrôlait une des routes vers le Mississippi et s'en montrait fort jalouse. Le frère aîné de Jumonville, Nicolas-Antoine, prend aussi part à cette attaque mais s'en tire indemne. Sa mère, Angélique Jarret de Verchères, ne survit qu'une année à son époux. Voilà les enfants Coulon de Villiers orphelins. Jumonville a seize ans.

En 1748, la paix a bel et bien été signée en Europe, mais dans les faits le bruit des armes ne s'est pas complètement éteint, ni dans les métropoles ni dans leurs colonies. La guerre est à nouveau officiellement déclarée en 1756. La France et l'Angleterre s'affrontent dès lors, pendant sept ans, sur le continent européen. Une lutte à finir s'était déjà engagée en 1754 entre le Canada et les treize colonies. C'est la French and Indian War ou la guerre de Conquête.

Une question de territoire

Une région devient un objet de convoitise pour les uns, un territoire à défendre pour les autres : la vallée de l'Ohio située au sud du lac Érié. À qui appartient-elle ? Au fil des ans, des marchands de fourrures des treize colonies, dont les Virginiens, la fréquentent et la revendiquent. La France conteste ces prétentions et soutient, au contraire, que le territoire lui appartient. Les Français installent donc un poste de traite en 1732 au confluent de la Ouabache et de l'Ohio, puis les Anglo-Américains établissent celui de Pickawillany en 1743. Dix ans avant l'affaire, en 1744, l'Ohio Company of Virginia est fondée.

L'escalade

En poste à partir de 1752, le gouverneur Ange Duquesne de Menneville fera sienne la politique d'occupation et de défense du territoire de l'Ohio, une politique qui est loin d'obtenir l'assentiment de tous dans la colonie française. Duquesne souhaite en fait contrecarrer par là tous les projets d'expansion des treize colonies. Il envoie un détachement sous les ordres de Paul Marin de La Malgue en 1752 s'établir à la Belle-Rivière (Ohio) et y fait établir les forts Presqu'île et Le Bœuf.

En 1753, une série de forts est établie à partir du lac Érié jusqu'à la rivière Ohio. Des Indiens, alliés à des commerçants anglais, commencent à élever la voix, parmi lesquels le chef Mingo Tanaghrisson, qui se retrouvera bientôt au cœur du drame qui nous intéresse. C'est aussi l'entrée en scène d'un jeune lieutenant-colonel de la milice coloniale, George Washington, que le lieutenant-gouverneur virginien Robert

Dinwiddie envoie avec ordre de sommer les Français de quitter les lieux. L'astucieux Jacques Legardeur de Saint-Pierre, commandant du fort Le Bœuf, éconduit le jeune Washington.

Les Français n'en restent pas là et construisent le fort Duquesne. Les Anglo-Américains, de leur côté, envoient un détachement au printemps de 1754 pour construire un fort près des rivières Ohio et Monongahela. Face à la supériorité numérique des troupes de Claude-Pierre Pécaudy de Contrecœur, commandant du fort Duquesne depuis janvier, ils sont rapidement contraints de capituler et d'abandonner le fort. La tension monte. Washington revient à la tête d'un petit détachement de milice. Cette fois, il peut user de la force pour affirmer la souveraineté britannique si la situation l'impose.

Le 23 mai 1754, Pécaudy de Contrecœur, bien au fait de cette nouvelle, dépêche Jumonville et une trentaine d'hommes afin de vérifier si les Anglo-Américains se trouvent bel et bien sur le territoire réclamé. Le cas échéant, Jumonville devra tout d'abord faire prévenir Contrecœur puis, au nom de Louis XV, lire une sommation invitant expressément les Anglo-Américains à quitter l'endroit.

De son côté, plus Washington progresse et plus il reçoit des nouvelles inquiétantes au sujet des Français. Tous les Indiens ne sont pas alliés de ces derniers. À preuve, Tanaghrisson, le Demi-Roi, un Iroquois de la rivière Ohio, alimente savamment les craintes de Washington à chaque occasion, évoquant une importante armée française en marche. Un traiteur confirme ses dires et rapporte ce qu'il a lui-même vu.

Les Anglo-Américains, accompagnés de Tanaghrisson et de quelques Indiens, marchent toute la nuit du 27 au 28 mai. Au matin, ils sont à proximité du détachement, à quarante-deux milles du fort Duquesne, à un endroit appelé aujourd'hui Jumonville's Glen. Washington envoie deux éclaireurs qui ont tôt fait de découvrir les Français dans un lieu entouré de rochers. Jumonville s'y trouvait depuis le soir du 26. Washington, qui a à peine vingt-deux ans et qui n'a encore jamais dirigé de troupe dans une bataille, après un conseil avec Tanaghrisson où ils concluent « de frapper ensemble », ordonne à ses hommes, qui sont une quarantaine, de tirer. Cette escarmouche durera tout au plus quinze minutes.

Que s'est-il réellement passé le 28 mai 1754?

Tôt le 28 mai, vers 7 ou 8 h, Jumonville et neuf autres Canadiens sont tués, un est blessé. Les autres membres du détachement, une vingtaine, sont faits prisonniers, sauf un soldat qui parvient à s'enfuir. Les Anglo-Américains auraient eu un tué et deux ou trois blessés. Washington et ses hommes abandonnent aux charognards les corps des Canadiens. Nous sommes pourtant en pleine période de paix entre la France et l'Angleterre.

Les historiens s'affrontent depuis des décennies sur ce qui s'est réellement passé en cette fatidique journée du 28 mai 1754. Jumonville a-t-il été tué au combat ou a-t-il été assassiné de sang-froid? A-t-il agi en émissaire ou en militaire? À l'époque, les Français affirment être venus en parlementaires afin de sommer les Anglais de respecter l'autorité de la France sur les terres de la vallée. Pour les observateurs américains, il s'agit plutôt d'envahisseurs. Les positions sont bien campées. François-Xavier Garneau peut ainsi écrire en 1845 : « Il est probable qu'il y a du vrai dans les deux versions, mais que l'attaque fut si soudaine qu'on ne put rien démêler. »

Elle représente un véritable travail d'enquête et d'analyse des documents pour les historiens. W. J. Eccles est l'auteur des excellentes biographies des fils Coulon de Villiers, dont celle de Jumonville, dans le *Dictionnaire biographique du Canada*. Les Américains Francis Parkman et L. H. Gipson prennent quant à eux position : ils veulent libérer Washington de l'accusation d'assassinat et cherchent à justifier sa conduite. Pour Marcel Trudel, qui s'est particulièrement intéressé à l'affaire et qui a fait la critique de chacune des sources recueillies, la version de Washington semble tout aussi crédible que celle des autres témoins.

Voilà un cas complexe de sources contradictoires fort intéressant pour les historiens. Pour comprendre l'événement, ils peuvent s'appuyer entre autres sur les Papiers Contrecœur, minutieusement collationnés par Fernand Grenier, la sommation de Jumonville et le journal de Chaussegros de Léry. Récemment, l'historien Fred Anderson a fourni le portrait le plus complet de l'affaire Jumonville. Il tente de retracer le fil des événements à l'aide des principaux témoignages.

Parmi eux, celui de Monceau, qui faisait partie du détachement de Jumonville et qui s'est enfui pendant l'attaque. En se basant sur son témoignage, Contrecœur écrit à Duquesne, le 2 juin 1754, et élabore la thèse de l'assassinat : « ils se dirent cernés par des Anglois d'un côté & des Sauvages de l'autre. Ils reçurent deux décharges de l'Anglois, & non des Sauvages. M. de Jumonville leur fit dire par un interprète, de finir, qu'il avoit à leur parler. Ils cessèrent. M. de Jumonville leur fit lire la sommation que je leur faisois faire de se retirer, dont j'ai l'honneur de vous envoyer copie. Pendant qu'on la lisoit, le nommé Monceau vit tous nos François qui approchoient contre M. de Jumonville, de façon qu'ils se trouvèrent en peloton au milieu des Anglois & Sauvages. »

Drouillon, enseigne et second de Jumonville, compte parmi les prisonniers faits par les troupes de Washington à la suite de l'attaque. Dans une lettre au lieutenant-gouverneur virginien Dinwiddie, il se présente comme parlementaire : « […] ni nous ni nos hommes n'avons eu recours à nos armes : il aurait pu entendre notre interprète, qui l'invitait à notre cabane, pour que nous puissions conférer ensemble, au lieu de saisir cette occasion pour faire feu sur nous ».

Jean-Baptiste Berger et Joachim Parent, faits prisonniers au même moment, renforcent la thèse de l'assassinat dans une déclaration en 1755, tout comme Michel Maray de La Chauvignerie, commandant de Chiningué : « les Sauvages qui étoient présents au coup, disent que M. de Jumonville a été tué pendant qu'il écoutoit lire la sommation ; qu'il a reçu un coup de fusil dans la tête […] ». Si dans les témoignages de Monceau et de Drouillon les Indiens accompagnant Washington se trouvent à l'arrière-plan lors de l'attaque, ils se donnent le beau rôle auprès de La Chauvignerie, prétendant s'être jetés au-devant des Anglais pour protéger les Français.

Denis Kaninguen, un déserteur anglais ou iroquois arrivé au fort Duquesne le 30 juin, soutient la version française de la surprise. Joseph-Gaspard Chaussegros de Léry a noté le résumé qu'il en a fait à Contrecœur : « cet officier s'étant avancé pour communiquer ses ordres au commandant anglais, malgré la décharge de mousqueterie que ce dernier [Washington] avait fait faire sur lui, il [Washington] en avait entendu la lecture [de la sommation] et s'était retiré à son monde à qui il avait ordonné de tirer sur les Français, que Mr de Jumonville avait été blessé et était tombé, que Thaninhison [Tanaghrisson], Sauvage, était venu à lui et avait dit tu n'es pas encore mort, mon père, et l'avait frappé de plusieurs coups de hache dont il l'avait tué».

Présent ou non au cours de l'attaque, comme le rapporte l'historien Anderson, Kaninguen a compris la métaphore de Tanaghrisson qui emploie le mot père (Onontio) en s'adressant à Jumonville. Par son geste, le Demi-Dieu, qui avait essuyé plusieurs affronts de la part des Français, nie publiquement leur autorité en tuant le père.

Une autre version, à savoir que les Français étaient des éclaireurs et non des parlementaires, est soutenue en premier lieu par George Washington, retourné à Great Meadows le lendemain de l'attaque. Il confie d'abord les prisonniers au lieutenant-gouverneur virginien puis il prend le temps de préparer sa défense dans son journal et par des lettres officielles. Il écrit à Dinwiddie : «J'ai entendu dire depuis qu'ils sont partis, qu'ils allaient déclarer qu'ils nous avaient crié de ne pas tirer ; mais je sais que cela est faux, car j'ai été le premier à les approcher et le premier qu'ils ont vu, et immédiatement ils ont couru à leurs armes et ont fait feu vivement jusqu'à ce qu'on les eût défaits.» Washington rapporte que les Indiens ont scalpé les morts et les ont dépouillés.

L'un des officiers de Washington présent lors de l'attaque, Adam Stephen, soutient que les Français ont fait feu en premier. Le 18 septembre 1754, son témoignage est publié dans la *Pennsylvania Gazette* : «Au lever du jour, nous mîmes nos armes dans le meilleur ordre possible (car il pleuvait sans répit) et nous atteignîmes les Français à l'heure du déjeuner. Une vive action s'ensuivit ; leurs armes et leurs munitions étaient sèches, puisqu'elles se trouvaient abritées par les cabanes d'écorce où ils avaient dormi ; nous ne pouvions pas nous fier aux nôtres et c'est pourquoi, retenant notre feu, nous avan-çâmes aussi près que possible, baïonnettes au canon et nous reçûmes leur feu. Ils avaient, avec beaucoup d'esprit, choisi une place pour camper dans le but ou bien de se cacher ou bien de se défendre […]. »

Vient ensuite le témoignage de John Shaw. Il appartient au détachement de Washington, mais il n'est pas présent lors de l'attaque. Des soldats qui y étaient lui ont toutefois rapporté les faits. Le détachement de Washington, raconte Shaw, aurait surpris les Français tôt le matin. Ils campaient entre deux rochers, certains dormaient encore et d'autres déjeunaient. Puis, ayant aperçu les Anglo-Américains, ils tirèrent et ceux-ci répliquèrent. Ce témoignage a ceci de différent qu'il relate les circonstances entourant la mort de Jumonville. Tanaghrisson joue un rôle de premier plan dans le massacre du Canadien : « Peu de temps après, les Indiens sont arrivés, le Demi-Dieu prit son tomahawk et fendit la tête du capitaine français, après lui avoir d'abord demandé s'il était Anglais et qu'on lui ait dit qu'il était Français. Il a ensuite sorti son cerveau et lavé ses mains avec puis il le scalpa […]. » Dans l'édition du 24 juin du *New York Mercury,* on peut lire que « le Demi-Roi […] coupa la retraite aux fugitifs et terrassa à coups de hache le commandant canadien avant de lui enlever sa chevelure ». Un peu plus de vingt ans après son père, Jumonville serait donc mort lui aussi des mains d'un Indien.

Qui de Monceau, Drouillon, Kaninguen, La Chauvignerie, Washington, Stephen ou Shaw dit vrai ? Des hommes du détachement de Jumonville ou ceux de Washington ? Leurs témoignages ne sont-ils pas tous inspirés par la défense de leur intérêt personnel ? Qui a tiré en premier le 28 mai, les Français ou les Anglais ? Jumonville a-t-il eu le temps de lire la sommation ? A-t-il été tué d'une balle anglaise ou a-t-il été achevé dans des circonstances dramatiques par un Indien ? Washington a-t-il commis une erreur de débutant ? S'est-il laissé manipuler par Tanaghrisson ? Quels étaient réellement les ordres de Dinwiddie, quand on sait que Braddock a reçu des instructions secrètes ?

Peu importe que ce soit un incident ou pas, cela arrange bien les Anglais. Ils en avaient assez des rebuffades des Français et ils ont désormais un prétexte pour entrer en guerre. On peut ainsi lire le 5 août dans *The New York Mercury* : « Les intentions des Français doivent maintenant être bien claires aux yeux de chacun de nous. »

Les lendemains de l'attaque en Ohio

La mort de Jumonville est récupérée par les administrateurs coloniaux et métropolitains[2]. On en fait un événement lourd de conséquences politiques, l'élément déclencheur d'une guerre. Pécaudy de Contrecœur réagit en effet promptement à l'attaque. Il écrit à Duquesne le 2 juin 1754 : « Je crois, Monsieur, que vous serez surpris de la façon indigne dont les Anglais en agissent ; c'est ce qui ne s'est jamais vu, parmi même toutes les nations les moins policées, que de frapper sur des ambassadeurs en les assassinant. » Duquesne emploie aussi des mots durs pour qualifier le geste des Anglais. Il parle de cruauté, d'assassin, de meurtre, d'effusion de sang. Sa conclusion est lourde de conséquences : « [...] mais s'il est vrai qu'ils marchent à force ouverte comme on vous l'assure, la rupture est décidée et vous n'oublierez rien pour repousser la force par la force. » Pécaudy de Contrecœur n'a cependant pas attendu la réponse du gouverneur, datée du 24 juin, pour frapper.

Un des frères de Jumonville, Louis Coulon de Villiers, est envoyé dans la région afin de chasser les Anglo-Américains du territoire à la tête d'un détachement de six cents Canadiens et d'une centaine d'alliés indiens. C'est le 26 juin qu'il apprend la mort de son frère à son arrivée au fort Duquesne. Dans son journal au début de juillet 1754, il emploie les mots « assassiné » et « assassinat » en parlant de la mort de son frère. Voudra-t-il le venger ? Il quitte le fort le 28 avec cinq cents hommes. Le hasard veut qu'il passe sur les lieux mêmes de l'attaque de Jumonville.

Tanaghrisson et ses hommes rejoignent Washington au fort aménagé à la hâte, connu sous le nom de fort Necessity, mais se retirent rapidement. Un peu plus d'un mois plus tard, le 3 juillet, les Canadiens arrivent devant le fort. Toute la journée, malgré

---

2. Jumonville laisse aussi derrière lui ses frères et sœurs et une famille. Au moment de son décès, il est marié depuis neuf ans à Marie-Anne-Marguerite Soumande, qui est d'ailleurs enceinte (de Charlotte-Amable, née le 16 août 1754 et décédée vers 1824) et il a un petit garçon de six ans (Joseph, né le 6 mars 1748 et décédé le 21 mai 1760).

une météo accablante, ils attaquent sans répit. Environ le quart des Anglais sont tués, soit une centaine. Du côté des Français, on ne dénombre que trois morts et dix-sept blessés. À la tombée du jour, Louis Coulon de Villiers croit que le moment est venu d'entamer des pourparlers avec Washington. Selon le préambule de l'acte de capitulation, qui compte sept articles, les Français ne souhaitaient, par ce siège, que «de venger l'aſsassin qui a Eté fait sur un de nos officiers porteur dune Somation et ſur ſon escorte, comme auſsi dEmpecher aucun Etablissement sur les terres du Roy mon maitre». George Washinston signe donc un acte de capitulation dans lequel il admet avoir assassiné Jumonville. La conduite de Louis, qui n'est pas tombé dans la vengeance pure et simple dans les circonstances familiales où il se trouve, sera louée par ses supérieurs. Après tout, pour les Français, ils sont chez eux en Ohio.

Les Anglo-Américains peuvent se retirer, ce qu'ils font le lendemain, avec les honneurs de la guerre, à deux conditions notamment : quitter leurs établissements à l'ouest des Appalaches et libérer les prisonniers faits lors de l'attaque contre Jumonville dans les douze mois suivants. Dans la précipitation, Washington oublie son journal, un document qui se révélera précieux pour les Français par la suite pour justifier leurs actions.

Le ministre de la Marine répond au gouverneur au sujet de l'affaire le 19 août. Après avoir reçu cette lettre à l'automne, Duquesne informe Contrecœur que le ministre «me marque beaucoup de surprise de la conduite des gouverneurs anglais tandis que le Roy d'Angleterre et de France vivent dans la plus parfaite union […] et de ne point donner occasion à des justes plaintes de la part des Anglais». La défensive est préconisée.

Voilà pourtant les treize colonies et la Nouvelle-France prises dans un engrenage. Washington cherche à sortir blanchi de cette affaire, une «défaite honteuse, qui a été si scandaleuse [qu'il] déteste en parler», par tous les moyens. Non seulement il n'admet pas s'être reconnu coupable d'un assassinat même s'il a signé un document l'attestant, mais il avance par la suite des problèmes de traduction. Il affirme avoir compris, lorsqu'on lui a lu le texte qu'il a signé, «death of» plutôt que «assassination».

L'affaire continue de révéler ses secrets et n'a pas fini d'étonner les historiens. Le Centre d'archives de Montréal possède dans le Fonds Juridiction royale de Montréal cent huit pages de documents (cote TL4,S1,D6128) concernant un procès devant le Conseil de guerre contre Robert Stobo et Jacob Van Braam, tous deux capitaines dans les troupes de Virginie, accusés d'espionnage. Washington avait laissé deux otages aux Français après la reddition du fort Necessity jusqu'à la remise des prisonniers faits le 28 mai. Stobo joue un rôle important par la suite, devenant un informateur pour les Anglais.

Au cœur de ce procès se trouve un document «d'une valeur historique inestimable», l'acte même de la capitulation accordée par Coulon de Villiers à Washington, cité textuellement plus haut[3]. Le document semble avoir été découvert en 1923 dans les archives judiciaires de la Cour supérieure du district de Montréal. Que fait ce précieux document parmi ces papiers? Il s'agit vraisemblablement de la copie de Coulon de Villiers, produite en preuve au cours du procès comme le démontre un document daté du 6 mai 1756. Quoi qu'il en soit, on lit clairement le mot «l'assassin» et rien qui ressemble à «mort». Comment Washington aurait-il pu entendre plutôt ce mot, qui n'a pas du tout la même consonance que le premier?

Deux conditions posées dans l'acte de capitulation ne sont quant à elles pas respectées. Si le ministre français affirme que les deux nations ne sont pas en guerre, dans les faits, elles le sont. Dès l'automne 1754, c'est l'entrée en scène d'Edward Braddock qui, secrètement, a reçu l'ordre de déloger les Français de la région de l'Ohio et d'y installer les Britanniques à demeure.

Si au début la mort de Jumonville a fait peu de bruit en Europe, on se met à l'exploiter à partir de 1756 et l'affaire est récupérée politiquement. La guerre est déclarée le 29 août. Dans la foulée, des documents et des mémoires sont produits par deux des parties impliquées, l'Angleterre et la France, dont le *Précis des faits* dans le cas de cette dernière. Les poètes, parmi lesquels Antoine-Léonard Thomas et son poème simplement intitulé *Jumonville*, ne sont pas étrangers à la mise en légende de cette mort.

---

3. Il avait été reproduit notamment dans *RAPQ* en 1922-1923.

De l'affaire Jumonville
à la cession de la Nouvelle-France

Tous les ingrédients sont réunis — personnage connu, mystère dans le déroulement de la journée du 28 mai, vengeance d'un frère — pour faire de la mort de Jumonville un drame épique. En fin de compte, cette affaire constitue une des premières escarmouches de la guerre de Sept Ans en Amérique. La reprise des hostilités n'est pas loin. Cela nous conduit à un enchaînement fatidique d'événements, tels que l'arrivée de Braddock puis des troupes de terre et des officiers comme Louis-Joseph de Montcalm du côté français, le siège de William Henry et du fort Niagara (auxquels Louis et François Coulon de Villiers prennent part), les batailles de Carillon, des plaines et de Sainte-Foy, la capitulation de Montréal et de toute la colonie, la signature du traité de Paris en février 1763 et la cession de la Nouvelle-France à l'Angleterre. La famille Coulon de Villiers est durement éprouvée pendant cette décennie. Elle a donné plusieurs de ses membres pour la défense de la colonie française d'Amérique, une colonie dont ils ne verront pas la fin.

Sophie Imbeault est historienne et éditrice. Elle a publié Les Tarieu de Lanaudière. Une famille noble après la Conquête, 1760-1791 *(Septentrion, 2004), coécrit, avec Jacques Mathieu,* La Guerre des Canadiens, 1756-1763 *(Septentrion, 2013) et codirigé avec Denis Vaugeois et Laurent Veyssière* 1763. Le traité de Paris bouleverse l'Amérique *(Septentrion, 2013).*

Le second mari de la veuve Hébert

Marie-Andrée Lamontagne

C'est un homme dans son champ, il sème le grain à la volée, on l'imagine heureux. Du même geste, il embrasse l'horizon, la terre qui ne ment pas, aurait pu dire le maréchal Pétain dernière période, s'il avait été présent — chose impossible : nous sommes en Nouvelle-France, au printemps 1618. On l'aura compris, cet homme est Louis Hébert. Il est arrivé à Québec en juin de l'année précédente. Ce n'est pas sa première traversée, puisqu'il a accompagné Champlain dans ses premiers voyages d'exploration en Acadie, une décennie plus tôt. Cette fois, il a entraîné avec lui femme, enfants, beau-frère et serviteur, et la petite famille est là pour rester. Il a vendu ses biens à Paris. Vu de la métropole, le promontoire de Québec, c'est alors beaucoup d'espoir reposant sur presque rien : un poste de traite, une cinquantaine de Français, commerçants ou coureurs des bois, trois récollets pour pacifier les mœurs et évangéliser les natifs, avec autour des forêts ataviques et des sauvages « hideusement tatoués » qui rôdent. De colons, surtout pas : l'apothicaire Louis Hébert sera le premier.

Cet « hideusement tatoués » est daté. Ainsi voyait-on les autochtones au début du vingtième siècle, si l'on était, comme Laure Conan, sous la plume de laquelle l'expression surgit tout naturellement, de « race canadienne-française », comme on disait aussi alors, expression où tous entendaient sans sourciller le mot « nation ». Il serait trop facile de railler la condescendance, le sentiment de supériorité blanche et européenne, la foi missionnaire, la dévotion patriotique et la ferveur admirative qui animent la femme de lettres — autre expression vieillie — lorsqu'en moins de quarante pages elle fait un portrait de Louis Hébert, «premier colon du Canada», qu'elle publie en 1912, à l'imprimerie de *L'Événement*, à Québec. Cédant à une indignation vertueuse, il serait tout aussi facile de lui opposer les écrits d'autres auteurs, quelques-uns anciens, bon nombre contemporains ou actuels, tout disposés à voir des êtres humains dans les autochtones, ce dont du reste étaient convaincus Louis Hébert et Champlain, au-delà de la nécessité de les convertir. De rappeler que le sentiment de supériorité anglaise ou espagnole, ailleurs sur le continent, prit des formes autrement plus virulentes. De renvoyer, en somme, Laure Conan (née Félicité Angers en 1845) au panthéon poussiéreux des classiques canadiens-français à ignorer sans remords. Mais celle qui écrit : « Il savait que la terre porte l'avenir en ses flancs, que c'est dans son sol surtout qu'un pays peut être aimé et servi (p. 20)» ne peut qu'être animée de convictions — on ne disait pas encore «idéologie» et encore moins «idéologie du terroir». Du coup, il serait bon de s'interroger sur l'origine de ces pages, sur les effets qu'elles cherchent à créer, sur ce qu'elles donnent à voir, par la grâce du style (même suranné), sur ce qu'elles taisent aussi, ou ne mentionnent qu'en passant, le regard tourné vers un autre but, pour y débusquer, peut-être, le point aveugle qui, tout à la fois semblable et renouvelé, agit encore aujourd'hui sur notre vision du passé.

Quand nécessité fait loi

À La Malbaie, où elle est née, Félicité Angers a laissé le souvenir d'une femme austère, pieuse, douée d'un joli et précoce talent pour la littérature qui permit à l'orpheline et à la célibataire qu'elle demeura jusqu'à la fin d'assurer sa subsistance par ses articles et ses livres, en se plaçant, à ses débuts, sous l'aile protectrice de l'abbé Casgrain, grand ordonnateur des jeunes lettres canadiennes. Les travaux alimentaires de Laure Conan prendront souvent la forme de récits biographiques et de tranches d'histoire. Son *Louis Hébert* s'inscrit dans cette veine. Il est l'œuvre d'une femme mûre. Laure Conan a soixante-sept ans, et *Angéline de Montbrun*, roman en partie épistolaire d'un amour contrarié par quoi la romancière fait aujourd'hui figure d'auteur classique canadien-français, a paru sous forme de livre, près de trente ans plus tôt, en 1884.

Le tournant du vingtième siècle correspond à l'âge d'or de l'imprimé. C'est vrai en France — ah! les nègres de Willy, qui tirent à la ligne, quai des Grands Augustins, la jeune Colette en tête —, en Angleterre — ah! *The Strand* et les enquêtes de Sherlock Holmes —, dans la capitale de l'empire austro-hongrois qu'est l'éblouissante Vienne — ah! Stefan Zweig. Ce l'est aussi au Canada français, même si l'instruction n'y est pas la chose du monde la mieux partagée, entraînant un retard en matière de lecture que les Québécois d'origine canadienne-française peinent encore à rattraper de nos jours, comme chacun peut le vérifier en librairie, dans les bibliothèques, à l'école, au travail, dans la vie quotidienne — partout où pèse l'hypothèque ancienne, ravivée par la progression actuelle de l'illettrisme, sur la vie de l'esprit. S'ils ne paient guère, les journaux au Canada français offrent un débouché tout trouvé pour les jolies plumes du temps. Pour ne rien dire des revues où paraît d'abord en livraisons la matière de bon nombre de futurs ouvrages. Ses tribulations de femme de lettres doublée d'une dévote vivant dans le siècle amènent Laure Conan à écrire ainsi pour *Le Rosaire*, revue des dominicains de Saint-Hyacinthe, ville où elle s'établira pendant quelques années. Elle y publie une Vie de Jeanne Mance, une autre de la mère Saint-Joseph, jeune et méconnue compagne de Marie de l'Incarnation et de Mme de la Peltrie, une autre de l'abbé de Calonne, prédicateur de renom à Québec où, après Londres et l'Acadie, il fuit la Révolution française, une autre du premier seigneur de la Malbaie, Philippe Gaultier de Comporté, et même une Vie de sa chère amie la mère Catherine Aurélie du Précieux-Sang (née Aurélie Caouette), stigmatisée qui fonde l'ordre du même nom à la demande de Mgr Bourget. Ces Vies, et d'autres encore, dont celle de Louis Hébert déjà mentionnée, Laure Conan les réunira en un volume sous le titre *Silhouettes canadiennes*, qui paraîtra en 1917, à l'imprimerie de l'Action sociale.

1917 : il y a exactement trois cents ans, Louis Hébert s'installait à Québec. Le fait mérite d'être souligné, pouvait-on lire, çà et là, depuis que, en 1908, des fêtes grandioses avaient rappelé le trois centième anniversaire de la fondation de Québec. En 1912, Laure Conan concluait d'ailleurs son petit livre en reprenant l'idée d'élever un monument en l'honneur de celui dont les dignitaires ecclésiastiques diront, au moment du dévoilement, qu'il fut l'« Abraham de la colonie », mieux : l'« Abraham de la race canadienne-française », tant il est vrai que, comme son modèle biblique, Louis Hébert laissera, grâce au ventre fécond de sa fille Guillemette, une descendance « aussi nombreuse que les étoiles dans le ciel », suivant la promesse faite par Yahvé à Abraham. Le choix de la terre opposée aux séductions de la traite, du commerce et plus tard des grandes villes, et une natalité galopante furent les deux piliers de la doctrine de la survivance canadienne-française en Amérique telle qu'on la concevait à l'époque. De ce point de vue, celui qui s'est donné pour tâche de « faire jaillir le pain de la terre » apparaît comme une figure emblématique. Moyennant quoi, au moment d'évoquer la geste de Louis Hébert, Laure Conan, mêlant l'épique au familier, parsème la vie de l'über-ancêtre d'une série d'images d'Épinal qui sauront plaire autant qu'émouvoir et édifier.

L'aventure de l'Acadie prend-elle fin en 1614, avec le retour définitif en France de Poutrincourt ? « Louis Hébert parcourut une dernière fois ses champs défrichés avec tant de fatigues. Un lien mystérieux attache le cultivateur au sol. [...] Les fils de la Vierge argentaient ses labours d'automne ; les grillons chantaient dans le chaume flétri. Mais jamais plus il ne verrait le blé vert pousser le long des sillons. Le fruit de ses labeurs lui échappait » (p. 12).

Trois ans plus tard, le bateau qui l'emmène en Nouvelle-France avec sa famille mouille-t-il à Tadoussac, « au pied des rochers géants couronnés de sapins », après une traversée « affreuse et très longue » de treize semaines ? Aussitôt « les matelots aidés des charpentiers élèvent une chapelle de verdure. Mme Hébert et ses jeunes filles ornèrent l'autel de fleurs sauvages et le Père Huet offrit le Saint-Sacrifice en action de grâces. » Cependant, outre des sauvages admiratifs, que croyez-vous qui bourdonnât à Tadoussac, un 14 juin ? Avec un goût du détail qui fait image, la romancière ajoute, citant un témoin du temps : « Pendant que le religieux célébrait les Saints Mystères, deux hommes chassaient les moustiques avec de longs rameaux. Sans cette précaution, il eût été impossible au Père de s'acquitter de ses fonctions sacrées» (p. 18). À trois siècles de distance, admirons la vision de ces moustiques qui fera sourire tout lecteur québécois normalement constitué…

Ce ne sera pas la seule astuce utilisée par Laure Conan pour animer son sujet. Ne traînons pas à Tadoussac : cap sur Québec — excusez la redondance. La poignée de Français vit alors dans un bâtiment fortifié appelé l'Habitation. Le contrat de Louis Hébert avec les marchands de Rouen et de La Rochelle stipule qu'on lui construira une maison en pierre pour lui et sa famille. En attendant, l'apothicaire installe sa tente sous un orme, qui «se dressait encore, il y a soixante-dix ans, au coin de la rue Sainte-Anne, près de la Place d'Armes», précise la femme de lettres, désireuse d'ajouter à la proximité des cœurs par la preuve naturelle, c'est-à-dire archéologique. Vient le jour où la maison est prête : «Il y avait enfin un vrai foyer dans la Nouvelle-France… Avec quel intime contentement Hébert battit le briquet et alluma le premier feu dans l'âtre! Bien douce fut cette heure. […] L'œil vif et gai, Mme Hébert allait et venait, plaçant les meubles, rangeant le linge dans les armoires, disposant sur le dressoir sa belle vaisselle d'étain et, près du feu, les casseroles de cuivre» (p. 21-22).

Arrêtons-nous là. On n'en finirait plus de citer des scènes où, en faisant dialoguer le domestique et le sacré, Laure Conan invite le lecteur à s'identifier avec le modèle qu'elle lui met sous les yeux. Qui a dit que l'histoire était une suite de ruptures? À lire ce *Louis Hébert*, elle est plutôt une continuité qui se donne périodiquement à voir de manière très concrète, par exemple dans le ruisseau qu'enjambe Louis Hébert en voulant prendre, le lendemain de son arrivée, la mesure des dix arpents qui lui ont été concédés, ruisseau qui coulait encore rue de la Fabrique, au début du dix-neuvième siècle, s'émerveille Laure Conan en rapportant le fait, dans une note de bas de page, au début du vingtième.

Cette rhétorique se comprend mieux si l'on n'oublie pas qu'elle renvoie à l'une des quatre formes prises par le nationalisme québécois au cours de son histoire, telles que les répertorie le politologue Louis Balthazar, dans *Bilan du nationalisme au Québec* (1986), ouvrage récemment réédité et mis à jour (VLB, 2013). Toute l'activité biographique de Laure Conan s'inscrit en effet dans un nationalisme dit traditionnel, celui-là même qui, encore jusqu'à la fin des années 1960, faisait rêver, à travers ses héros, bon nombre d'écoliers québécois devant leur manuel d'*Histoire du Canada*. En vertu d'une anomalie propre à l'histoire du fait français en Amérique, cette forme de nationalisme, explique Balthazar, vint après, et non avant, le nationalisme moderne hérité de la Révolution française, avec ses idéaux de nation, d'égalité et de Parlement responsable, toutes conceptions prisées par la bourgeoisie. Le nationalisme traditionnel est pour sa part un nationalisme de réaction et de conservation. Son regard est tourné vers l'Ancien Régime, dont il cherche à préserver l'esprit, sans jamais y parvenir, puisque le passé ne se répète jamais tel quel. Certes, à ces deux nationalismes succéderont les nationalismes étatique des années 1960 et autonomiste des années post-référendaires. Il n'empêche, poursuit Balthazar, le nationalisme traditionnel est celui qui domine au Canada français entre 1840 et 1960 : « très influencé par le courant romantique, [il] se réfugie dans des aspirations spirituelles plutôt confuses. On parle de l'"âme nationale", de "mission", de grandes œuvres à accomplir mais toujours en transcendant l'ordre politique. La citoyenneté inexistante est remplacée par le "*Volk*", la tradition populaire, la grande force historique qui tient lieu de solidarité. D'où l'importance du patrimoine et du folklore dans ce type de société » (p. 33). Si le nom de Laure Conan n'est pas ici prononcé, c'est tout comme.

Il faisait un temps magnifique, dit la chronique, le 3 septembre 1917 quand fut dévoilé, à Québec, en face de l'hôtel de ville, le monument élevé en l'honneur de Louis Hébert, à l'initiative de la Société Saint-Jean Baptiste, alors que se tenait la grande exposition agricole provinciale — il n'y a pas de hasard. En 1971, l'œuvre du sculpteur Alfred Laliberté sera déplacée en haut de la côte de la Montagne, où elle se trouve encore aujourd'hui, mais en 1917, chacun pouvait l'admirer quasi sur les lieux mêmes où hier encore s'étendaient les champs de maïs et de potirons, les vignes et les pommiers de l'homme par qui tout commença.

Le second mari de le veuve Hébert

Tant en France qu'au Canada français, le dix-neuvième siècle compte nombre d'abbés érudits, rats d'archives, gratte-papier, gardiens zélés de papiers de famille et de tradition orale et qui, entre deux messes, pondent des monographies historiques comme d'autres dispensent des bénédictions. Au Canada français, l'abbé Azarie Couillard-Després fut l'un de ceux-là. Né en 1876 à St. Albans, au Vermont, dans la diaspora canadienne-française, où évolue Honoré Beaugrand à la même époque ; descendant de Guillemette, fille cadette de Louis Hébert, et de Guillaume Couillard, son mari ; auteur d'un *Louis Hébert, le premier colon canadien et sa famille*, paru en 1914, l'abbé a lutté ferme pour qu'un monument soit élevé en l'honneur de son ancêtre. Sa ténacité, ses relations, des appuis et les fonds recueillis lui valurent d'obtenir gain de cause.

À en juger par le *Rapport des fêtes du IIIe centenaire de l'arrivée de Louis Hébert au Canada 1617-1917* qu'il publie en 1920, les orateurs firent assaut d'éloquence devant le monument. L'un, dans son homélie, avec des accents que n'aurait pas désavoués le plus orthodoxe des rabbins, voit dans la célébration des accomplissements de Louis Hébert une manière de « renouveler le pacte de la terre et de la race canadienne avec Dieu » (Mgr P.-E. Roy, archevêque de Séleucie et évêque auxiliaire de Québec), l'autre, un modèle pour ces jeunes gens qui « vont dans les centres industriels du Canada et des États-Unis grossir la multitude de ceux qui vivent au jour le jour, et qui souvent par leur inconduite, perdant avec la vigueur de la santé l'intégrité des mœurs, travaillent, lentement peut-être, mais sûrement, à la déchéance physique et morale de la nation » (cardinal Bégin, archevêque de Québec). Que le lecteur se rassure, il n'entendra pas tous les représentants de l'élite ensoutanée qui, comme le veut l'époque, défilèrent ce jour-là sur la tribune. Du reste, le ton est donné, et il ne variera guère. Mais voilà que s'avance un laïc, le premier ministre (libéral) de la province de Québec, Lomer Gouin. Quels propos tiendra-t-il à la foule ? « La terre, dit-il, a toujours été une bonne mère pour les Canadiens français. Elle leur a prodigué des trésors de santé physique et morale, elle les a conservés sains, vigoureux et prolifiques ; elle leur a permis de multiplier les foyers et les berceaux et d'accomplir l'œuvre, la grande œuvre de la survivance nationale, que Barrès appelait naguère le miracle canadien.» Le gouvernement fédéral n'est pas en reste, dès lors que l'unanime célébration de la terre faite à travers Louis Hébert semble transcender la «race». «Ne suis-je pas un intrus parmi vous?» commence par s'interroger le Canadien anglais Joseph-Hiram Grisdale, sous-ministre de l'agriculture à Ottawa, quand il prend la parole. Précaution oratoire, bientôt suivie d'une formule à méditer en ces temps de flux migratoires : «Quand j'y songe, je crois avoir aussi quelque droit à figurer dans cette assemblée. Si mes ancêtres ne sont pas venus dans les premiers temps de la colonie, ils n'en ont pas moins défriché de leurs propres mains leurs fermes dans les forêts vierges qui entouraient alors l'emplacement de Montréal.» On entend d'ici les applaudissements.

Pour autant, on aurait tort de voir la foule et ses orateurs enfermés dans un provincialisme frileux. La Grande Guerre, dans laquelle des nationalismes exacerbés jouèrent le rôle que l'on sait sur le continent européen, couvre de son ombre portée les célébrations du 300ᵉ anniversaire de l'arrivée de Louis Hébert à Québec. «L'heure est sombre aux jours où nous vivons», dit l'abbé Couillard-Després, qui se dit honoré, modeste prédicateur, d'avoir eu le privilège de monter en chaire dans la basilique de Québec. «Les ténèbres de je ne sais quelle gigantesque nuit semblent planer sur le monde entier [...]. Vingt nations sont aux prises qui s'entretuent atrocement. La nôtre, pourtant si loin du théâtre principal de l'action, a été comme fatalement entraînée dans la mêlée. C'est à se demander vraiment si l'univers tout entier ne se précipite pas à cette catastrophe finale dont parlent nos Saints Livres.»

Nous qui nageons librement dans le bonheur du vingt et unième siècle pouvons sourire de cette éloquence fleurie, y trouver de quoi nourrir notre satisfaction à l'idée que la société québécoise en a fini avec l'emprise du clergé. Mais ce serait passer à côté de la complexité des faits. Alors qu'une France encore très majoritairement rurale répond à la mobilisation générale décrétée le 1ᵉʳ août 1914, faut-il s'étonner qu'à Québec, trois ans plus tard, l'anniversaire autour de Louis Hébert donne lieu à une débauche de discours faisant passer le salut de la nation par l'agriculture? Qu'en mai 1914, le maire de Dieppe, conformément à une certaine historiographie qui faisait de

Louis Hébert un natif de cette ville (on sait depuis qu'il est né à Paris), s'engage à participer à une éventuelle souscription en vue de lui élever un monument à Québec? Que le député du département de la Seine-Inférieure, dans une lettre envoyée aux organisateurs canadiens, dise encourager le gouvernement français à en faire autant? Au nationalisme paisible du Canada français répond un nationalisme français aux abois, où la glorification des héros de l'histoire répond chaque fois à une nécessité identitaire. En France, sur le plan de la renommée, Louis Hébert n'est certes pas Vercingétorix — d'ailleurs l'un se bat, l'autre sème —, mais le souvenir du Premier Empire vaut bien qu'un député se fende d'une lettre par-delà l'Atlantique. Ce sont du reste des héros de ce genre, avec l'industrie, les paysages, les hommes et les fromages que glorifiait, au même moment, G. Bruno, l'auteur du *Tour de la France par deux enfants*. Sous ses dehors de manuel de lecture pour les élèves du cours moyen, l'amusant et instructif petit ouvrage est avant tout le bréviaire patriotique assumé de la IIIᵉ République. Depuis sa première publication en 1877, il se vendit à des millions d'exemplaires et connut la faveur des écoles et des familles jusqu'au milieu du vingtième siècle. En 1989, une réédition en *fac simile*, au charme délicieusement rétro, fit son apparition dans les librairies françaises, en cette année commémorative où l'on n'oubliait pas que, très exactement deux cents ans plus tôt, la nation française surgissait toute casquée, si l'on peut dire, des gravats de la Bastille — autre épisode vivace du récit national.

Un silence retentissant

Au royaume des idéologies, un tri mystérieux est la règle. S'agissant de Louis Hébert, la question devient donc la suivante : pourquoi ne sait-on pas assez que Marie Rollet, épouse Hébert, ayant suivi son mari au Canada, devenue veuve en janvier 1627 — le pauvre a fait une vilaine chute sur la glace — s'est remariée deux ans plus tard, le 16 mai 1629, avec Guillaume Huboust Deslongchamps? Dans les discours prononcés à Québec, en 1917, au pied du monument qui représente Marie Rollet avec ses trois enfants, Marie, Guillaume et Guillemette, il n'en est jamais question. L'abbé Couillard-Després, occupé à louanger la sainte famille laïque de pionniers, passe le fait sous silence, et Laure Conan, ne mentionne le remariage que du bout des lèvres, à l'avant-dernière page de son ouvrage, et encore, comme un moyen de parfaire l'entreprise d'éducation chrétienne inaugurée par le premier mari auprès des « indigènes ». Pourtant connu de l'historiographie, le fait est rarement mentionné dans les récits portant sur la geste de Louis Hébert et, quand il l'est, c'est en sourdine. Pourquoi ?

C'est que ce second mari gêne. Il ternit la légende d'une Mme Hébert qui, héroïquement, en 1629, après en avoir délibéré avec Champlain, refuse de rentrer en métropole pendant les quatre années où Québec est aux mains des frères Kirke, corsaires de leur état. La prise de Québec a lieu la même année que le remariage de Marie Hébert, née Rollet. Sans doute faut-il y voir un lien. Comme le savent tous les généalogistes amateurs, le remariage est une pratique courante au Canada français. S'il est dicté par la raison jusqu'au dix-neuvième siècle et au-delà, il était sans doute une nécessité absolue dans une colonie assiégée par l'ennemi et comptant tout au plus une centaine d'âmes — françaises, celles, improbables, des autochtones non baptisés ne comptant pas, évidemment. En somme, ce second mari est de trop. Il contredit l'image de Mme Hébert en matriarche éprouvée, qui fit de son gendre Guillaume Couillard l'homme de la maisonnée après la mort de son époux. La figure de Guillaume Couillard a d'ailleurs elle aussi engendré son mythe : le charpentier est devenu sieur de Lespinay en 1654, aime-t-on rappeler, ce qui fait de lui le premier seigneur colonisateur en Nouvelle-France, ce noble statut oblitérant ses origines roturières, faisant même oublier que l'homme était illettré — détail souvent omis, comme on peut le penser.

On le sait, il y a l'histoire, discipline des sciences humaines qui a souvent recours au récit comme vecteur, et l'historiographie, qui renvoie aux différentes manières de raconter l'histoire au fil des siècles. Entre les deux, allant et venant, tour à tour masqués ou s'avançant à visage découvert, prolifèrent les mythes, ferments du récit national, celui-là même que l'historien Marcel Trudel s'est employé à démonter dans les cinq tomes de *Mythes et réalités dans l'histoire du Québec* (Hurtubise HMH, 2001-2010) ; celui-là même que cultive de nos jours le comédien Loràrnt Deutsch avec une verve communicative, à la télé française, fort d'un best-seller (*Métronome, l'histoire de France au rythme du métro parisien*, Michel Lafon, 2009) qui fait de vingt et une stations du métro parisien, chacune avec son siècle et ses héros, autant de belles histoires nouant les fils du récit national. Sur le plan narratif, les procédés utilisés par Loràrnt Deutsch en plein vingt et unième siècle sont les mêmes que ceux utilisés par Laure Conan cent ans plus tôt — vivacité, proximité, rêve, exaltation. Ainsi, nous voici au troisième siècle, à la station de métro Notre-Dame-des-Champs. Qui va là? C'est Denis, qui se promènera un jour la tête sous le bras, mais qui est pour l'heure premier évêque de Paris, bourg encore appelé Lutèce et tout enténébré de paganisme. Une première messe fut célébrée en ce lieu même, lit-on dans le livre de Deutsch. «Autour de Denis sont regroupées, tremblantes, des familles gauloises et romaines résolues au baptême malgré les dangers. Enveloppé d'une obscurité trouée seulement par les flammes vacillantes de petites lampes à l'huile, Denis parle... Revêtu d'une aube blanche, les yeux étincelants qui paraissent percer la nuit, il évoque en termes vibrants Jérusalem et le Golgotha. Et la grande croix de bois sombre devinée dans les ténèbres pare le récit d'une vérité tangible et dramatique» (p. 47).

On dit que Deutsch, contrairement à bien des célébrités qui se piquent de publier un livre, a écrit lui-même le sien, en amateur passionné d'histoire depuis l'enfance. Loin de la prudence langagière des historiens, qu'il dit avoir beaucoup lus, l'auteur a recours à chaque page à l'émotion par la preuve naturelle, les venelles ou pans de mur ruinés dans Paris susceptibles de donner prise à sa rêverie historique ne manquant pas. Et ça marche: plus de huit cent mille exemplaires vendus, selon la firme française Edistat. Cependant, quand Deutsch publie *Hexagone. Sur les routes de l'histoire de France* (Michel Lafon, 2013), son second ouvrage de vulgarisation historique, quatre historiens blogueurs autoproclamés «de garde» s'élèvent contre une certaine manière de raconter l'histoire où ils voient «une résurgence du roman national», qui fait de la bataille de Poitiers une invasion musulmane et un choc des civilisations, et un génocide du massacre des contre-révolutionnaires vendéens

(William Blanc, Aurore Chéry, Christophe Naudin, *Les histo-riens de garde. De Loránt Deutsch à Patrick Buisson. La résurgence du roman national*, préface de Nicolas Offenstadt, < www. leshistoriensdegarde.fr >).

Deutsch se défend : ces historiens de garde sont surtout de gauche, aveugles quant à leurs propres présupposés. Il n'empêche que la polémique soulève une question : le bon peuple — dont nous sommes tous — peut-il se passer de mythes? Les mythes sont la sève des peuples, ils ré-enchantent le quotidien, montrent la face cachée des parkings sans âme et des grandes places où pétarade la modernité. Les mythes sont constitutifs du récit national. Ce dernier s'élabore souvent insensiblement, de manière irrésistible et comme porté par l'air du temps, celui qui, par exemple, dans la province de Québec, après 1960, désigne les années précédentes du vocable « Grande Noirceur », avec des majuscules s'il vous plaît, vocable prononcé avec une conviction semblable à celle qui, en 1917, fait reposer le salut des Canadiens français sur l'agriculture.

Parce que les peuples sont devenus incertains et se sont pulvérisés en autant d'individus, parce qu'une forme de suspicion pèse sur toute conviction, sauf, paradoxalement, à lui voir emprunter la forme univoque des discours électoralistes ou religieux, comme si c'étaient là les seules réponses légitimes au désir de croire, il peut être tentant de penser que les mythes sont devenus moins opérants ; qu'ils sont les reliquats d'époques et de mentalités révolues, alors que le pouvoir exerçait sur les masses une propagande sans frein ; qu'ils sont de nos jours habilement récupérés par le cinéma, les jeux vidéo ou les romans et, du coup, rendus inoffensifs. On peut s'en convaincre, oui, à condition d'oublier que l'histoire n'est pas simple collecte de faits, mais aussi interprétation. Et qu'il est un bon usage du récit national qu'on aurait tort d'ignorer, sauf à le voir réapparaître sous une forme populaire, séduisante, fatalement simplificatrice, à la manière des vitraux qui, dans les cathédrales, au Moyen Âge, avaient pour fonction de raconter l'Évangile à des croyants pour la plupart analphabètes. L'homme a besoin d'histoires, et tout autant les peuples et les nations qu'on veut lui voir intégrer, par la naissance ou par l'immigration, pour le bien commun de la vie en société. Il n'est jusqu'au récit transnational, mondialisé, qui s'élabore lui aussi à partir d'une même soif de mythes, comme l'ont montré la mort de Steve Jobs et celle de la princesse Diana.

Par conséquent, et pour reprendre l'exemple de Deutsch, ce n'est pas un procès en sympathies monarchistes et catholiques qu'il convient d'instruire à son sujet, ce qui reviendrait à faire le procès de toute forme d'interprétation en histoire — entreprise aussi improbable que stérile. Du reste, il revient précisément aux historiens de démêler le vrai du faux dans la reconstitution du passé, ce qui donne lieu souvent à des débats passionnants, y compris pour le grand public. Mais peut-être faudrait-il envisager sous un autre angle cette polémique franco-française et s'attarder sur la figure d'intégration réussie, en une seule génération, qu'incarne Lorànt Deutsch, né Lazlo Matekovics, à Alençon, en France, d'un père juif hongrois, et ayant grandi dans la Sarthe. Voilà un gamin, puis un adolescent passé au crible de l'école de la République à l'époque où celle-ci pouvait croire encore à son pouvoir d'intégration, qui se voit un jour trop heureux, petit provincial doué pour le théâtre et monté à Paris où il connaît le succès, de décliner, à sa manière, le « nos ancêtres les Gaulois » des manuels d'antan au bénéfice de la culture populaire. Que dit l'épisode sinon que l'histoire n'en a pas fini avec les mythes ?

Pendant ce temps, on peut penser que le récit national canadien-français, sous sa forme traditionnelle, a vécu, c'est vrai. Il s'agit moins ici de le réhabiliter que de s'interroger sur les formes qu'il doit pouvoir prendre à l'école québécoise si celle-ci veut doter les élèves d'une culture historique quelque peu tangible, de s'interroger aussi sur les formes que le récit national ne manque pas de prendre déjà dans la société, dans la prose grasse des journaux, sur les ondes légères, à travers les bytes qui crépitent ou près des machines à café, dans les bureaux. Alors une question se pose avec force : qui était Guillaume Huboust Deslongchamps ? De quel double obscur serait-il le reflet ? Pourquoi ne parle-t-on jamais de lui ?

Marie-Andrée Lamontagne est écrivain, éditrice, journaliste. Dernier titre paru : L'homme au traîneau, *roman (Leméac, 2012).*

AUTOUR D'UN LIVRE

Joseph Yvon Thériault, *Évangéline : Contes d'Amérique*, Montréal, Québec Amérique, 2013

Présentation

Livre ambitieux que celui que nous a donné Joseph Yvon Thériault, à la fois par l'ampleur de son objet, puisqu'il couvre plus d'un siècle d'histoire (de 1847 à aujourd'hui, avec bien des coups d'œil en outre sur un passé plus lointain) et parcourt trois espaces géographiques (les États-Unis, l'Acadie et la Louisiane), et aussi par l'originalité de son approche méthodologique, car l'auteur prend comme fil conducteur de son analyse la façon dont un même texte, la romance *Evangeline : A Tale of Acadie* de Henry Longfellow, a été lu, adapté, interprété et réinterprété au gré des lieux et des générations au point de constituer finalement non pas un mais trois contes bien distincts, qui ont contribué chacun de leur côté à la genèse des récits identitaires états-uniens, acadien et cajun. Il allait donc de soi qu'*Argument* consacre sa rubrique «Autour d'un livre» à cet essai et demande à quatre commentateurs intéressés à plus d'un titre aux thèmes abordés dans ce livre de rendre compte de la lecture qu'ils en ont faite.

Premier de ces lecteurs, Herménégilde Chiasson, dans son texte intitulé « Faut-il oublier Évangéline ? », évoque surtout la «relation ambiguë» que les Acadiens de sa génération entretiennent avec ce personnage issu d'une fiction qui n'a pas peu contribué à donner des Acadiens «cette image de peuple martyr, soumis, silencieux» qu'ils tenaient à récuser. C'est pourquoi il considère que des livres comme *Évangéline : contes d'Amérique* sont essentiels pour renouveler la vision du personnage et du mythe, et permettre ainsi une relecture des enjeux identitaires qui y sont attachés.

Présentation

Tout en reconnaissant « l'intérêt d'un tel projet » et en quoi il « est ambitieux et louable », Monique Boucher et James de Finney critiquent quant à eux ce qu'ils estiment être le « flou méthodologique » d'un ouvrage qui bouscule justement les frontières académiques en touchant à la fois à la littérature, à l'histoire (ou plutôt aux histoires : politique, culturelle, des mentalités) et à la construction identitaire des sociétés.

Micheline Cambron, enfin, notre dernière lectrice, qui qualifie cet essai du sociologue de « surprenant », « captivant », « stimulant », se montre surtout sensible à cette « véritable expérimentation épistémologique » qu'il constitue et achève son commentaire en invitant son auteur à réaliser ensuite « une sorte de " making of " heuristique qui éclairerait les enjeux théoriques de l'expérimentation ».

Dans sa réponse, Joseph Yvon Thériault satisfait à sa demande en éclaircissant les présupposés sur lesquels est fondée sa démarche tout en répliquant à certaines objections de ses autres lecteurs.

Patrick Moreau

Faut-il oublier Évangéline?

Herménégilde Chiasson

Comme le souligne Joseph Yvon Thériault (p. 241 à 247), Évangéline est un personnage avec qui j'entretiens une relation ambiguë, car il représente une vision passéiste et traditionnelle qui en fait une référence connue et immédiate qui se prête à la critique. Bien sûr il y a tout le côté romantique, féministe, mythique d'une héroïne dont le courage et le destin en font un modèle de résilience et de détermination, modèle dans lequel le peuple acadien se reconnaît depuis longtemps. On oublie souvent, comme le souligne également Thériault, que cette histoire va servir à l'origine à faire mousser le nationalisme états-unien naissant, affirmant sa volonté de se détacher de l'héritage britannique tout en en conservant la langue et un auditoire dont la commodité n'est pas négligeable quand vient le temps d'imposer une œuvre à l'échelle mondiale.

C'est aussi une histoire où vont se retrouver les Acadiens dans leur volonté de ne pas voir l'étau dans lequel ils furent alors et sont toujours contraints. Cette indécision historique, louvoyante, malaisée et, pour certains, sans issue, entre le pouvoir et la culture, cette impossible neutralité que l'on rencontre encore de nos jours entre une culture francophone dont le Québec serait le fer de lance et une appartenance canadienne dont Ottawa se fait le proviseur. À côté de ces enjeux de survivance, l'histoire d'Évangéline apparaît alors comme une sorte de reposoir permettant de concevoir un récit et surtout une mythologie qui simplifie — comme toujours — toutes ces questions et toutes ces angoisses. Une sorte de texte religieux

Argument vol. 16, n° 2, 2014

dont la fréquentation nous porte à nous résigner noblement au destin plutôt que de lui opposer un contrepoids, une résistance ou un détournement.

Mais cette histoire perdure. Avec le temps elle a fini par nous dominer pour devenir la version mythique dans laquelle se situe la diaspora acadienne, résultat de cette « déportation » que l'on voudrait maintenant justifier par la création d'une Acadie de la mémoire qui se substituerait à un éventuel projet de société sur le territoire ancestral. De l'engouement que le poème connaîtra auprès de l'élite acadienne du dix-neuvième siècle jusqu'aux débats de société de ces dernières années, nous avons fomenté cette rancune historique provenant selon moi du fait que nous n'avons jamais eu une version acceptable — ne serait-ce que passagère — de notre histoire. Nous en sommes toujours à cette étape bons/méchants, ce manichéisme confortable du mythe et cette idéologie revancharde qui nous ont fait perdre un temps précieux dans l'affirmation de notre culture. Lorsque tout récemment encore une partie de l'élite acadienne se met à exiger des excuses de la couronne britannique pour les dommages de la Déportation, je ne peux faire autrement que d'y voir une autre manifestation de cette simplification désolante d'une histoire que nous n'avons pas apprise ou que nous avons peu ou mal apprise. On oublie, comme l'a montré John Farragher dans son ouvrage magistral *A Great and Noble Scheme*, que tout ce projet a été monté par Charles Lawrence, alors gouverneur de la Nouvelle-Écosse, en accord avec William Shirley, alors gouverneur du Massachussetts. Londres sera mis devant un fait accompli. Dans ce cas devrait-on aussi et surtout demander des excuses aux États-Unis pour leur rôle, ou même au Québec pour ne pas nous avoir prêté secours ? Il y a à ce sujet une lettre désolante des Acadiens à Vaudreuil, dont la mère était acadienne, une lettre qui aura pour toute réponse : de quitter l'Acadie pour se rendre (se déporter) à Québec. Comme le dira l'historien Robert Sauvageau, il y avait là une étrange concordance entre les politiques anglaises et françaises.

Si c'est de Nouvelle-Angleterre que sera ourdi ce complot sournois, c'est aussi de ce lieu que nous parviendra, près de cent ans plus tard, ce livre qui fit sans doute le même effet sur nous que le fera *Maria Chapdelaine* sur les Québécois. Tout à coup un livre bien écrit, dans les formes esthétiques reconnues de l'époque et dont le succès aura des effets à long terme sur une perception, comme le démontre Thériault, endossée et promue par l'élite. D'où mon texte « Oublier Évangéline », qui est un vœu beaucoup plus qu'un programme — car comment extirper de notre inconscient collectif une vision coloniale d'un évènement que nous voulons nous-mêmes oublier ? À ce sujet, il est étrange de constater qu'il n'existe aucun récit de l'époque au sujet de la Déportation. Même dans la culture orale où les Acadiens se sont fait un devoir d'inscrire tant d'évènements. Rien. Rien sauf les écrits des conquérants, dont le journal de John Winslow, responsable de la Déportation dans la région de Grand Pré, est probablement le plus complet. Dans ces circonstances, *Évangéline*, œuvre de fiction, fut sans doute un don du ciel.

En 1996, dans son film *Évangéline en quête*, Ginette Pellerin donne la parole au folkloriste et écrivain louisianais Barry Ancelet qui affirme : « Évangéline a volé notre histoire […] au sens où elle a rendu les autres héros pas nécessaires. » C'est sans doute ce conflit que j'ai longtemps entretenu avec ce livre, cette fiction qui a fini par se substituer à notre histoire pour nous faire oublier nos véritables héros et qui nous a, en grande partie, donné cette image de peuple martyr, soumis, silencieux. Des noms tels que ceux de Beausoleil Broussard ou Charles de Boishébert ou Charles Belliveau, pour ne nommer que ceux-là, ont pratiquement disparu au profit d'une histoire où nous apparaissons beaucoup plus comme naïfs, démunis et victimes que comme résistants. Car il y eut une résistance, contrairement à la vision mise de l'avant par l'Église et fortement soutenue par Longfellow, d'un peuple résigné montant dans les bateaux de l'exil en chantant des cantiques.

C'est cette vision que bon nombre d'entre nous avons récusée ; mais les idéologies ont la vie dure et il faudrait un nouveau contrat social pour remettre les pendules à l'heure. Malheureusement ce nouveau contrat se voit constamment remis aux calendes grecques par une mentalité qui voit dans le passé la source de tous nos maux et dans l'avenir une volonté de trouver compensations pour ce drame historique. Ce qu'on oublie c'est que l'histoire se prête fort mal à la réécriture — à la rigueur à la révision —, mais que l'histoire peut cependant nous servir de repère, de leçon, d'avertissement et de mémoire. Nous avons beaucoup à apprendre de la Déportation mais il faut bien avouer que cette leçon ne nous viendra pas d'*Évangéline*, dont les pérégrinations certes émouvantes ne sauraient en aucun cas nous servir de modèle pour justifier notre résignation ou notre rancune.

Alors, pourquoi cette fascination, comme le souligne Thériault? Pourquoi cette présence dans quantité de créations littéraires et visuelles? Tout d'abord, comme je le mentionne à la fin de ma pièce de théâtre *Pour une fois*, Évangéline et La Sagouine forment un couple de personnages féminins dont il est difficile d'ignorer l'existence.

Elles incarnent deux visions de l'Acadie qu'il est plus facile d'évoquer que de décrire, puisqu'ici elles sont devenues des archétypes. Deux femmes donc, toutes deux fortement ancrées dans le passé et fortement connotées en ce qui a trait à deux visions plutôt discordantes, du moins si on les juxtapose, de l'Acadie. Autant Évangéline représente une vision féminine édulcorée et sanctifiée, autant la Sagouine se veut un personnage revendicateur, populaire et incarné mais dont le discours se voit dévié par plusieurs aspects (accent, humour, résignation) qui en limitent la portée. Il reste qu'on peut utiliser ces deux visions comme des références immédiates. C'est dans cet esprit qu'Évangéline est apparue plus souvent que je ne le croyais dans mon travail, comme Thériault le souligne d'ailleurs avec justesse.

Évangéline appartient assurément au passé, non seulement dans son rapport au temps mais dans un rapport idéologique à un idéal féminin dont l'élite et le clergé nous ont rebattu les oreilles. «Évangéline porte mal la mini-jupe», comme le dira le cinéaste et poète Léonard Forest dans le numéro que *Liberté* consacrait à l'Acadie en octobre 1969. Un peu de la même manière, il y a un passage dans *Trout Fishing in America*, le célèbre livre du poète américain Richard Brautigan, dans lequel il fait allusion de manière explicite à la dimension charnelle du personnage, passage qui nous avait beaucoup fait rire le poète Gérald LeBlanc et moi car il était difficile d'imaginer qu'Évangéline ait pu avoir un vagin.

He took a good snort and then shook his head, side to side.
And said, « Do you know what this creek reminds me of? »
« No » I said, tying a grey and yellow fly onto my leader.
« It reminds me of Evangeline's vagina, a constant dream of
my childhood and promoter of my youth. »

À cette époque nous lisions aussi *Le clitoris de la fée des
étoiles* de Denis Vanier, autre vision profanatoire d'un personnage dont on oublie toujours la dimension anatomique.

Ce que je veux dire par ces allusions, c'est que nous voulions
une vie réelle et Évangéline nous apparaissait comme une extra-
terrestre. Comme Thériault, j'ai moi aussi grandi dans la
péninsule acadienne, traversant le village voisin d'Évangéline
pour me rendre à Shippagan travailler, durant les étés, dans
une usine de transformation de poisson. Les femmes que j'y
voyais n'avaient rien d'Évangéline. Leurs vies misérables me
faisaient penser qu'il y avait là un discours que nous — en tant
qu'artistes ou intellectuels — avions le devoir d'articuler. En
ce sens le poème de Longfellow m'a toujours permis de créer
des contrastes entre cette vision religieuse ou presque et une
réalité dont personne ne parlait. Pour moi, la modernité n'a
toujours été que ça : un rezonage du discours pour le rendre
accessible et contemporain, une sorte de bricolage dont les
matériaux sont multiples mais dont le but final demeure toujours
celui d'une communication où il y a toujours plus de questions
que de réponses. Évangéline, le personnage, représente pour
moi un de ces éléments qu'il est possible de combiner pour
créer des contrastes, des collages ou des effets de rupture, bref
des stratagèmes de postmodernité. Puisque la synthèse n'est
plus possible autant s'investir dans cette zone grise où les réfé-
rents sont multiples et les conclusions approximatives.

Dans ma famille, il y avait ce souvenir lointain et étrange
du drame de la Déportation, ce qui était assez surprenant car
ailleurs je n'en avais jamais entendu parler. À Saint-Simon où
je suis né, dans la petite école à deux classes où deux institutrices
enseignaient toutes les matières de la première à la huitième
année, je me souviens de ce vendredi après-midi où ma cousine
Yolande Hébert nous lut l'histoire de la Déportation. Je me

souviens du sentiment de grande détresse qui s'empara de moi sans savoir qu'à travers ces gens dont on parlait c'était de nous qu'il s'agissait. Cette impossibilité de faire face au drame, dans la mémoire comme dans la société, pourrait sans doute expliquer cet intérêt accordé à Évangéline comme substitut d'une expérience trop pénible à assumer. Trop difficile de faire face au destin qui a fait de nous des errants, notre statut assumé de locataires réfugiés dans la ruralité, loin de cette urbanité qui le plus souvent nous annule. J'ai toujours dit qu'au lieu d'exiger des excuses pour la Déportation nous aurions pu demander une francisation des noms de rues de Moncton mais cela aurait exigé de faire de Moncton notre ville. Évangéline, elle, ne fait que passer, virginale et diaphane.

Et pourtant il y a dans ce mythe un malaise irrésorbable, une sorte de charge émotive difficile à évacuer car, comme le souligne Thériault à la fin de son livre, il m'apparaît important de réconcilier tradition et modernité. C'est un peu ce à quoi, souvent à mon insu, je me suis appliqué en me servant du personnage d'Évangéline comme sujet et en le déplaçant vers des formes plus contemporaines, ce qui à mon avis est un peu la base de toute entreprise esthétique. Ainsi dans l'iconographie qu'il rajoute à son livre, Thériault a choisi *Evangeline Beach, An American Tragedy*. Les implications de cette œuvre auraient pu faire l'objet du présent article. Il s'agit d'une réinterprétation du tableau de Frank Dicksee dans un style plus proche du pop art, un dyptique en partie en noir et blanc (un peu à la manière de Jasper Johns) et en partie en couleur. On y voit un ange un peu totémique qui peut faire fonction de messager, de guide ou de protecteur. Le titre vient du nom de la plage à Grand Pré, ce qui m'a toujours fait l'effet d'une sorte d'anachronisme entre le drame du passé et les loisirs actuels. La deuxième partie du titre vient du fait que, effectivement, *Évangéline* est un drame beaucoup plus américain qu'acadien, d'où le titre en anglais. Cela constitue selon moi un exemple assez probant de la stratégie dont je me suis souvent servi pour actualiser ce malaise dont je parlais.

Faut-il oublier Évangéline? La question est de taille mais elle n'est peut-être pas aussi actuelle qu'elle l'a déjà été, car de plus en plus d'informations nous parviennent au sujet de notre parcours. Évangéline après tout n'est qu'une version de cette histoire même si durant longtemps elle en a été la seule sinon la plus courante. Il y a de ces symboles qui parfois jettent de longues ombres, au point où l'on se dit que tout le reste y perd de sa couleur ou de son relief. Mais heureusement le soleil se déplace. D'autres points de vue se font jour, d'autres visions, d'autres perspectives. Le livre de Joseph Yvon Thériault fait sans doute partie de ces ouvrages. Il faudrait qu'il y en ait d'autres car nous avons besoin de matériaux pour nous fabriquer une identité un peu plus juste, un peu plus exacte et surtout un peu plus conséquente non seulement à l'égard de notre passé mais aussi et surtout en fonction de son impact sur notre présent. L'avenir nous le dira.

Artiste, professeur et ex-lieutenant-gouverneur du Nouveau-Brunswick, Herménégilde Chiasson a fait des contributions notoires en littérature, art visuel, théâtre et cinéma. Il habite Grand Barachois en Acadie.

Un conte sociologique?

Monique Boucher et James de Finney

Dans *Évangéline : contes d'Amérique*, Joseph Yvon Thériault propose un vaste survol de la façon dont trois sociétés nord-américaines fort différentes — l'Acadie, les États-Unis et les Cadiens de la Louisiane — ont reçu puis interprété, réécrit, voire réinventé un texte fondateur, *Evangeline, A Tale of Acadie* (1847) du poète américain Henry Wadsworth Longfellow.

D'emblée il faut souligner l'intérêt d'un tel projet. Dès 1755, le drame du Grand Dérangement a eu des répercussions certaines et durables du nord au sud du continent, Longfellow s'étant inspiré de la déportation des Acadiens pour construire son long poème autour d'une ambitieuse reconfiguration de l'espace américain : la disparition de l'Acadie maritimienne du nord, l'intégration des exilés-immigrants acadiens à une Louisiane renaissante aux allures de nouveau paradis, américain il va sans dire, puis la glorification des paysages frontaliers de la jeune république.

Sujet fascinant que cette diversité des processus de construction sociétale à partir d'un même texte. Sujet que Thériault cherche moins à analyser qu'à raconter, en suivant les transformations, revirements et dérives que ces sociétés font subir au texte de départ. Les trois «contes», correspondant aux trois espaces susmentionnés, obéissent à une structure en trois temps : d'abord l'étude du contexte historico-social du groupe, puis celle de la réception initiale du texte de Longfellow et, enfin, les effets ultérieurs, souvent indirects, de cette réception. Cette structure permet aux lecteurs de parcourir chaque conte sans perdre le fil narratif, mais aussi et surtout de saisir les parallèles et contrastes entre les récits acadien, cadien et états-unien. Mais dès le départ, une sorte de flou méthodologique ou générique peut en rendre la lecture difficile. En effet, en introduction, Thériault affirme qu'il ne cherche pas à proposer un ouvrage où de « longs passages théoriques comme le voudrait un travail savant » (p. 17) alourdiraient la lecture. Ainsi, les affirmations et citations ne sont pas accompagnées de références précises qui permettraient au lecteur d'identifier les ouvrages dont il est question et d'approfondir ainsi sa connaissance du sujet, s'il le souhaite. Un peu plus loin, Thériault confirme : « Il ne s'agit pas d'un livre à thèse » (p. 17). Toutefois, et de façon peut-être un peu contradictoire, plusieurs thèses sont pourtant proposées et développées, ne serait-ce que celle de la « fabrication » d'un mythe d'Évangéline par les observateurs externes à la communauté. Pour prouver le rôle fondateur du texte de Longfellow en Acadie, par exemple, Thériault cite les témoignages de Mgr Plessis, de Andrew Brown et du comte de Gobineau sur « l'inexistence d'une mémoire de la Déportation avant 1847 » (p. 157). Il précise toutefois, quelques lignes plus loin, que cette mémoire n'est qu'« atténuée », nuance importante. D'ailleurs la position pro-britannique de Plessis, bien connue, colore son témoignage au point de discréditer ce qu'en retient Thériault. Par ailleurs, l'auteur néglige les témoignages opposés rapportés par Rameau de Saint-Père, lequel a rencontré bon nombre de descendants qui gardaient en mémoire les souvenirs des familles déportées. Il ne parle guère non plus des recherches que Placide Gaudet menait auprès des familles acadiennes et de leurs récits qu'il publiait dans les journaux acadiens. Quant aux centaines de témoignages des déportés rédigés au cours de leur exil en Nouvelle-Angleterre — témoignages sur l'expulsion, la perte des terres et des biens, le démembrement des familles, etc., publiés par Gaudet — Thériault affirme qu'il s'agit simplement d'« une sorte de carnet de voyage des déportés » (p. 177). Ces témoignages seraient-ils moins valables que les propos des voyageurs occasionnels que sont Mgr Plessis ou Gobineau ?

Par ailleurs, il affirme adopter le « ton du récit » sans toutefois spécifier de quel genre de récit il s'agit. Force est de constater que le foisonnement des informations de toutes sortes et les nombreuses observations dont il est question s'éloignent considérablement d'une lecture d'imagination ou de fiction comme pourrait l'être celle de contes ou de récits. Le terme « conte », plus spécifiquement, nous semble ici peut-être un peu galvaudé. De plus, le rythme de lecture d'un récit étant inévitablement plus rapide, le lecteur a du mal à suivre l'auteur lorsqu'il s'aventure à travers le labyrinthe des querelles, revirements idéologiques et autres nuances identitaires subtiles dans le long passage sur l'évolution du nationalisme acadien, par exemple. Par contre, le passage sur le contexte cadien et son évolution, sans doute en raison de l'éloignement du domaine d'expertise de l'auteur, est plus ramassé, plus « narrable », et donc plus lisible, malgré sa complexité.

Il faut toutefois reconnaître que la perspective qu'adopte Thériault permet d'explorer une dimension peu étudiée des littératures d'exil. On sait que le départ en exil efface les repères identitaires liés au territoire, voire à la famille. Il provoque une remise à zéro, une sorte de *tabula rasa* sociale et existentielle, source de dérives mais aussi de transformations, d'évolution. L'exilé doit refaire son existence car toutes les assises antérieures ont disparu. On comprend dès lors que Longfellow déclare, dès les premiers vers du poème, la disparition de l'Acadie, avant de fournir aux exilés une nouvelle identité et un nouveau territoire. L'originalité de l'ouvrage de Thériault, en un sens, consiste à poursuivre en partie la démarche de Longfellow, en privilégiant moins l'œuvre que l'effet de l'œuvre, du moins ce qu'il appelle la « trace que son passage laisse sur la réalité » (p. 18). Ce faisant, Thériault met aussi en scène un type nouveau de lecteur, la société lectrice, et des modes de lecture liés moins au plaisir du texte qu'à l'imaginaire, à la praxis sociale et au devenir des sociétés.

Ce qui nous amène à constater une autre forme de contradiction dans son projet. D'un côté, il affirme qu'Évangéline est « un texte politique » qui « participe à créer un monde de sens, à mettre en forme, à faire société ». Mais de l'autre, il dit que le texte n'est qu'« une sorte de trace [...] sur la réalité et non pas un effet de structure » (p. 18). N'est-ce pas un tel effet de structure qui se produit lorsque les Acadiens retiennent du poème les seules images du paradis de Grand Pré et de l'expulsion, négligeant la suite du texte ? Et de même quand, en réponse à Longfellow, s'élabore — jusqu'à Pélagie la Charette — le contre-récit du retour des familles déportées ? Ce « dialogue » constant entre les Acadiens et Longfellow contribuera ainsi à élaborer la vision que la société acadienne aura d'elle-même, vision qui animera et structurera la renaissance du dix-neuvième siècle.

Thériault adopte la tendance romantique-démocratique qui consiste à remplacer la notion d'État par celle de société : « L'histoire, la société, la culture, le sentiment enrichi par l'expérience d'un lieu, d'un moment, deviendront donc les véritables sources du vivre-ensemble » (p. 31-32). Il ajoute plus loin que tout cela se traduit par un besoin de « romance nationale ». En introduction, il affirme toutefois et tout aussi candidement qu'il a « évité aussi, le plus possible, d'associer le poème à un mythe [car selon lui], le mythe a quelque chose de structurant, de statique » (p. 18). Cette qualification du mythe ne s'appuie sur aucune référence théorique et va, selon nous, à l'encontre des travaux anthropologiques d'un Gilbert Durand ou de ceux plus littéraires d'un Pierre Brunel, par exemple : dans plusieurs ouvrages, ceux-ci ont illustré les variantes et variations du mythe littéraire et social, prouvant ainsi le caractère dynamique et évolutif de celui-ci. La mythanalyse permettrait peut-être, par ailleurs, de mieux comprendre les rapports complexes qui existent entre le poème de Longfellow et les parcours eux-mêmes complexes — revirements et apparentes contradictions — d'auteurs comme Antonine Maillet et Herménégilde Chiasson. D'ailleurs, certaines réflexions et références de Thériault appartiennent bel et bien au domaine du mythe, qu'il s'agisse des références bibliques au peuple élu, par exemple, ou encore à l'*Odyssée*. De plus, les réinterprétations du poème de Longfellow sont difficiles à cerner dans leur complexité sans la dimension mythique et archétypale d'Évangéline et de son errance, des paysages de la jeune Amérique frontalière et des leitmotivs des littératures d'exil.

Par ailleurs, la quête de l'être aimé le long des frontières, les descriptions lyriques de paysages, le regard et le mouvement des personnages à travers l'espace, tout cela sert précisément à nourrir « l'expérience d'un lieu », du pays, du continent.

Un conte sociologique?

Les descriptions narrées, c'est-à-dire vécues par les personnages, structurent le « monde de sens » des jeunes États-Unis, tout comme le font les œuvres de la Hudson River School de peinture. C'est précisément en raison de l'absence d'une telle complexité qu'un roman publié en 1841, *The Neutral French ; Or, the Exiles of Nova Scotia*, « n'eut pas un grand succès » (p. 62), comme l'observe l'auteur. C'est que son héroïne, pourtant déportée comme Évangéline, constate dès son arrivée à Boston la grandeur et les avantages du nouveau pays et s'engage tout de go, sans hésiter, dans les luttes politiques de la jeune république. On conviendra que le propos de Longfellow est, sinon tout autre, du moins infiniment plus complexe.

Thériault se prive donc de précieux outils heuristiques en privilégiant une approche sociologique quelque peu réductrice. Ainsi, en voulant « narrer » l'histoire du poème, il affirme qu'il n'a « surtout pas voulu effectuer une analyse esthétique de l'œuvre » (p. 18), que d'autres études ont largement proposée. Cela explique peut-être le fait qu'il cite tout d'abord, en première partie, la version anglaise et originale du poème de Longfellow, pour ensuite citer la traduction française de Paul Morin, publiée en 1924, qui, à « [sa] connaissance, est la meilleure traduction littérale du poème » (p. 51) et en deuxième partie, propose une analyse, très intéressante par ailleurs, de l'adaptation écrite par Pamphile Lemay en 1864, sur laquelle s'appuient plusieurs recherches littéraires. Les références à la littérature et aux recherches en histoire littéraire, qu'il s'agisse du roman de Napoléon Bourassa ou des affirmations nationalistes de Casgrain ou de Crémazie — que Thériault présente en bloc sans souligner la différence idéologique qui peut séparer l'abbé du libraire —, relèvent des études littéraires, accentuant le malaise du lecteur qui, pour bien apprécier son ouvrage, devrait pouvoir ainsi maîtriser la compréhension de l'hexamètre anglais comme les enjeux politiques du Québec du dix-neuvième siècle. Le projet de Thériault est ambitieux et louable. Mais sa réception peut dès lors poser problème, à notre avis.

C'est vers la fin de l'ouvrage que le lecteur saisit mieux la complexité du regard que pose Thériault sur le phénomène qu'il étudie et raconte : il y est moins question d'Évangéline que du sentiment collectif des Acadiens. Le Longfellow cosmopolite dont parle Irmscher (p. 344) trouve, dit-il, des échos dans l'Acadie diasporique, celle de «partout et nulle part à la fois» (p. 363) que valorise le Congrès mondial acadien. Cette vision d'une Acadie éclatée sans territoire le déçoit et l'inquiète, si bien qu'il semble chercher à se rassurer en affirmant qu'il «doute que l'aventure cosmopolite aura le même effet dans une petite culture fragile — l'Acadie — que celui produit dans la culture de la plus grande puissance mondiale qu'est l'Amérique» (p. 349). *Évangéline : contes d'Amérique* prend ainsi — en plus de sa dimension de conte sociologique — les allures d'une quête identitaire personnelle.

Ainsi, en dépit d'une certaine hésitation entre conte et thèse, en dépit aussi du vertige que provoque ici et là le foisonnement des détails, *Évangéline : contes d'Amérique* constitue à n'en pas douter un ouvrage unique. L'auteur y explore un phénomène tout aussi inusité dans les annales des littératures d'exil : un même poème servant de texte fondateur à trois sociétés distinctes. On pourrait peut-être conclure en disant que l'inquiétude de Thériault rejoint d'une certaine façon les rapports complexes entre les auteurs acadiens contemporains dont il parle et ce qu'est devenu le phénomène «Évangéline» au fil de ses nombreuses transformations.

James de Finney, originaire de Sudbury, Ontario, a enseigné la littérature à l'université laurentienne de 1967 à 1969, puis à l'université de Moncton de 1973 à sa retraite en 2004. Ses publications portent sur les origines de la littérature acadienne au dix-neuvième siècle, les rapports presse-littérature et Antonine Maillet. Il a fait paraître L'Acadie des origines *en 2011.*

Monique Boucher a publié L'enfance et l'errance pour un appel à l'autre. Lecture mythanalytique du roman québécois contemporain (1960-1990) *en 2005, aux éditions Nota Bene. Elle enseigne la littérature au collège Ahuntsic. Elle a également publié de nombreux articles sur l'émergence de l'imaginaire acadien et sur la figure d'Évangéline.*

Le pouvoir des contes :
faire société autour d'Évangéline

Micheline Cambron

La quête de vérité est caractéristique de la majorité des discours tenus sur le personnage d'Évangéline, inconfortablement placé entre vérité et fiction depuis la parution de l'Évangéline de Longfellow, en 1847. Dans son ouvrage *Évangéline : contes d'Amérique*, Joseph Yvon Thériault soutient plutôt l'idée qu'il n'y a pas un *vrai* récit de la vie d'Évangéline mais trois « contes », chacun tissé d'autres récits entrecroisés, indissociables et pourtant radicalement différents dans leur visée. Ces contes auraient permis à trois communautés de « faire société ». En les racontant de manière simple et alerte, Thériault nous entraîne, sur une durée de plus de quatre siècles, dans un aller-retour entre deux continents. Les contes sont ouverts sur leurs sources documentaires, sans pour autant qu'il en soit fait étalage et les sources théoriques font surface ici et là, dessinant un horizon épistémologique riche et dense. J'ai trouvé ce livre surprenant — j'y ai appris beaucoup de choses —, captivant — les trois récits sont des contes parce que Thériault assume avec efficacité le rôle de conteur — intellectuellement stimulant — car il invite à prolonger la réflexion du côté des fonctions sociétales du récit, d'autant que chacun des contes est présenté au sein du récit de sa réception qui en subsume, en conforte ou en déplace le sens.

Le premier récit, l'américain, est organisé autour du poème de Longfellow examiné du point de vue de ses sources, du rapport à la nation qu'il institue et des choix formels qui ont déterminé son statut dans l'imaginaire collectif. Montrant comment le poème Évangéline s'insère dans une interprétation protestante des *French and Indian Wars* dans laquelle la déportation des Acadiens constitue une sorte de dommage collatéral, Joseph Yvon Thériault se livre à un efficace désenchevêtrement des fils narratifs noués autour de la figure d'Évangéline : le cosmopolitisme des écrivains de Concord ; les conceptions politico-géographiques des Américains de la Nouvelle-Angleterre, qui voient en l'Acadie une partie de leur espace national ; le romantisme allemand, dont la présence est lisible dans la première iconographie (voir le tableau des frères Faed dans le «Cahier de photos» qui complète l'ouvrage[1]) ; la traversée du continent d'Évangéline, par l'intérieur des terres, calquée sur le mouvement de la conquête du territoire. Cet examen lui permet de soutenir que le conte américain d'Évangéline se situe dans le droit fil du récit américain de la frontière. Cela ne laisse pas de surprendre tant nous sommes convaincus que le poème, portant sur des Déportés, porte sur la Déportation et sur la communauté acadienne. Dans une argumentation soutenue par un remarquable travail archivistique, Thériault démontre au contraire que le texte de Longfellow magnifie la naissance de la grande Amérique : ni Gabriel ni Évangéline ne retournent en Acadie. Ils meurent américains. La réception critique américaine de l'œuvre, le désamour dont cette dernière souffrira lorsque le romantisme à la Longfellow deviendra démodé montrent bien ce que l'œuvre doit à ces sources non historiques mais littéraires. De ce point de vue, le dévoilement par Thériault des intertextes littéraires antiques qui informent le poème de Longfellow explicite l'effet principal de la littérarisation de cet épisode historique marginal dans l'histoire américaine : l'ennoblissement de la mission américaine, encore accentué par l'emploi de l'hexamètre épique, lequel fait du poème une épopée qui se clôt dans le paysage idyllique de la Louisiane, sur deux tombes sans noms, oubliées.

Le «conte» acadien est, on le soupçonne, d'une tout autre nature. Il est dégagé de manière ample et Thériault retrace sa

---

1. Ce cahier comporte vingt-trois photos qui soutiennent efficacement certains aspects de l'argumentation de l'auteur. L'intégration de ces images aux divers «contes» constitue l'un des aspects les plus originaux de l'ouvrage.

fortune depuis les sources historiques auxquelles Longfellow a puisé (quelques pages de Raynal et le récit d'Haliburton, qui procéda à la déportation) jusqu'à la démythification menée contre Évangéline dans les années 1980, son remplacement par les personnages d'Antonine Maillet, Évangéline Deusse et Pélagie-la-Charrette, son effacement par l'inauguration d'une modernité acadienne, chez Herménégilde Chiasson. Curieusement, ce conte prend sa source véritable dans l'oubli de la déportation *et* dans sa remémoration grâce au poème de Longfellow et à sa traduction québécoise par Napoléon Bourassa, deux textes dans lesquels l'Acadie réelle est donnée pour disparue. Dans le conte acadien cependant, cette mort deviendra survie. À partir des années 1860, les Acadiens, qui n'existaient plus comme communauté, amorcent, principalement autour de l'Église catholique, un regroupement. Il ne s'agit plus de faire de la déportation un épisode dans la vie d'une société morte et oubliée mais plutôt, comme Edmée Rameau de Saint-Père les y exhorte, d'entraîner «les Acadiens à reconstruire ce que la Déportation a détruit : [à] refaire société» (p. 150). Certaines des péripéties qui contribuent à la configuration du conte acadien sont méconnues, comme la guerre d'archives à laquelle se livrent les historiens Henri-Raymond Casgrain et Francis Parkman. Ou encore les conflits entre les fidèles acadiens et leurs pasteurs irlandais. Le rôle de Rameau de Saint-Père, la réussite de son programme : «se doter d'un clergé, investir dans l'éducation, l'agriculture, la colonisation, une presse nationale» (p. 174) sont désormais placés par les Acadiens aux origines de la renaissance acadienne, même si le récit de Longfellow demeure à l'horizon du sens, tant dans les choix sociaux que politiques. Thériault montre comment ceux-ci conduisent à un repli, à la constitution d'une réserve acadienne, en marge de la société anglophone dominante, lisibles dans le choix de nouveaux symboles empruntés au conte américain, comme ces costumes d'Évangéline, tissés dans un coton du Sud inconnu des Acadiens de 1755. Thériault convoque, au fil de son récit à double révolution — le conte nouveau et le récit de sa réception et éventuellement de son rejet —, les nombreux ouvrages, essais ou fictions qui revisitent Évangéline, exposant pour terminer les ressorts de la «colère anti-Évangéline» de la fin des années 1960. L'attention qu'il porte à la structure des récits le conduit à soutenir que l'«anti-évangélisme» n'est en définitive qu'une inversion de l'«évangélisme», enfermé dans les paramètres narratifs initiaux, réduisant l'épopée d'Évangéline à une intrigue dégagée de son lieu et de sa société, ouvrant la voie à une interprétation fondée sur le droit individuel, détachée de tout projet collectif.

Le troisième conte est certes, pour qui ne connaît pas l'histoire de la Louisiane, le plus étonnant. Il débute au moment où Félix Voorhies publie, en anglais, un petit récit réécrivant l'histoire d'Évangéline à partir des souvenirs de sa grand-mère maternelle, mettant en scène des personnages «réels», Emmeline Labiche et Gabriel Arceneaux. Cette «vraie» histoire d'Évangéline se termine différemment puisque qu'Emmeline retrouve son beau Gabriel marié, sur les rives du Bayou de Tèche, en Louisiane, et y meurt, folle de douleur. Selon Voorhies, Longfellow aurait romancé une histoire «vraie», ce qui semble confirmé par un autre récit louisianais, celui de Charles Homer Mouton, selon lequel son grand-père aurait raconté l'histoire d'Emmeline à Longfellow lui-même. Rapidement, le conte d'Évangéline-Emmeline donne lieu à des commémorations et à des manifestations diverses. Son intrigue a une portée pédagogique, conclut Thériault, car, en plus de susciter la fierté des francophones du sud-ouest de la Louisiane, elle présente une image douce et accueillante de la communauté aux Américains qui ont offert un refuge à ces deux patriotes, rebelles aux Anglais. Pour saisir la portée de ce conte, Thériault examine d'abord le contexte discursif dans lequel paraît l'ouvrage de Voorhies, analysant plusieurs textes portant sur la communauté cadienne. Ceux-ci montrent les Cadiens comme des «White Trash», inférieurs aux Créoles auxquels ils ne se sont pas mêlés et même aux Noirs, malgré la couleur de leur peau qui leur assure une mobilité sociale plus grande. La langue parlée par les Cadjens, comme on les nomme avec mépris, apparaît comme l'obstacle majeur au renversement de cette infériorité. Ce tableau ne ressemble en rien à celui de la Louisiane idyllique où mouraient Évangéline et Gabriel dans le poème de Longfellow, non plus qu'à celui de la famille de planteurs d'origine canadienne-française qui accueillait Oncle Tom dans le roman de Harriet Beecher Stowe,

La case de l'oncle Tom. Des informations historiques et géographiques éclairent alors utilement le lecteur quant au lieu concret et symbolique dans lequel se trouve en réalité confinée la communauté des déportés, en marge d'une américanisation à laquelle ils échappent par leur langue mais aussi par leur éloignement des pratiques de la modernité. L'horizon intertextuel de l'accommodement entre la vision idyllique du récit d'Évangéline, qui conforte le grand récit américain, et son ethnicisation est alors mis en place. Il prendra une forme flamboyante grâce à Dudley J. Leblanc, « véritable entrepreneur ethnique » (p. 298). Le récit de la mise en scène d'une Évangéline cadienne que dresse Thériault est captivant : création du premier parc d'État louisianais, le Longfellow-Evangeline Park, présentation des Evangeline Girls (dont on trouve quelques photos à la fin de l'ouvrage) dans divers événements nationaux et internationaux, mise en œuvre d'un tourisme littéraire grâce, entre autres, à l'arbre sous lequel Emmeline-Évangéline aurait pleuré Gabriel. Thériault examine aussi le second film muet tourné à partir du poème de Longfellow, lequel se situe selon lui dans le droit fil du nouveau conte par le tableau idyllique de la Louisiane qu'il met en scène et par le caractère multiethnique des États-Unis d'Amérique qu'il consacre. Évangéline, dégagée des stéréotypes romantiques antérieurs, est incarnée par Dolorès del Rio, une actrice d'origine espagnole, et « engagée dans la redéfinition d'une Amérique multiethnique ». Ce mouvement identitaire et commercial suscitera une vague de pèlerinages au pays d'Évangéline de la part des Acadiens, et aussi une fierté nouvelle du côté des Cadiens qui se présenteront fièrement comme Cajuns à partir des années 1960, terme qui recouvre désormais moins un héritage français qu'une culture populaire attachée à un coin de l'Amérique. Le conte de Thériault se termine sur la popularité actuelle de la musique cajun, sur les difficultés de la refrancisation et sur les conflits internes d'une identité régionale tiraillée entre le récit de l'Amérique blanche de Longfellow et d'autres récits : créole, afro-américain et cajun.

Trois contes donc. Mais il y a beaucoup plus, dans ce livre, que ces récits accompagnés d'images et d'utiles tableaux repères. Au fil des pages se révèle une véritable expérimentation épistémologique, Thériault faisant des nombreux récits entremêlés les sédiments à travers lesquels percolent des identités narratives, sorte de précipités instables, provisoires des récits qu'une communauté peut raconter sur elle-même, selon la définition de Paul Ricœur. Thériault suit en effet à la trace les mouvements des trois contes qui se transforment sous l'effet d'autres discours et interprétations. Et c'est en racontant ces contes qu'il nous permet d'en comprendre les mouvements. Ainsi, sur le plan de l'exposition, ce parti pris du conte permet de raconter plus parce que le récit rend vivants les liens de pertinence qui unissent entre eux les éléments hétérogènes convoqués. Aussi apprend-on beaucoup de choses : sur l'histoire de l'historiographie québécoise, sur les French and Indian Wars, sur la géographie économique de la Louisiane, sur la vie intellectuelle américaine et québécoise du dix-neuvième siècle. Mais aussi sur les pratiques discursives et artistiques ayant joué un rôle dans la circulation et la transformation des contes — poèmes, romans, théâtre, polémiques, œuvres d'art, photographies, films, etc. Mine de rien, il y a là les linéaments d'une riche réflexion métathéorique sur le rôle de la littérature et de la circulation des discours dans tout processus identitaire. De plus, la prééminence des enchaînements narratifs permet à Thériault d'utiliser des concepts complexes sans s'engager dans leur élucidation théorique : il prouve leur pertinence en s'en servant, comme on fait la preuve du mouvement en marchant. Cela est particulièrement vrai de l'usage très juste qui est fait de nombreux concepts de Fernand Dumont, entre autres ceux de référence, de culture première et de culture seconde et de pertinence. La justesse de ces concepts, et de ceux de Ricœur, dans le dévoilement des configurations identitaires trouve ainsi une éloquente confirmation. Le pari revendiqué en introduction, faire un livre accessible, sans jargon, est tenu. On me permettra cependant de souhaiter que ce travail donne lieu à une autre publication, une sorte de « making of » heuristique qui éclairerait les enjeux théoriques de l'expérimentation.

Joseph Yvon Thériault termine sur une note plutôt sombre, dans un dernier récit, dont il est encore malaisé de faire le conte, celui d'une Évangéline postmoderne, effet de pure mémoire délestée de ses amarres identitaires, et se situant sur un plan strictement individuel. Thériault y lit la confirmation de ce que la finale du poème de Longfellow prédisait : l'effacement de la trace, le miroitement à la surface des tombes, d'un récit encore présent mais mort. Les réinvestissements auxquels Évangéline donne lieu et aussi la disparition, dans l'ordre du nouveau conte, des solidarités situées dans un temps et un espace donnés au profit d'une diaspora plus utopique que politique lui semblent conduire à une élision de l'avenir. Si « nul ne sait ce qu'il adviendra du récit d'Évangéline » (p. 368), c'est son inefficacité prospective actuelle qui semble inquiéter Thériault. Car sans avenir, comment penser le « faire société », et comment y saisir la force configurante du récit ?

Micheline Cambron est professeur au département des littératures de langue française de l'université de Montréal. Spécialiste de la littérature et de la culture québécoises des dix-neuvième et vingtième siècles, ses recherches ont principalement porté sur l'utopie, la presse, les questions d'histoire littéraire (archives, récits, lecture et non-lecture) et d'épistémologie des sciences humaines, de même que sur les œuvres de Paul Ricœur et de Fernand Dumont.

La fabrication de la société : sur les traces d'Évangéline

Joseph Yvon Thériault

C'est toujours une occasion unique et rare en raison de la place exiguë de l'essai dans nos espaces publics de pouvoir réagir à des commentaires, écrits en plus, sur son essai. Avant de réagir à ces riches commentaires, je m'en voudrais de ne pas remercier l'« indispensable » revue *Argument* de donner un tel bonheur à des auteurs.

Je ne reprendrai pas la trame de mon livre *Évangéline : contes d'Amérique*. Le commentaire de Micheline Cambron résume admirablement bien les trois récits d'Évangéline (l'américaine, l'acadienne, la cadienne), voire les quatre, si on y ajoute Évangéline la « post-moderne ». Elle reprend, tout aussi bien, l'intention de l'ouvrage en parlant d'une « véritable expérimentation épistémologique » où je révèle en « faisant de nombreux récits entremêlés les sédiments à travers lesquels percolent les identités narratives, sorte de précipités instables, provisoires des récits qu'une communauté peut raconter sur elle-même », permettant ainsi, j'ajouterai, de « faire société ». Je suivrai plutôt son souhait, formulé d'ailleurs aussi, quoique d'une manière différente, par les commentaires de Monique Boucher, James de Finney et Herménégilde Chiasson, d'effectuer « une sorte de " making of" heuristique qui éclairerait les enjeux théoriques de l'expérimentation ». Évidemment, tout cela sera bref, dans les contraintes de l'espace qui m'est ici réservé.

L'effet de l'œuvre

Je commencerai toutefois par répondre à des commentaires plus ponctuels qui me ramèneront néanmoins comme on le verra aux enjeux théoriques de la démarche. Monique Boucher et James de Finney me reprochent d'avoir été quelque peu sélectif en reprenant les propos de Mgr Plessis et du Comte de Gobineau pour confirmer l'inexistence, avant la parution du poème Évangéline (1847), d'une référence acadienne au « Grand Dérangement ». Ils opposent à ces comptes rendus les témoignages recueillis sur la mémoire de la déportation par Rameau de Saint-Père et Placide Gaudet auprès des familles acadiennes ainsi que les lettres des déportés au moment des évènements. « L'effet de l'œuvre » ne serait alors pas aussi important que souligné.

Ici, la chronologie est importante. Rameau de Saint-Père (*Une colonie féodale en Amérique*, 1889), Placide Gaudet (*Généalogie des familles acadiennes*, 1909) et j'ajouterai Henri-Raymond Casgrain (*Un Pèlerinage au Pays d'Évangéline*, 1888), écrivent à la fin du dix-neuvième siècle, début du vingtième, une cinquantaine d'années après la parution du poème, près de cent cinquante ans après les évènements. Les propos recueillis sont déjà informés par le poème et ses suites, cela est particulièrement sensible dans les écrits de Rameau de Saint-Père. On trouve, autre exemple, dans les commentaires dits « authentiques » recueillis par Casgrain des propos qui reprennent presque mot pour mot les chroniques de Gaudet sur les familles acadiennes, chroniques qui sont le produit de recherches archivistiques suscitées par le poème et l'idée du « retour ». En ce qui a trait enfin aux lettres des déportés en Nouvelle-Angleterre, il s'agit certes d'une mémoire première des évènements, qui s'est estompée par la suite, et qui dans sa prime version faisait référence à la spoliation de leurs terres et non à la « patrie perdue ». L'essentiel de la thèse défendue dans *Évangéline : contes d'Amérique* veut qu'entre la mémoire première des « grands dérangements » — le souvenir des générations qui ont vécu les évènements (du milieu à la fin du dix-huitime) — et la naissance d'une référence sociétale largement fondée sur la déportation (du milieu à la fin du dix-neuvième), il n'y eut pas continuité, il n'y eut pas usage d'une mémoire de la déportation pour faire société. Pour qu'une mémoire perdure sur plusieurs générations depuis ceux qui ont vécu tel évènement, il faut que l'évènement soit médiatisé par un récit : Évangéline fut cette médiation. D'autant plus que la plupart des ancêtres des francophones des provinces maritimes n'avaient pas été « déportés », mais vivaient en continuité sur le territoire depuis, pour la plupart, le milieu du dix-septième siècle. Cette absence de mémoire est confirmée notamment dans le folklore et la littérature, où aucune trace d'une mémoire de la déportation n'est présente avant les années 1860. Je renverrai pour cette question à *l'Histoire de la littérature acadienne* de Marguerite Maillet (1983).

Le même phénomène est présent en Louisiane. Le souvenir de l'arrivée des Acadiens se perd, plus le dix-neuvième siècle avance. Seule persiste la présence d'un groupe nommé « Cadjen » dont l'existence alors est plus celle d'une classe socioéconomique de petits blancs désavantagés, « *white trash* », que celle d'une référence à un groupe mémoriel. Là aussi, le récit cadien, devra attendre l'*acadianisation* du poème Évangéline à la fin du dix-neuvième siècle et au début du vingtième.

Le caractère étranger de l'œuvre

En insistant sur la centralité du poème Évangéline dans la construction des identités acadiennes et cadiennes, je participerais d'une certaine façon à reproduire l'aliénation séculaire des imaginaires acadiens et cadiens. L'une des thèses importantes de l'ouvrage, disent de Finney et Boucher, est l'idée de « la fabrication d'un mythe d'Évangéline par les observateurs externes à la communauté ». De la même manière, Chiasson exprime ses réticences par rapport à l'usage identitaire d'Évangéline — tout en admettant en avoir fait grand usage — par le fait qu'elle renvoie à « une vision passéiste et traditionnelle ». Évangéline serait une sorte « d'extra-terrestre » qui nous a éloignés, qui nous éloignerait, de notre véritable histoire. Reprenant le propos de Barry Ancelet, cette fois pour l'Acadie de la Louisiane, il dira : «Évangéline a volé notre histoire […] au sens où elle a rendu les autres héros pas nécessaires».

J'ai pour ma part voulu démontrer qu'Évangéline n'est pas un œuvre étrangère. Certes, elle est une œuvre d'un poète américain qui s'inscrit, comme la première partie de l'ouvrage le démontre abondamment, dans le récit américain. Cependant, «traduttore, traditore», disent les italiens : traduire c'est trahir! Les Acadiens, les Cadiens (et aussi les Canadiens français) se sont appropriés l'œuvre, ils ne l'ont pas reçue passivement. Ils en ont changé la trame pour que l'œuvre participe de leur propre récit. Et, depuis lors, le récit a été remanié, contesté, il a évolué selon la conjoncture. Toujours exprimant quelque chose sur les mutations identitaires de la société dans laquelle ils baignaient.

Évidemment, il reste une part étrangère dans cette interprétation, celle de la dépossession, celle de «la plaie du pays d'Évangéline», ainsi que l'affirmait Philéas Bourgeois au moment de la renaissance acadienne, celle du regard de l'autre. Cette part étrangère, elle est aussi quelque part révélatrice d'un inachèvement inhérent à toute identité minoritaire. J'ai toujours personnellement eu une grande réticence à percevoir l'histoire de nos ancêtres comme celle d'une grande aliénation. Eux aussi fabriquaient leur histoire.

En fait, c'est plutôt l'idée du récit comme aliénation, fausse conscience, qui m'apparaît relever d'une vision passéiste, étroite de la société. Du moins une telle conception était au centre du discours des avant-gardes modernisatrices des années 1960, particulièrement chez les marxistes, je pense à l'analyse des idéologies chez Althusser. Malgré le «tournant culturel» des études sociales depuis les années 1980, l'idéologie du soupçon plane toujours : il faudrait déconstruire le discours, le dénoncer comme aliénation. Et pourtant, l'imaginaire ne sert pas qu'à dominer ou qu'à dénoncer, il sert aussi à tisser du lien social, à faire société. C'est ce sens — le récit comme pourvoyeur de sens — que je voudrais que l'on retienne de mon ouvrage dans une époque où, en partie par manque de récits, les sociétés vacillent.

Cela explique peut-être ma réticence à utiliser l'idée du mythe, comme le soulignent Boucher et de Finney. Non pas que je conteste qu'une riche « mythanalyse » existe et que le mythe puisse être appréhendé de manière évolutive. Mais, dans le cas acadien et cadien, les études se référant au mythe, je pense à *L'Acadie du discours* de Jean-Paul-Hautecœur, ou encore à *Post Card de l'Acadie* de Barbara Leblanc, ont eu tendance à figer l'Acadie dans le mythe. Il y avait une histoire acadienne, mais l'Acadie n'avait pas d'histoire, elle reproduisait le mythe.

D'où l'idée de prendre le poème comme un texte politique. Je voulais dire par là un texte qui ne trône pas au-dessus de la société (comme une idéologie ou comme un mythe dans son sens populaire), mais qui participe par son intertextualité, par sa réception, par la conversation qu'il suscite, à la fabriquer. Les traces d'Évangéline ne sont pas principalement la marque d'une aliénation, elles sont la sédimentation de discours sur Évangéline révélatrice et créatrice de l'évolution de communautés.

Le « making of » de l'ouvrage

Je reviens au souhait exprimé par Micheline Cambron d'un « making of ». J'ai commencé plus haut à en donner quelques jalons. Je poursuis. N'ayez crainte toutefois, je ne m'aventurerai pas ici dans de longues explications théoriques.

J'ai adopté dans cet ouvrage le ton du récit — j'ai opté dans le titre et l'introduction pour le mot « conte », mais c'était un clin d'œil au titre original de l'œuvre de Longfellow : *Evangeline, A Tale of Acadie*. Le lecteur perspicace comprendra que je m'intéresse à la manière dont le « récit », la « narration », la « référence » est nécessaire à la fabrication de la société. « Pas de société sans conteurs », ai-je rappelé en introduction en me référant à une formule de Régis Debray. Cela est aussi vrai pour un État-nation comme l'Amérique états-unienne, que pour une minorité nationale comme les Acadiens, ou pour un groupement nationalitaire comme les Cadiens de la Louisiane. En m'intéressant à Évangéline et à ses réceptions je pénétrais dans trois formes de regroupement sociétal (l'État-nation, le groupement nationalitaire, l'ethnie) qui couvrent un large spectre de la façon dont les humains font société dans le monde moderne. C'est encore l'idée (ou l'absence) du récit qui est remise en question aujourd'hui par l'univers postmoderne, non pas cette fois pour fabriquer la société, mais pour la déconstruire.

Derrière sa jupe folklorique, Évangéline s'intéressait donc à des sujets sérieux : comment fait-on société, pourquoi fait-on société, les sociétés sont-elles en voie d'effacement ? Cela délimitait aussi mon terrain ; je m'intéressais à Évangéline bâtisseuse de société et non à la dimension esthétique de l'œuvre qui est aussi riche d'interprétation, mais c'est autre chose.

Où j'ai le plus osé toutefois, ce que Cambron nomme mon «expérimentation», c'est dans le fait d'avoir camouflé en quelque sorte mon appareillage théorique dans le récit. Je ne cache pas que je me suis largement inspiré de ce que l'on pourrait appeler une tradition phénoménologique ou tout au moins de l'idée que le sens du monde surgit de l'expérience, que l'un et l'autre sont inextricablement liés. Les travaux de Fernand Dumont (*Le lieu de l'Homme*) sur la mémoire, ceux de Paul Ricoeur (*Temps et récit*) sur le récit sont présents dans ce travail. Je dois une dette particulière toutefois à Claude Lefort (*Les formes de l'histoire*) qui m'a appris que le sens d'un évènement ou d'un texte ne saurait se réduire à leur prétendue vérité, mais relève aussi et surtout de la trace qu'ils laissent dans l'histoire subséquente. C'est ainsi que je suis parti sur les traces d'Évangéline. Ces inspirations toutefois je n'ai pas voulu les démontrer, mais les illustrer. Je n'ai pas cru utile d'expliquer ce qu'était une phénoménologie, j'ai voulu la pratiquer. Pas de longs développements sur la notion de récits (Ricœur), de culture première et de culture seconde (Dumont), de travail de l'œuvre (Lefort), de l'histoire conceptuelle du politique (Rosanvallon) dans mon livre, mais des aperçus de ces notions à l'œuvre, occupées à faire l'histoire.

Derrière cette proposition théorique se cache une interprétation de la société. Les sociétés ne sont pas des effets de structure, ou plutôt la structure de la société est quelque chose de mouvant à quoi le récit participe à donner sens et forme tout en en dévoilant le sens. Comprendre la société américaine, la société acadienne et la société cadienne par le récit, c'était illustrer cette proposition selon laquelle le fil narratif du récit d'une société, la conversation qu'elle entretient sur elle-même à travers le temps, révèle et construit en même temps sa forme. Dans les sociétés modernes, nous croyons détenir la clef de la fabrication de la société et pourtant une large part de cette fabrication nous échappe. L'entrecroisement de l'histoire et du récit rendait compte, dans l'écriture même de l'ouvrage, de la dimension « invention » propre à toute société.

J'ai voulu dans la manière d'écrire ce livre — le fil narratif des récits d'Évangéline —, sans rendre explicite les sources théoriques, reproduire l'expérience de la fabrication de la société, trouver le sens de ces sociétés dans l'expérience. J'ai voulu faire une écriture phénoménologique.

Enfin, camoufler mon appareillage théorique n'était pas cacher mon intention. Au contraire, c'était illustrer sur les traces d'Évangéline comment se fabriquent les sociétés et comment l'éventualité de leur perte nous ferait perdre quelque chose d'essentiel.

Joseph Yvon Thériault est professeur au département de sociologie à l'université du Québec à Montréal où il est titulaire de la chaire de recherche du Canada en mondialisation, citoyenneté et démocratie (MCD). Ses recherches portent sur la démocratie dans ses rapports avec les identités collectives, la mémoire et les mouvements sociaux. Il est l'auteur notamment de Critique de l'américanité. Mémoire et démocratie au Québec *(2005).*

ARGUMENT
POLITIQUE SOCIÉTÉ HISTOIRE

Tarifs d'abonnement

	Canada	États-Unis	Autres Pays
Individu, annuel	29 $*	48 $	60 $
Individu, bisannuel	50 $*	96 $	120 $
Institution, annuel	70 $*	90 $	110 $

*Taxes incluses

NOM   PRÉNOM

INSTITUTION

ADRESSE   rue

                 ville   pays   code postal

TÉLÉPHONE   au travail   à domicile

                 télécopieur   adresse électronique

PAIEMENT   CHÈQUE ☐   MANDAT ☐   _____ $

Faites votre chèque ou mandat au nom d'*Argument*

Visa n°

Master Card n°

Les 3 derniers chiffres figurant sur le panneau de signature ☐ ☐ ☐

Date   Signature

Date d'expiration

Faites parvenir votre coupon d'abonnement à l'adresse suivante :
Revue Argument, Éditions Liber, 2318, rue Bélanger,
Montréal (Québec) H2G 1C8

Courriel : abonnement@revueargument.ca
On peut aussi s'abonner directement sur le site d'*Argument* :
www.revueargument.ca